Les lisières

Olivier
ADAM

Les lisières

ROMAN

Pour Karine

« Et je revois les voisins plus riches / des collègues à Maman qui vivaient /dans les petits pavillons plus chics / la lutte des classes c'est un jardin / une table de ping-pong / une chambre pour chacun /une cheminée dans le grand salon / un mari qui fume la pipe /une voiture neuve un frigo plein/ des vacances été hiver / des chouettes habits c'est propre et ça sent l'air. »

Pascal BOUAZIZ, Mendelson, *Barbara 1983*

« Millions de vies cachées dans des maisons de tôle / Fourmi portant le monde sur tes épaules / Qui plie mais ne rompt pas comme le saule / Fourmi portant le monde sur tes épaules.
Maisons châteaux/ Murs de sable, murs de vent / Souffle de l'avenir nous soulevant / Comme une feuille d'arbre pourrissant / Jaune et dorée sous le soleil couchant / Comme un chien qui s'est tu / Et toi que deviens-tu ? / Je te demande : / Et toi que deviens-tu ? »

Gérard MANSET, *Que deviens-tu ?*

I

Je me suis garé sur le trottoir d'en face. J'ai jeté un œil dans le rétroviseur. Sur la banquette arrière, Manon rassemblait ses affaires, le visage caché derrière un long rideau de cheveux noirs. À ses côtés, Clément s'extirpait lentement du sommeil. Six mois n'avaient pas suffi à m'habituer à ça. Cette vie en pointillés. Ces week-ends volés une semaine sur deux. Ces dimanches soir. Ces douze jours à attendre avant de les revoir. Douze jours d'un vide que le téléphone et les messages électroniques ne parvenaient pas à combler. Comment était-ce seulement possible ? Comment avions-nous pu en arriver là ? J'ai tendu ma main vers ma fille et elle l'a serrée avant d'y poser un baiser.

— Ça va aller, papa ?

J'ai haussé les épaules, esquissé un de ces sourires qui ne trompait personne. Elle est sortie de la voiture, suivie de son frère. J'ai attrapé leurs sacs à dos dans le coffre et je les ai suivis. De l'autre côté de la rue, la maison de Sarah n'était plus la mienne. Pourtant rien ou presque n'y avait changé. Je n'avais emporté que mes vêtements, mon ordinateur et quelques livres. Chaque dimanche, quand je ramenais les enfants, il me semblait absurde de repartir, je ne comprenais pas que ma vie puisse ne plus s'y dérouler. J'avais le sentiment d'avoir été expulsé de moi-même. Depuis six mois je n'étais plus qu'un fantôme, une écorce molle, une enveloppe vide. Et quelque chose s'acharnait à me dire qu'une part de moi continuait à vivre normalement dans cette maison, sans que j'en sache rien. Dans le jardin tout renaissait. Un tapis de délicates fleurs roses s'étendait au pied du cerisier. Les jonquilles et les tulipes coloraient les parterres. La pelouse avait été tondue quelques heures plus tôt, l'herbe coupée embaumait l'air encore doux. J'imaginais mal Sarah s'acquitter d'une telle besogne. Sans doute le voisin lui avait-il proposé son aide. C'était son job après tout. J'ai regardé sa maison et je n'ai pu m'empêcher de lui en vouloir. Ça n'avait pas de sens. Je l'aimais bien. C'était un brave type qui croulait sous les emmerdes. Un de ses gamins était autiste ou quelque chose dans le genre, et sa femme enchaînait les opérations depuis trois ans, la plupart du temps on la voyait avec des béquilles et la jambe droite plâtrée. Mais en voyant l'herbe rase, je me suis dit qu'il faisait partie de la meute invisible qui depuis six mois me volait ma vie.

Sarah se tenait dans l'encadrement de la porte, souriante, un verre de vin à la main. Au moment de l'embrasser, j'ai dû me retenir de poser mes lèvres sur sa bouche, d'y fourrer ma langue et de la serrer contre moi. Ça non plus je n'arrivais pas à m'y habituer. Nous étions là, face à face, nous n'avions pas changé, c'était toujours son corps et sa bouche. Pourquoi n'avais-je plus le droit de promener ma main sur son cul, de caresser ses seins, de passer un doigt entre les lèvres de son sexe ? Qu'est-ce qui avait changé ?

— Tout, Paul. Tout a changé, avait-elle coutume de répondre quand après quelques verres de vin je ne parvenais plus à décoller du salon et cherchais ses lèvres.

Nous avons échangé deux bises ridicules, de celles qu'on réserve aux connaissances vagues, aux collègues.

— T'as l'air en forme, ai-je tenté, et j'étais parfaitement sincère. Depuis que nous étions séparés Sarah resplendissait, quelque chose en elle semblait libéré d'un poids, et il fallait bien que je me résolve à accepter que ce poids, c'était moi. Ce n'était d'ailleurs pas très difficile à comprendre. Toutes ces années, je n'avais pas été un cadeau, je n'étais pas un type facile, tout le monde s'accordait à le dire. Je ne voyais pas à quoi tous ces gens se fiaient pour s'entendre sur un tel constat, mais l'unanimité faisait foi : j'étais visiblement, et de notoriété publique, impossible à vivre.

— Pas toi, a dit Sarah, avec dans les yeux cette légèreté nouvelle.

Elle m'a précédé dans le salon et nous nous sommes assis. Elle m'a proposé un whisky. Ça ressemblait à une provocation : elle savait parfaitement que j'avais fait une croix dessus depuis pas mal de temps, que je m'en tenais au vin désormais, et dans des quantités que je jugeais raisonnables. Manon est montée dans sa chambre et Clément s'est lové contre moi. Il tenait une bande dessinée, qu'il feuilletait distraitement. J'ai embrassé ses cheveux. Rien ne me manquait comme son odeur et mes doigts jouant sur sa nuque. Sarah m'a demandé combien de temps je comptais rester là-bas. Je n'en savais rien, tout dépendait de ce que j'allais y trouver. Quand ma mère allait-elle sortir de l'hôpital, et dans quel état ? Au téléphone mon père m'avait paru tellement perdu. Il s'était mis à reparler de vendre la maison et de s'installer dans une de ces résidences pour vieux qu'il avait toujours méprisées. Plutôt crever que de finir dans un de ces trucs, l'avais-je toujours entendu dire.

— Tu sais, il y a des endroits très bien. Après tout qu'est-ce qu'ils feraient dans une maison pareille, avec ta mère qui ne peut plus monter les escaliers, ton père qui n'a jamais fait le ménage de sa vie, qui ne sait même pas comment marche un lave-linge ou une gazinière ?

J'ai hoché la tête. Elle avait raison bien sûr, mais la vérité c'est que tout ça m'importait assez peu. Ce qui m'occupait l'esprit pour le moment, c'était tout ce temps que j'allais devoir passer là-bas. Sarah le savait bien. Chaque fois qu'il s'agissait de s'y rendre, une fois par an tout au plus, et jamais plus d'une demi-journée, histoire que les enfants voient leurs grands-parents, sachent à quoi ils ressemblent, sachent au moins qu'ils existent, ça me foutait sur les nerfs, pendant les deux semaines qui précédaient j'étais d'une humeur de chien. Une fois là-bas, pourtant, il n'y avait rien d'invivable, et puis nous ne restions que quelques heures, mais je trépignais. J'attendais qu'on reparte comme on attend la délivrance après des mois d'emprisonnement.

— Tu leur dis que je pense à eux, hein ?

J'ai acquiescé, même si ça me paraissait totalement dénué de sens. Sarah m'avait foutu à la porte de ma propre vie, m'avait confisqué mes enfants, qui étaient au fond la seule chose à part elle et l'écriture qui m'ait jamais fait tenir debout, et il fallait encore que j'embrasse mes parents de sa part. Je l'ai regardée se resservir un verre de blanc, un truc du Sud-Ouest au goût un peu fumé qu'on adorait boire en avalant des huîtres et des crevettes sautées le dimanche soir. De toutes mes forces j'avais essayé de la détester mais je n'y étais jamais parvenu. Elle m'avait traîné dans la boue pour garder les enfants. Devant le juge elle avait sorti mes états de service, les quantités d'alcool que je m'envoyais, les ordonnances longues comme le bras que j'avais englouties des années durant, le contenu même des bouquins que j'écrivais et qui témoignait de ma fragilité psychologique, du paquet de névroses avec lesquelles je me battais depuis tout petit. Elle avait ajouté à ça mes déplacements fréquents, mes relations avec des gens du cinéma, de la chanson, bref des artistes forcément alcooliques, cocaïnomanes ou que sais-je encore, vraiment elle avait mis le paquet mais ça n'avait pas suffi, je l'avais trop aimée pour pouvoir un jour la haïr.

Je me suis levé et j'ai rejoint Manon dans sa chambre. Au passage, j'ai aperçu le lit où je dormais encore six mois plus tôt. Sur la table de chevet s'empilaient des bouquins que j'aurais pu lire, avec Sarah nous avions toujours aimé les mêmes romans, les mêmes films, les mêmes disques, les mêmes photos. Nous étions les meilleurs amis du monde. C'est ce qu'elle m'avait dit un jour. C'est ce que nous étions devenus selon elle. Des amis qui vivaient sous le même toit. Je n'étais pas d'accord bien sûr, ce genre de conneries me semblait tout juste digne d'un magazine à la noix et je ne comprenais pas qu'une femme aussi intelligente qu'elle puisse se complaire dans cette sorte de catégorisation des êtres et des sentiments, alors que c'était précisément une chose qu'elle me reprochait régulièrement, mais ça ne servait à rien de discuter, elle ne m'aimait plus c'était tout, elle avait besoin d'air, elle avait besoin d'être libre, elle n'en pouvait plus de me porter à bout de bras depuis tant d'années, elle avait assez avec ses petits patients à l'hôpital. Eux étaient vraiment malades. Eux réclamaient de vrais soins. Eux auraient eu de vraies raisons de se plaindre, quand je n'étais qu'un enfant gâté inapte au bonheur et à la légèreté, un type à qui la vie avait tout donné, de l'amour des enfants merveilleux une vie sans contrainte et vouée à l'écriture, et qui n'avait jamais su être à la hauteur de ce qu'on lui offrait.

Manon était assise à son bureau. La chaîne hi-fi jouait *In the Dark Places*, un morceau du dernier album de PJ Harvey, depuis toujours cette gamine m'épatait, ses lectures, sa discothèque, les films qu'elle aimait, tout témoignait déjà d'un esprit libre, affranchi des diktats télévisuels et des emballements de groupe, elle n'avait pas peur de se distinguer, à son âge j'étais loin d'en être là, me disais-je, il me suffisait de visualiser la chambre de mes onze ans et les posters de chanteurs ringards qui en couvraient les murs pour m'en convaincre.

— Qu'est-ce que tu fais ?

— Mes devoirs. J'ai ma rédaction à finir.

J'ai lâché un soupir. Sa prof de français me sortait par les yeux. La moindre de ses corrections révélait un cerveau si borné et rétif à la littérature que j'avais envisagé de lui adresser une lettre ou de solliciter un rendez-vous, ce dont Manon m'avait dissuadé pour un temps. Je ne pouvais guère l'en blâmer. Depuis la maternelle, je n'avais cessé de m'engueuler avec chacun de ses enseignants, la plaçant dans des situations impossibles dont elle mettait des semaines à se sortir, jusqu'à mon prochain emportement.

— On se revoit quand ? Maman m'a dit que tu ne nous prenais peut-être pas dans quinze jours.

— Elle vous a dit ça ? Je ne sais pas encore. Ça dépend. Ça dépend de comment va ta grand-mère. De comment se débrouille ton grand-père sans elle. J'essaierai de remonter pour passer le week-end avec vous.

Je l'ai embrassée et elle est restée un long moment pelotonnée dans mes bras. Comme chaque fois ses yeux se sont embués et j'ai senti ma gorge se serrer.

— Allez ma belle, à bientôt.

Je suis redescendu dans le salon. Clément n'était plus là, il venait de filer chez son copain Romain qui habitait à trois maisons de là. Ils se connaissaient depuis la maternelle et demeuraient inséparables. Le père bossait au port. Souvent je le croisais à la nuit tombée sur la plage au bout de la rue, à fumer un joint assis dans le sable froid. Il nous arrivait d'échanger quelques mots, la plupart dédiés à la beauté du ciel, à la qualité de la lumière, à la couleur de l'eau.

— Putain, il aurait pu attendre que je lui dise au revoir.

— Oh ça va, vous vous êtes pas lâchés des yeux pendant quarante-huit heures…

Cette fois elle avait réussi. Pendant un quart de seconde je l'ai détestée, vraiment.

Nous nous sommes quittés un peu plus cérémonieliement que d'ordinaire. Il faut dire qu'en temps normal ces adieux bimensuels n'en étaient pas tout à fait : nous vivions dans le même quartier et nous croisions plusieurs fois par semaine, au café, sur la plage, sur les sentiers, parmi les genêts et les bruyères. C'était un genre de torture mentale. J'entrevoyais sa vie sans moi, et contrairement à moi, elle semblait s'en accommoder plus que bien. Au fond je ne l'avais jamais vue si sereine. L'expression un peu soucieuse que j'avais toujours connue sur son visage l'avait quittée. Elle regardait la mer, un léger sourire aux lèvres, le front lisse, les traits reposés, étales comme les eaux qu'elle pouvait fixer durant des heures, sans jamais s'en lasser.

Avant de monter dans la voiture j'ai jeté un œil à la fenêtre de Manon. Entre les branches du grand cèdre son visage en morceaux m'observait. Nous nous sommes fait un signe de la main, notre signe à nous, un truc compliqué, en six ou sept temps, inspiré des rappeurs et des gars des cités, que nous avions inventé ensemble quand elle avait quatre ans et qui nous avait suivis toutes ces années.

Il avait fallu qu'on se sépare pour que la bonne vieille angoisse des dimanches soir de mon adolescence refasse son apparition. Pourtant, rien de spécial ne m'attendait le lundi. Rien sinon ces presque deux semaines à vivre seul dans mon appartement face à la mer, à quelques mètres seulement de mon ancien chez-moi, de ma femme, de mes enfants. J'ai replié le matelas dans son canapé. Je n'avais toujours pas pu me résoudre à aménager un vrai lieu pour les enfants. Je ne m'avouais toujours pas vaincu. Tout cela ne pouvait qu'être temporaire. Encore quelques semaines et les choses allaient rentrer dans l'ordre. J'ai attrapé une bière dans le réfrigérateur et je l'ai bue debout face à la baie vitrée. Le soir tombait sur les eaux calmes et retirées, aussi lisses qu'un lac, laissant à nu des successions d'îlots pareils à des ombres. Une brume laiteuse voilait l'horizon. En arrivant ici neuf ans plus tôt, j'avais eu la sensation de trouver ma place comme nulle part ailleurs.

Je me suis installé à mon bureau et j'ai vaguement tenté de me mettre à mon roman. Prétendre qu'on écrit mieux quand on est seul et au fond du trou relève de la pure et simple fumisterie. Depuis que Sarah m'avait quitté je n'étais plus foutu d'aligner trois mots. Je lui avais dédié tous mes livres jusqu'alors. De là à croire que je n'écrivais que pour elle, il n'y avait qu'un pas à franchir et je n'étais pas loin de le faire. C'était comme une double peine. Écrire avait toujours été pour moi le seul moyen de me connecter au monde, de le sentir, d'en éprouver la texture, de m'assurer de son existence, et de la mienne au passage, et voilà qu'au moment où je me retrouvais plus que jamais suspendu dans le vide j'en étais devenu incapable. Comme si faute de destinataire le geste lui-même devenait absurde. J'aurais pourtant juré que tout ça ne se jouait qu'entre moi et moi. J'ai éteint l'ordinateur. Dans l'appartement, le silence était rempli d'oiseaux. Au crépuscule ils gueulaient comme s'ils craignaient que la nuit ne les emporte. J'ai allumé une cigarette et regardé l'obscurité repeindre la mer, camoufler les récifs. Cela pouvait m'absorber durant des heures. Cela pouvait parfois me suffire. J'ai repensé au week-end qu'on venait de passer avec les enfants, ces deux jours filaient toujours comme des coulées d'or pur, pour une fois le temps s'était fixé au bleu et nous n'avions pas quitté les rivages une seule seconde, d'une plage à l'autre nous avions longé la mer gelée, y avions trempé nos jambes jusqu'aux cuisses, sur le sable nous nous étions disputé un ballon, écroulés les uns sur les autres, avions lu allongés enlacés, puis fini par nous assoupir. Manon prenait sur elle, elle savait parfaitement que notre temps était compté, qu'il ne fallait pas le lester de tristesse. Du matin au soir je scrutais son visage, inquiet d'y voir apparaître ce pli nouveau que je ne lui avais jamais vu en onze ans. Quelque chose en elle s'était effondré, il suffisait de l'observer pour le comprendre. Je ne crois pas qu'elle nous en voulait, non, elle n'en était pas encore là et n'y parviendrait sûrement jamais. Elle était trop intelligente pour ça. Mais elle était profondément blessée je le voyais, un pan de sa vie, de ce qu'elle croyait vrai et immuable s'était affaissé et il lui fallait dorénavant vivre avec ça. Sentir en elle cette fissure me déchirait. Toutes ces années je l'avais toujours connue légère et pleine d'allant, lumineuse. Elle mettait à vivre chaque instant une joie qui m'enchantait, et j'avais souvent le sentiment qu'elle nous portait, Sarah et moi, dans son sillage. Clément, quant à lui, s'en tenait aux détails pratiques de l'affaire, il devait dormir dans le canapé avec sa sœur, oubliait toujours un truc dans l'appartement, un vêtement, un cahier, sa Nintendo DS ou autre chose, râlait parce que je n'avais pas encore acheté de télévision, mais je n'étais dupe de rien, sous ses airs de petit dur il n'en menait pas large et n'arrivait jamais tout à fait à laisser ses inquiétudes et son chagrin au vestiaire pour vivre pleinement ces moments où nous étions enfin réunis. Moi non plus à vrai dire. Mais j'essayais de ne rien en laisser paraître. J'essayais d'être là pour une fois.

« Tu n'es jamais là, disait toujours Sarah. Vivre avec toi c'est vivre avec un fantôme. Tu n'es jamais là. Jamais vraiment. Il faut toujours te répéter trois fois la même chose. La première pour que tu t'aperçoives de ta présence ici. La seconde de la nôtre. La troisième pour que tu écoutes pour de bon. Et encore. C'est épuisant à la fin. Un jour tu es dans tes livres. L'autre tu te perds dans la contemplation des étendues. Mais jamais tu n'es là, ici, avec nous. »

Elle n'avait pas tort. Je n'étais jamais là. Je ne l'avais jamais vraiment été. C'était comme une maladie. Qui remontait aux origines. Ma vie s'ouvrait sur un trou noir. Une absence. Un socle dont rien ne subsistait et dont je continue aujourd'hui à me dire qu'il m'a toujours manqué. Ma vie était bâtie sur du sable. Des années enfuies dont ne subsistait qu'une matière opaque, impénétrable. Et mes premiers souvenirs n'étaient que souvenirs de disparition. Inexplicablement, ma mémoire s'allumait le jour où ma grand-mère était morte. J'avais dix ans. Ma mémoire s'ouvrait ce jour-là, exactement, où pour la première fois quelqu'un disparaissait autour de moi. « Elle n'est plus là », m'avait dit ma mère pour m'annoncer la nouvelle. Je venais d'entrer dans la cuisine, encore en pyjama, et elle était là, blême et le regard perdu, vêtue d'un manteau qu'elle n'enlèverait pas de la journée, comme si désormais le froid l'avait envahie pour toujours, comme si la mort de sa mère l'avait remplie de neige à jamais.

Mon deuxième souvenir avait lui aussi à voir avec la disparition. Et je n'y repense jamais sans qu'un vertige, un effroi, me saisisse. C'était la même année. Je me tenais au bord d'un précipice. Et je voulais qu'il m'emporte. C'était au beau milieu des Alpes et pour une fois nous ne logions pas au camping, pour une fois nous avions laissé à V. la petite caravane Fendt et son auvent marron, ses banquettes orange et ses lits superposés dont l'un n'était qu'un simple hamac. Il faisait une chaleur à crever, les torrents dévalaient les ravines en pure perte, les rochers couverts de lichen freinaient la chute des mélèzes, j'avais dix ans et je ne voulais plus être là. Je voulais m'absenter pour toujours. Chuter et rouler parmi les arbustes, les myrtilles et les champs de pierres, me fendre le crâne et voir soudain le jour s'éteindre, un goût de sang et de poussière au fond de la gorge. J'y pensais de toutes mes forces, là tout au bord du précipice, le long de la route en lacet qui montait vers le col. Durant tout le trajet mon père n'avait cessé de répéter : « Vous vous rendez compte, ils grimpent ça comme si de rien n'était, ils en enchaînent cinq dans la journée et à l'arrivée ils sprintent encore. » Dès les premiers jours, les vacances avaient tourné au pèlerinage : l'Alpe-d'Huez, la Madeleine, le Télégraphe, le Galibier, la Croix-de-Fer, sur les traces de Merckx, Anquetil, Hinault et les autres. Nous nous étions arrêtés pour admirer le paysage, la raideur des pentes et le bitume qui fumait, la découpe compliquée des sommets plantés dans le ciel, les glaciers au-dessus des alpages, les vallées encaissées que la lumière ne semblait jamais devoir atteindre. J'avais fait quelques pas à l'écart, suivi le virage en épingle et m'étais posté face au vide à l'abri des regards. Je me souviens encore du néant qui m'a aspiré à cet instant précis, m'a siphonné de l'intérieur, vidé de toute substance. Et aussi de la joie que j'ai éprouvée alors. Du soulagement. J'avais dix ans et je voulais mourir. Et c'était là une perspective heureuse. De quoi voulais-je me délivrer ainsi ? Que recelaient ces années dont je n'ai pas gardé le moindre souvenir, la moindre image, la moindre sensation ? J'étais prêt à sauter. Je l'aurais fait. Je jure que je l'aurais fait si une main ne s'était pas posée sur mon épaule. J'ai sursauté. C'était mon frère. Dans son short en jean et son tee-shirt vert délavé. Sa casquette Tour de France vissée sur le crâne. Sa gourde à l'effigie de l'équipe Renault-Gitane, qu'il ne lâcherait pas de tout le séjour. Cette année-là le Blaireau, blessé au genou, avait dû abandonner alors qu'il portait le maillot jaune, et mon frère ne s'en était pas encore vraiment remis : on aurait dit qu'il voulait que l'été s'abrège et que l'année passe en un éclair pour que juillet revienne, et les après-midi devant la télévision à regarder grimacer son coureur favori.

— Ben qu'est-ce que tu fous ? a-t-il fait. Tu viens ? On y va.

La voix de François m'a arraché au précipice, au vertige. Ce fut comme être brutalement réveillé au cours d'un de ces rêves dont la texture est si épaisse qu'ils semblent être la réalité. Je l'ai suivi le long du ravin, avec la sensation de marcher sur un fil. Je me suis engouffré à sa suite dans la Renault 20. Entrer là-dedans c'était comme pénétrer à l'intérieur d'un four. Les fauteuils en skaï collaient à mes cuisses. Une odeur de sueur et de tabac froid se mêlait au parfum de plastique bouilli, de carrosserie rôtie, de moteur chauffé à blanc. J'ai gardé les yeux clos pendant tout le trajet. Je faisais semblant de dormir mais je pleurais. Sans larmes mais je pleurais. J'avais dix ans et j'avais voulu mourir. Et je pleurais de n'avoir pas réussi. Voilà. Voilà sur quoi s'ouvrait ma vie, pour ce qu'il m'était donné de m'en souvenir.

La nuit était tombée comme en plein hiver, sans sommation, massive et profonde. Sur la digue, quelques promeneurs s'attardaient, la plupart munis de grands chiens blonds tirant la langue. La chaîne avait beau jouer *You Are My Face*, et la voix du chanteur de Wilco emplir l'espace, la mer avait beau s'écraser sur le sable, le silence engloutissait l'appartement et me gelait les os. Je suis sorti et j'ai marché jusqu'à la maison. J'avais subitement besoin de voir les enfants. Je venais de les quitter mais ils me manquaient déjà. Viscéralement. J'ai longé la mer jusqu'à la pointe, me suis enfoncé dans les rues calmes, assortiment de petits pavillons soignés, de vieilles maisons de pierre et de villas balnéaires, dont une bonne partie semblaient fermées pour toujours. Accrochées aux clôtures inutiles, les boîtes aux lettres dégorgeaient de courrier trempé. Les volets se laissaient grignoter par le sel, les mauvaises herbes mitaient les pelouses, envahissaient les parterres, épuisaient les rosiers.

Nos voisins les plus proches n'étaient jamais là. C'étaient des Parisiens qui ne venaient qu'aux vacances, des gens qui vous saluaient à peine d'un léger coup de menton. J'ai sauté par-dessus la cloison, traversé le jardin planté de palmiers incongrus sous ces latitudes, me suis planqué derrière le muret. Les fenêtres s'allumaient sur des pièces aux murs colorés de vert, de framboise, de prune. Les volets avaient été repeints en lilas. Cette maison, pour modeste qu'elle fût, était la première où nous nous étions vraiment sentis chez nous. Nous avions tout refait à notre goût, tout y était gai, pimpant, toutes les lumières y étaient douces, chaleureuses, chaque objet choisi, rassurant, délicat. Tout y avait été conçu pour chasser la tristesse, la mélancolie poisseuse qui m'avait si longtemps fait escorte. Tout y était tourné vers la vie, la lumière, le vent, le ciel intense, la mer acide, qui s'agitaient au bout de la rue. Ici j'avais pensé pouvoir enfin gagner la guerre. Cesser la lutte. Déposer les armes. Il faut croire que trop de forces avaient déjà été laissées dans la bataille. J'ai d'abord aperçu Sarah. Puis ce furent Manon et Clément. Le petit était vêtu d'un pyjama, les cheveux mouillés et peignés. Ils rangeaient la cuisine après le repas. À leurs mouvements de tête on devinait de la musique, à leurs sourires les bavardages incessants de Clément qui nous ravissaient depuis sa naissance, ses manières de clown, ses numéros d'acteur. Ce gamin ne s'arrêtait jamais de parler. Même en dormant il parlait.

Je ne suis pas resté longtemps à les observer ainsi. À l'évidence ils s'en sortaient très bien sans moi. Du reste je n'avais pas besoin de les espionner pour le vérifier. Toutes ces années ils s'étaient débrouillés sans moi. La plupart du temps je restais enfermé dans mon bureau ou absorbé par la lecture d'un livre. Quand le soleil pointait nous partions pour de longues promenades où je demeurais silencieux, fondu dans la mer, les yeux et le cerveau mangés par l'horizon. L'été je passais des heures dans mon kayak à longer les falaises, passant d'îlot en îlot, sous le regard hautain des cormorans. « Ils ne devraient pas trop souffrir de ton absence, avait dit Sarah le jour où elle m'avait annoncé sa décision. Ils y sont habitués », avait-elle précisé dans un sourire moqueur. Ça ne servait à rien de rester là.

J'ai regagné le bord de mer. La digue était déserte désormais. Une bonne part des maisons étaient fermées jusqu'à Pâques. Pour beaucoup il s'agissait de grandes villas qu'on découpait en appartements et qu'on louait pour les vacances. Les autres étaient détenues par des vieux qui fermaient leurs volets dès dix-huit heures, aux premiers frimas ils décampaient vers le Sud, l'été c'étaient des tribus d'enfants de cousins et de neveux qui envahissaient les pièces libres de leurs demeures, on les surveillait des fenêtres tandis qu'ils s'ébrouaient sur la plage, couraient après des ballons, pilotaient des cerfs-volants, taquinaient les crevettes et les crabes, glissaient sur les vagues, vêtus de combinaisons de surf et armés de planches Tribord. Je suis entré à La Goélette. Sur les banquettes en cuir, quelques touristes bavardaient. Au fond de la salle une dizaine d'experts-comptables sirotaient des cocktails multicolores, discutaient du séminaire qui se tiendrait le lendemain aux Thermes, jetant un œil morne aux baies où s'avançait la mer noire de nuit. Le vent s'était levé et elle s'animait en une houle épaisse et lente. Bientôt elle battrait contre la digue, et les vagues exploseraient en écume et viendraient lécher les vitres. Au comptoir c'étaient les habitués du dimanche soir. L'ancien pharmacien qui saoulait tout le monde avec les photos de ses petits-enfants. L'entraîneur du club de volley qui se pétait la main un mois sur deux et passait son temps à malaxer une balle de mousse. Les deux ambulanciers célibataires qui posaient des annonces en vain sur Meetic et lorgnaient gentiment les femmes qui entraient boire un verre entre copines. Le type qui faisait les sushis à la boutique d'à côté, se piquait d'écrire et m'entreprenait en collègue : pendant des heures il me tenait informé de l'avancée de ses travaux, un roman historique autour de Napoléon, qu'on disait corse mais qui en fait était breton, il en avait les preuves, qu'il ne manquait jamais d'exposer, étayant une démonstration compliquée dont je n'avais jamais saisi un traître mot. La marchande de journaux que Clément adorait parce qu'elle lui offrait des bonbons et lui refilait les invendus des revues pour enfants. Et, de manière plus inhabituelle, ce type que je n'avais jamais pu blairer, un médecin aux cheveux blancs taillés net, qui bossait à l'hôpital avec Sarah, se trouvait beau et roulait en Audi. Je le soupçonnais de se prendre pour George Clooney. On le croisait parfois sur la plage, même les pieds dans le sable il était toujours tiré à quatre épingles, costume cintré, chemise blanche impeccable, chaussures vernies, *Le Point* ou *Le Figaro* sous le bras. Quand il était là on n'entendait plus que lui. Comme si son statut de médecin l'autorisait à donner son avis sur tout. Comme si ses réflexions sur le monde pouvaient nous intéresser et nous instruire. La vérité, c'est

30

qu'il nous emmerdait mais que personne n'osait rien dire. C'était un praticien réputé, il habitait une maison immense avec vue sur la mer, pilotait une voiture allemande, tutoyait le maire. Il en imposait. Même à moi, qui n'avais jamais réussi à ne pas me sentir rabaissé face à un mec comme lui. Ce qui ne le dispensait pas de se retrouver comme tout le monde dans un bar, un dimanche soir, à boire un whisky le cœur serré et les yeux vagues. Je me suis installé au comptoir. Laure m'a fait la bise. Elle s'était fait couper les cheveux et ça lui allait plutôt bien, rendait plus pur son visage aigu et lui ôtait un peu de fatigue. Elle m'a demandé ce que je voulais et m'a gentiment fusillé du regard. Ce n'était pas raisonnable, je le savais mieux que quiconque. J'ai tout de même opté pour un whisky. Lors de la dernière échographie, le médecin m'avait trouvé un foie d'otarie, si je ne faisais pas gaffe j'allais le regretter, m'avait-il averti, mieux valait mette la pédale douce, si je ne le faisais pas pour moi au moins pouvais-je le faire pour Sarah et les enfants. Je n'avais pas osé lui répondre que pour Sarah c'était foutu. Quant aux enfants, je voyais venir les choses de loin, j'allais devenir pour eux un genre d'oncle un peu lointain, un parent familier mais de plus en plus étranger à leur vie quotidienne. Bientôt, passer le week-end avec moi deviendrait une obligation pesante, ils trouveraient des excuses pour l'éviter, puis un jour Sarah me remplacerait par un connard responsable, équilibré et rassurant, qu'ils finiraient par appeler papa. J'ai bu mon Bowmore d'un seul trait et j'en ai demandé un autre. Samir est entré au moment où Laure posait le verre devant moi. Lui aussi venait de se séparer de sa femme et il en bavait tout autant, sinon plus. Son gamin avait trois ans à peine et ça lui manquait à en chialer d'enfouir son nez dans ses cheveux, de le sentir s'endormir contre son ventre, de chahuter avec lui sur le grand lit, de le couvrir de baisers et de respirer son odeur de savon et de cassis. Il était chauffeur de taxi et la preuve vivante qu'un taxi de gauche ça pouvait exister. Du reste, il avait du mal à joindre les deux bouts, pendant dix mois la ville était parfaitement vide et l'été les chauffeurs se jetaient sur les touristes comme des goélands sur un paquet de biscuits. En général c'étaient des courses de rien, de la gare à la vieille ville, de l'hôtel à la plage, au cinéma ou à l'aquarium les jours de pluie. Chacun laissait sa carte, chacun avait ses habitués. Dernier arrivé, Samir ne récoltait que les miettes. Les soirs de fatigue il en venait à se demander pourquoi on l'appelait moins que les autres et si ça n'avait pas un rapport avec le fait qu'il soit arabe. Je lui ai fait signe et il est venu s'installer près de moi. On a bu côte à côte pendant au moins deux heures. Il avait passé la journée avec son gosse, ils s'étaient baladés de l'autre côté du barrage, là-bas des presqu'îles étroites s'enfonçaient dans des eaux peu profondes, virant en un éclair du vert émeraude au bleu turquoise, on pouvait marcher pendant des heures la mer aux chevilles, sous les pieds craquait le sable blanc constellé de minuscules coquillages, le petit en avait ramassé des seaux entiers.

— Au retour c'était le bordel. Un accident sur le barrage. Un truc atroce. Un vieux qui s'est endormi au volant. En face, il y avait ce type, entraîneur de foot, qui ramenait trois gamins après le match, son fils et deux copains. Il n'y en a pas un qui s'en est sorti. Tu te rends compte. Tout ça pour un vieux qui piquait du nez. Je ne comprends pas pourquoi on laisse les gens conduire après soixante-dix ans. Je me suis retrouvé bloqué pendant deux heures. Quand j'ai ramené le gamin à sa mère elle avait prévenu les flics. Non mais tu imagines ? Elle les avait appelés pour leur signaler le non-respect de mes obligations. Je suis censé le ramener à dix-huit heures et il était plus de vingt heures.

On a bu pour engloutir tout ça. Autour de nous les clients s'en allaient les uns après les autres. Bientôt il n'y a plus eu que nous deux et Laure qui écoutait la musique, le regard perdu dans les lointains. Le chanteur d'Applause nous confirmait que *once again we were rinding to nowhere*, et les vagues s'écrasaient sur les vitres. On aurait cru que le bar entier passait à la lessiveuse. Je suis sorti fumer une cigarette et tout valsait, la nuit les étoiles et les villas accrochées à la corniche. Même si j'avais essayé de la noyer dans l'Islay, l'angoisse était toujours là. Insubmersible. Je me suis déshabillé. Et j'ai plongé nu dans l'eau à douze degrés. Je ne connaissais pas d'autre remède. La mer était noire comme le ciel. On ne savait plus où elle finissait. La morsure du froid, les rouleaux qui me collaient des gifles énormes, tout ça m'a dessaoulé d'un coup. J'en ai eu le souffle coupé, et les bras gelés à faire mal. Sur la cale, Samir hurlait mon nom. Il voulait savoir si ça allait, il avait peur que je me noie. Je lui ai fait signe de me rejoindre. Il a hésité un instant, avant d'ôter ses chaussures pour se tremper les pieds. Il n'est pas allé plus loin et m'a traité de malade. J'allais attraper la mort. Si je ne sortais pas immédiatement il appelait les pompiers. J'ai fini par obtempérer. Je claquais des dents. Ça a duré jusqu'au petit matin. J'ai eu beau m'enfouir sous trois couvertures et monter le chauffage à fond, rien n'y a fait, j'étais gelé de l'intérieur.

La route défilait au son des Midlake, j'aurais pu la faire les yeux fermés, je la connaissais par cœur, je la faisais à l'envers mais au fond c'était le trajet de ma vie. Des banlieues vers les finistères. D'une bordure à une autre. Pendant quatre heures, j'ai conduit comme un zombie, j'avais la tête lourde et je grelottais encore. La voiture filait mais mon cerveau freinait. J'avais toujours détesté faire ce trajet dans ce sens, et la perspective de rester plusieurs jours chez mes parents n'arrangeait rien. Depuis combien de temps n'avais-je pas passé plus de trois ou quatre heures là-bas ? Quand nous venions, une fois par an, nous déjeunions puis laissions les enfants pour filer vers Paris rejoindre les amis que nous avions abandonnés en nous installant en Bretagne. Ou bien j'avais mille rendez-vous, éditeurs, journalistes, réalisateurs de cinéma. Au final nous retrouvions les enfants après quelques heures qui les avaient remplis de joie sans que je puisse comprendre pourquoi, il n'y avait rien à faire dans cette ville, et chez mes parents moins encore, nous repartions après avoir partagé un déjeuner où s'étaient échangées les nouvelles et c'était tout.

C'était déjà trop pour moi. Sitôt un pied dans la maison j'étouffais, je cherchais le moindre prétexte pour sortir. J'avais l'impression confuse que le passé allait me sauter à la gorge, me mettre les menottes et m'enfermer là pour toujours.

J'avais quitté mon appartement vers cinq heures du matin, sans avoir trouvé le sommeil. Dès les premiers kilomètres un sentiment irrationnel m'avait submergé : la sensation de m'en aller pour toujours, de laisser les enfants derrière moi sans être tout à fait certain de les revoir. C'était là une angoisse récurrente, une intuition qui ne me lâchait jamais vraiment. Dès la naissance de Manon je m'étais persuadé qu'un de ces jours j'allais lui faire faux bond, qu'une maladie, un accident allaient m'emporter avant qu'elle ne soit en âge de voir son père mourir et de s'en remettre. C'était un sentiment étrange. Je n'avais pas peur de les perdre, ni l'un ni l'autre : ils me semblaient indestructibles, intouchables, bénis, sacrés. Il m'était strictement impossible d'imaginer qu'il puisse leur arriver quoi que ce soit. Non, ce n'était pas leur disparition qui me réveillait la nuit, mais la mienne. Que deviendraient-ils sans moi ? Se remet-on un jour d'avoir perdu son père ou sa mère, enfant ? Autour de moi tout affirmait le contraire. Certains de mes proches avaient vécu ça et avaient l'air blessés à jamais. Et mon expulsion du foyer familial m'apparaissait comme un premier pas m'entraînant contre mon gré vers ma propre disparition. Combien de fois les avais-je serrés dans mes bras le cœur broyé à l'idée de ce que j'allais leur faire subir en tombant malade, en succombant à un accident de voiture ou en me tirant une balle dans la tête ?

Vers sept heures je me suis arrêté à une station-service. Le jour se levait à peine, nimbait la boutique Total d'une lumière pâle et fantomatique. À l'intérieur, tout le monde se frottait les yeux. Dans les sanitaires des routiers se rasaient face aux grands miroirs, des commerciaux rajustaient leur cravate, une grosse femme noire récurait les chiottes, un instant je me suis demandé ce qui les faisait tenir tous. Se payer un toit, nourrir leurs gamins, pas beaucoup plus, ai-je pensé. L'amour des leurs. Quelques menus plaisirs arrachés à la grisaille. Rien d'autre. J'ai pris un café au comptoir du self. J'ai repensé à ce jour où nous avions fait la route inverse, suivant de peu le camion de déménagement. Manon était encore une toute petite enfant et Clément allait naître là-bas quelques mois plus tard. Dès les premiers jours dans notre nouveau décor, j'avais senti quelque chose en moi se dénouer, s'apaiser. J'avais eu l'exacte sensation de rentrer chez moi après des années d'exil. Tout comme lorsque j'avais rencontré Sarah, j'avais pensé qu'enfin la vie commençait, après des années pour rien, des années dans un sas, vouées à l'attente. Sarah m'avait fait venir au monde. Puis elle m'avait ramené chez moi, au bord extrême du pays, là où finissait la terre, face aux grandes étendues. On en parlait depuis tant d'années, Paris ne me valait rien, j'y devenais à moitié dingue, me gavais de médicaments, nous y avions tous nos amis bien sûr mais j'avais l'impression d'être enfermé, je ne me sentais pas chez moi, j'avais toujours la sensation d'être en visite, en attente, sur le qui-vive, sans repos possible. Plus les années passaient et plus il me semblait y vivre en vase clos, de l'autre côté d'une barrière invisible qui me maintenait hors du réel, hors de la vie commune. Sarah, elle, travaillait à l'hôpital Robert-Debré, au service de pédiatrie néonatale, elle ne vivait pas tout à fait la même vie que moi, qui évoluais parmi les livres, et dont les amis étaient pour la plupart artistes, universitaires, etc. Et quand je sortais de mon bureau, que j'allais fumer une cigarette et boire un café en terrasse, que je laissais traîner mes oreilles, c'était pour me retrouver assis entre un webmaster et deux publicistes, un critique littéraire et trois producteurs de télévision. Nous avions vécu dans ce quartier dix ans et sans qu'on ait rien vu les choses avaient changé, les quincailleries avaient fermé les unes après les autres, remplacées par des magasins de créateurs, des galeries de design, des restaurants branchés. J'avais le sentiment d'avoir perdu le contact. Je ne pouvais m'empêcher de penser qu'en dépit des mots les choses s'étaient inversées : le centre était devenu la périphérie. La périphérie était devenue le centre du pays, le cœur de la société, son lieu commun, sa réalité moyenne. Partout s'étendaient des zones intermédiaires, les banlieues n'en finissaient plus de grignoter les champs, au milieu des campagnes surgissaient d'improbables lotissements pavillonnaires. La périphérie progressait à l'horizontale, s'étendait à perte de vue, mangerait bientôt la totalité du territoire. Oui, cela ne faisait aucun doute, la périphérie était devenue le cœur. Un cœur muet, invisible, majoritaire mais oublié, délaissé, noyé dans sa propre masse, dont j'étais issu et que je perdais de vue peu à peu.

J'ai demandé un autre café. En face de moi la serveuse avait les yeux rouges et son maquillage bavait un peu. Elle s'est excusée en reniflant. La nuit avait été mauvaise. Son mec était rentré à pas d'heure, puant la bière et le parfum. Il avait couché avec cette pute elle en était certaine. Comment avait-il pu lui faire ça ? Elle attendait un gamin, elle était enceinte de deux mois et cet enfoiré allait se faire sucer par la première salope venue, comment avait-elle pu lui faire confiance, déjà qu'il en glandait pas une depuis qu'on l'avait viré de l'atelier, réduction de personnel, les derniers arrivés seront les premiers partis c'était le coup classique, à part du ménage deux heures par jour ils n'avaient rien à lui proposer chez Pôle emploi, alors qu'est-ce que je voulais, il restait toute la journée à l'appartement à s'enfiler des bières en regardant la télé, ou alors il allait au bar PMU gratter des tickets de Banco. Qu'est-ce qu'il pouvait faire d'autre ? Elle a reniflé un bon coup, s'est excusée de nouveau.

— Je ne sais pas pourquoi je vous raconte tout ça.

Moi non plus je ne savais pas. Sans doute parce que je l'écoutais. Il en allait ainsi depuis toujours, sans que j'y puisse quoi que ce soit. Les gens se confiaient à moi sans raison particulière, tout le monde me foutait sa vie entre les mains, ce qui mettait Sarah hors d'elle, « à la maison c'est impossible de te parler plus de trois minutes, disait-elle, au bout de deux phrases on te sent ailleurs mais dès qu'on sort dehors c'est parti, les gens te racontent leur vie et tu les écoutes gentiment. Mais merde, ils sont si intéressants que ça ? Ils sont plus intéressants que nous ? ».

J'ai mis deux pièces sur le comptoir, je lui ai souhaité bon courage. J'ai regardé autour de moi et j'aurais voulu que ça me quitte enfin, cette manie de voir partout des gens usés, quand ils ne l'étaient peut-être pas. Pas autant que je le pensais, en tout cas. J'aurais voulu être capable de voir les choses autrement, de ne pas imaginer de failles même derrière les plus belles carapaces. Certains critiques, certains lecteurs me le reprochaient mais c'était plus fort que moi. Et dès qu'un de ces types que je croisais m'adressait la parole c'était pour me convaincre qu'au fond j'avais raison : tout le monde trimballait son lot de casseroles et s'échinait à tenir debout sans rien laisser paraître, tout le monde cherchait la sortie, le soleil, la lumière, tout le monde marchait dans la même direction, en boitant plus ou moins mais en boitant. En pensant à tout ça je me suis dit que je n'avais pas vraiment dû dessaouler. L'alcool me rendait toujours friable et sentimental.

Je suis arrivé à V. à deux doigts du sommeil. J'avais quitté l'autoroute les yeux mi-clos, dans le flou défilaient des entrepôts, des rangées d'immeubles HLM séparées par des pelouses rases et mitées, des alignements d'enseignes et de cubes en tôle, des nuées de panneaux d'affichage et de feux rouges. Puis j'avais traversé le fleuve. Sur la gauche, les arbres camouflaient les usines, filaient vers la campagne qui gagnait peu à peu pour s'épanouir, insoupçonnable, à trente kilomètres de là, en un désert de colza, de blé, de maïs et de pommes de terre. De l'autre côté, c'étaient l'hôpital et la casse automobile, les zones industrielles, les supermarchés, les parkings, les nationales, les voies ferrées, les habitations verticales, milliers de fenêtres allumées dans le matin, de gosses s'habillant et croulant sous leur cartable, d'hommes et de femmes aux yeux gonflés s'apprêtant à courir vers la gare de RER, à s'engouffrer dans leur voiture pour gagner leur bureau, leur atelier, leur boutique, leur école, leur cabinet, Pôle emploi. Partout s'agitait une vie concrète et réduite, modeste et résolue, on y était un peu à l'étroit, mais c'était la seule dont on disposait vraiment. Le seul horizon tangible. Partout on se débattait, on se résignait, ça dépendait des jours, de la fatigue, des emmerdes, du boulot, des petits, de l'argent, de la santé. Je n'avais jamais pu m'y résoudre. Je m'étais toujours dit qu'il devait y avoir autre chose, du reste la plupart de mes amis s'enorgueillissaient de vivre une autre vie, mais je ne voyais pas très bien laquelle, ils bossaient, élevaient leurs enfants, partaient en vacances une ou deux fois par an, bien sûr ils étaient cultivés, lisaient des bouquins, les journaux, parlaient art et politique mais, fondamentalement, je ne voyais pas la différence. Il n'y avait qu'une seule vie. Et j'avais toujours été incapable de la vivre vraiment. Au final j'avais choisi de contourner l'obstacle. J'avais choisi de déserter. Je n'en étais pas spécialement fier. Dès que j'avais pu, j'avais laissé tomber tout ce qui de près ou de loin ressemblait à un boulot, même « intéressant ». La moindre contrainte me pesait. Obéir à un patron, me lever pour me rendre dans un bureau était au-dessus de mes forces. Sarah en riait au début. Mais je crois qu'à force elle a fini par trouver ça indécent, cette façon d'affirmer que je n'étais pas fait pour le travail et la vie sociale. Comme si quelqu'un l'était. Comme si on avait le choix. Comme si quelqu'un pouvait encore se payer ce luxe. En partant pour la Bretagne j'avais enfoncé le clou. Je m'étais fabriqué une vie de vacances – et, à ce titre, que mon choix se soit porté précisément sur une ville entièrement vouée au tourisme et rayonnant sur une côte où s'égrainait un chapelet de petites stations balnéaires ne relevait sans doute pas du hasard : j'y menais une vie hors saison, une vie en lisière de la vie. J'affirmais à qui voulait l'entendre que c'était tout le contraire, qu'au bord de la mer je reprenais possession. Du monde des autres et de moi-même, que j'étais précisément au cœur de la vie, quand tout le monde en était détourné par obligation, fatigue ou paresse, j'étais au cœur de la vie qui ici pulsait comme ailleurs, j'invoquais toutes ces conneries cosmiques du monde physique que je sentais battre ici comme nulle part, le vent les marées le sable la roche et le ciel me reconnectaient au vivant, c'est ça que je répétais à longueur d'interviews de débats de dîners de coups de téléphone mais je n'étais pas dupe de mes propres mensonges. J'avais déserté. On pouvait y voir une forme de courage ou de lâcheté, c'était selon. La deuxième hypothèse avait ma préférence.

Passé la Seine s'étirait la litanie pavillonnaire, vaste zone aux découpages subtils : d'un quartier plus bourgeois à un autre plus modeste rien ne changeait véritablement, partout c'étaient des maisons crépies et d'autres en pierre meulière, cernées de jardins aux tailles variables. Sur certaines parcelles, les habitations se touchaient et se dupliquaient à l'infini, s'enroulaient sur elles-mêmes le long d'allées portant des noms d'arbres, s'organisaient en impasses, ménageaient quelques

pelouses plantées de marronniers ou de bou-
leaux. Au-delà, aux quatre coins de V., les cités
reléguaient des milliers d'habitants aux confins.
D'une ville qui n'avait pourtant que très peu de
contours, jouxtant d'autres villes qui semblaient
elles aussi mangées par leurs abords, réduites à des
zones d'approche qui n'en finissaient pas de tendre
vers un cœur inexistant. On changeait de code
postal par la seule grâce d'un panneau indicateur,
vu du ciel tout se fondait en une masse indistincte.

Au centre, trois boutiques s'alignaient près
d'une école, d'une église et d'une pharmacie. Un
cinéma et un restaurant japonais tentaient
quelque chose, mais sans conviction véritable : il
y avait bien longtemps que les centres commerciaux du coin faisaient office de centre-ville. Un
centre-ville aux odeurs de viennoiseries industrielles et de vêtements fouillés, d'hypermarché et
de pop-corn sur les sièges des multiplex. Un
centre-ville de plantes grasses et de fontaines en
faux marbre, de vitrines et de lumières crues, de
selfs et de salles de bowling. J'ai pris trois fois à
droite et me suis garé devant chez mes parents.
Devant chez moi devrais-je dire. Puisque moi
aussi j'avais vécu là. Puisqu'ils avaient acheté cette
maison à ma naissance, après avoir vécu dix ans
dans une tour de la cité des Bosquets. Un portillon
noir signalait l'entrée. Devant le pavillon, mur de
pierre et toit de tuile orange, s'étendait un petit
rectangle de pelouse planté d'un saule et d'un lilas,
bordé de plates-bandes qui ne tarderaient pas à
fleurir. On accédait au séjour et à la cuisine par
un escalier extérieur qui longeait le mur et s'achevait devant la porte d'entrée, sous une petite ver-

rière où nous devions laisser nos chaussures. À
l'étage supérieur se trouvaient les trois chambres.
Le rez-de-chaussée était occupé par une cave où,
adolescents, nous avions établi notre refuge. Tout
sentait le ciment, le plâtre, la terre battue, les
outils et la poussière. Une banquette défoncée,
une table basse, un tapis, un bureau où nous
posions le Ghetto Blaster nous avaient longtemps
suffi. Un temps nous avions rêvé d'y adjoindre un
petit frigo, et pourquoi pas un téléviseur. Puis
mon frère et son groupe avaient pris possession
des lieux. À ma grande surprise, notre père, qui
ne supportait pas le moindre bruit, qui ne jurait
que par le silence, les avait autorisés à transformer l'endroit en studio de répétition. Mais après
tout il s'agissait de mon frère. Il avait même
recouvert les murs en parpaings nus de mousse
isolante afin de ne pas trop déranger les voisins.
Arnaud, un garçon blême, translucide, qui vivait
en appartement, avait fini par y installer sa batterie. Plusieurs fois par semaine, tandis que les
parents étaient au travail et que nous étions au
lycée, il venait s'y exercer. J'ignore comment il y
accédait. Que mon père si méfiant ait accepté de
lui laisser une clé me paraît aujourd'hui impensable. Mais c'était un garçon poli et discret, terne
et effacé, comme les aimait ma mère, pour qui la
qualité première d'un individu semblait résider
dans sa capacité à se fondre dans le décor, à surtout ne jamais se faire remarquer. Au pied de son
instrument, seul un cendrier où refroidissaient
quelques mégots témoignait de son passage.
Quentin, un genre de bellâtre toujours vêtu de
ridicules chemises à fleurs branchait sa guitare à
un ampli qui devait s'y trouver encore. Quant au

contrebassiste, qui ne mesurait pas plus d'un mètre soixante et venait avec son engin sur le dos, c'était un garçon si fluet que j'avais parfois l'impression qu'il allait ployer sous l'instrument et disparaître. Il aurait pu se faire de l'étui un sac de couchage. Et au fond je crois qu'il aurait aimé cela, tant il faisait corps avec sa basse, paraissait moins en jouer que l'étreindre. Il lui arrivait parfois de la laisser là pour quelques jours, jusqu'à la prochaine répétition. J'aimais par-dessus tout ouvrir la housse et caresser le bois poli de la caisse, pincer les cordes, sentir la vibration des graves se diffuser, à la fois profonde et étouffée. La plupart du temps, ils répétaient en semaine et s'interrompaient dès que les parents rentraient du travail. Mais il leur arrivait aussi, rarement, de se réunir le week-end en vue d'un concert. Leur musique de dingues, ainsi que la qualifiait ma mère, se répandait alors jusqu'au salon, à la fois stridente et confuse, légèrement amortie par l'isolation sonore de fortune qu'avait installée mon père. Une bouillie d'où perçaient les cymbales, les infrabasses et les solos coltraniens de mon frère. Assis dans son fauteuil, mon père encaissait sans desserrer les dents, finissait par enfiler son cuissard et son éternel maillot La vie claire, le dernier qu'avait porté Hinault, et partait rouler pendant deux heures, traversant la forêt pour rejoindre les alentours de Melun ou les coins les plus reculés de l'Essonne, le plus loin possible de sa maison et du salon où il enrageait de se laisser casser les oreilles.

Le facteur a glissé deux enveloppes dans la boîte aux lettres. Il n'y avait que lui dans la rue. J'étais si claqué que le suivre du regard aurait pu suffire à m'assoupir. J'ai incliné le fauteuil, baissé légèrement le volume de la radio et me suis endormi dans la tiédeur de l'habitacle. Le flux des informations me parvenait enveloppé d'ouate et désarticulé. Rien n'avait le moindre sens. Au Japon la terre venait de trembler. Une vague immense avait englouti des villes entières. On craignait qu'une centrale nucléaire n'ait été touchée. En France, les derniers sondages pour les cantonales créditaient la Blonde de scores que n'avait jamais atteints son père. Je me suis réveillé en sursautant, comme on tente d'échapper à un cauchemar. J'ai monté le son et tout était vrai. J'ai repensé à ma conversation avec mon frère l'autre jour. Il vivait en banlieue ouest, avec sa femme et leurs trois enfants. Je n'avais jamais mis les pieds chez lui. Delphine me haïssait sans que je sache bien pourquoi. Nous ne nous étions pourtant jamais vraiment fréquentés. Quant à moi, qu'elle puisse exercer une profession aussi contraire à la morale la plus élémentaire qu'avocate fiscaliste avait suffi à me renseigner sur son compte et à me faire une opinion. Sarah me disait : « Tu exagères. Tu ne la connais même pas. » Elle détestait par-dessus tout cette manière que j'avais de juger les gens sur leur emploi, leur bulletin de vote ou les magazines qu'ils lisaient. Elle prétendait qu'il y avait sans doute des gens bien chez les avocats fiscalistes, les assureurs, les banquiers d'affaires, les notaires, les électeurs de l'UMP et j'en passe. Mais sur ce sujet elle n'avait jamais tout à fait réussi à me convaincre. Avait-elle des exemples ? Non. Elle n'en avait pas. Qu'elle m'en trouve et alors, seulement alors, je consentirais à réviser mes positions. Mon frère, quant à lui, exerçait la lucrative profession de vétérinaire. Il avait réussi et en était fier : « Pour des fils d'ouvrier on s'en est bien tirés, avait-il coutume de répéter. On a fait mentir les statistiques, un véto et un écrivain c'est quand même pas mal. C'est bien la preuve que quand on veut on peut, non ? » Ce soir-là il venait d'avoir papa au téléphone. D'après lui, depuis que maman était à l'hôpital il ne s'en sortait pas et avait besoin d'aide.

— Je ne sais même pas s'il mange. Écoute, cette semaine je ne peux absolument pas fermer le cabinet. Et puis Delphine est à un congrès à New York. J'ai les gamins sur les bras…

— T'as qu'à les laisser à tes beaux-parents.

— Tu rigoles ? Pour qu'ils leur filent à bouffer ce qu'ils veulent et les laissent se coucher à pas d'heure ? Ils sont complètement gagas devant les gosses. Ils leur passent tout. Enfin… Je sais pas pourquoi je te dis ça à toi… J'oubliais que tu étais contre l'autorité, que vous vouliez faire interdire la fessée et toutes ces conneries…

Il n'était pas rare que François use ainsi du « vous » à mon endroit, m'incluant dans une communauté qu'il méprisait de tout son être, et qui devait réunir pêle-mêle ce qu'il nommait les bobos, les lecteurs de *Libé*, de *Télérama* ou des *Inrocks*, les « bien-pensants », les artistes, les profs, les fonctionnaires, les « démagogues », les intellectuels, les « angélistes », les « relativistes », les « tiers-mondistes », bref tous ceux qu'il pensait constituer la confrérie honnie des « gens de gauche »…

— Tu devrais aller le voir. Tu pourrais faire ça pour une fois. Je ne sais pas. Tu pourrais peut-être te comporter comme un fils. Une fois dans ta vie. Je prendrai le relais dans dix jours maximum.

C'est ainsi que le piège s'était refermé sur moi et que je me retrouvais dans ma voiture, garé devant la maison de mes parents, après une nuit presque blanche. J'avais eu beau invoquer la version deux d'un scénario à remettre à un producteur intraitable avant la fin du mois, il n'avait rien voulu savoir. À ses yeux comme à ceux de la plupart des gens j'étais toujours en vacances.

— Ah et puis tiens. Ça va te faire marrer. Avec papa on discutait de tout et de rien, de l'actualité, et tu ne devineras jamais ? Le vieux m'a sorti comme ça qu'il la trouvait pas mal la fille du Borgne. Tu te rends compte ? Papa. Entré aux imprimeries à quatorze ans, avec son seul certif en poche. Syndiqué toute sa vie. Devenu chef d'atelier à la force du poignet. Deuxième d'une famille de sept enfants. Grandi dans un F3 à Maisons-Alfort, fils d'un conducteur de camion-poubelle et d'une femme au foyer. Passer du vieux Marchais à la Grosse Blonde. Ça fait mal au cul quand même.

Je lui avais répondu que je ne voyais pas pourquoi il s'offusquait : lui-même avait voté pour l'actuel Président, lequel ne faisait que pomper les idées et le programme du Front national. D'ailleurs les deux formations finiraient tôt ou tard par s'allier, on en voyait déjà les prémices, c'était inéluctable.

— T'es vraiment trop con.

Je n'avais pas insisté. La plupart du temps nos discussions politiques étaient caricaturales et se terminaient en engueulades qui peinaient terriblement notre mère et avaient fini par nous éloigner l'un de l'autre. C'était comme ça depuis toujours. Ça s'était juste déplacé avec le temps. D'une opposition PC / PS on était passé à un classique affrontement gauche / droite.

Je suis resté un long moment à écouter les informations. Les flashs se succédaient et on annonçait des milliers de morts au Japon. On parlait de régions dévastées, de villes rayées de la carte, de maisons, d'immeubles emportés, de torrents de boue charriant des voitures, des poteaux télégraphiques, noyant les champs, les vallées. On parlait de dévastation. D'anéantissement. Un frisson m'a parcouru l'échine. J'ai eu soudain l'impression que le monde voulait me dire quelque chose, là, garé face à la maison de mon père, ouvrier communiste alsacien débarqué à trois ans à Maisons-Alfort, avec sa mère qui parlait encore le patois, son père et son accent à couper au couteau que tout le monde traitait de Boche à la cité et qui allait se faire embaucher au service d'enlèvement des ordures de la ville. Son oncle au cerveau cramé et ses six frères et sœurs qui tous travailleraient dès leurs quatorze ou quinze ans. Face à la maison de mon père syndiqué et de ma mère ouvrière à la chaîne, s'y usant pendant vingt ans, puis employée jusqu'à sa retraite au service comptable d'une usine de biscuits. Face à la maison de mon père qui trouvait la fille du Borgne pas mal et de ma mère qui s'était fracturé le fémur et commençait à perdre la tête. Le monde qui déclenchait des tsunamis ravageant le pays où nous avions passé les plus beaux jours de nos vies, Sarah, Manon et moi, la première fois Clément n'était pas encore né, et nous avions passé quatre mois à errer dans Kyoto, à nous fondre dans les jardins et les temples de cette ville merveilleusement douce et délicate, à nous gaver d'érables, de mousses et de galeries de bois bordant des jardins secs et des étangs piqués de lotus, à nous laisser bercer par la psalmodie bourdonnante des sutras, à gravir des montagnes sacrées qui nous menaient vers des cieux qui semblaient nous avaler. Oui, j'ai eu le sentiment que le monde voulait rayer quelque chose de la surface de ce globe et que ce quelque chose avait à voir avec moi, avec ce qui m'avait fondé, et la part la plus lumineuse de ma vie.

La télévision était allumée et mon père somnolait. Sur l'écran des eaux boueuses recouvraient la terre à la vitesse d'un train, emportaient tout sur leur passage, les voitures les maisons les trains les entrepôts les supermarchés les sanctuaires les tracteurs les abribus. On annonçait des disparitions par dizaines de milliers. On annonçait des fumées suspectes autour de la centrale de Fukushima. On annonçait l'apocalypse. J'ai éteint et il a sursauté comme si au contraire je venais de monter le son au maximum.

— Qu'est-ce que tu fous dans le noir ? ai-je demandé.

— Hein ? De quoi tu parles ?

Du menton je lui ai désigné les rideaux tirés, les lampes éteintes. Je me suis levé pour faire entrer la lumière. Avec le papier peint marron à fleurs qui avait toujours tapissé la pièce ce n'était pas beaucoup mieux, mais au moins on pouvait imaginer que dehors il faisait jour et que le soleil brillait. J'ai regardé mon père et il avait encore maigri depuis la dernière fois. Lui qui avait toujours été sportif, s'entretenait à coups d'haltères encore deux ans plus tôt, faisait ses cent kilomètres bihebdomadaires à vélo jusqu'à il y a peu, était en train de se muer en vieillard chétif et déplumé. Il continuait un peu à rouler mais c'était tout. Il continuerait jusqu'à sa mort de toute façon. Mon père et le vélo, c'était la grande histoire familiale, la légende interrompue. Mes tantes répétaient à qui voulait l'entendre qu'il avait été à deux doigts de passer professionnel. Qu'il avait gagné des courses en pagaille. Il baissait toujours les yeux quand elles parlaient de ça, répondait qu'elles exagéraient. Et toujours elles finissaient par sortir les vieilles photos : mon père en maillot de cycliste une coupe dans une main, un bouquet dans l'autre et la cigarette au bec. Il devait avoir quoi, seize ans, et des marques de rouge à lèvres sur les joues. À dix-sept ans une mauvaise chute l'avait contraint à descendre de selle pendant presque dix mois. Quand il avait repris la compétition c'était trop tard, le train était déjà loin devant lui, et jamais il n'avait pu le rattraper : son genou droit finissait toujours par le faire souffrir. J'avais du mal à l'imaginer presque gamin, à quinze ans, pointant tous les matins à l'imprimerie, ramenant son salaire chaque fin de mois à la famille, usant ses journées dans le vacarme des machines, grimpant le soir sur son vélo pour s'entraîner comme un forcené. Les week-ends à traîner avec les copains près des fortifications, dans les terrains vagues jouxtant les jardins ouvriers, les filles, la bière et les premières clopes. Quand j'essayais de me figurer ça c'étaient toujours des images en noir et blanc qui surgissaient, mélange des clichés sépia que ma mère conservait dans des boîtes à chaussures et de photos de Robert Doisneau ou Willy Ronis.

— Quand est-ce que tu vas à l'hôpital ?

— Je ne vais pas tarder. Tu viens avec moi ?

— Non. Je viendrai cet après-midi. Pour l'instant je vais mettre un peu d'ordre.

— Oh si tu veux.

Si je voulais... J'ai inspecté rapidement les lieux : des assiettes sales s'empilaient dans l'évier, des miettes jonchaient la toile cirée maculée de taches de vin rouge circulaires, dans le panier à linge s'amoncelaient ses slips et ses maillots de corps, dans le frigo quasi vide s'alignaient des œufs et du jambon périmé depuis trois jours.

— T'as mangé quoi hier soir ? lui ai-je demandé.

— Rien. Enfin. J'ai grignoté. Des biscottes, du jambon, un œuf coque.

— Ouais ben c'est foutu tout ça. Je vais aller te faire des courses. T'acheter du poisson et des légumes frais.

Il a haussé les épaules. Qu'est-ce qu'il allait bien pouvoir en faire ? Il était à peine capable de se faire un café instantané.

— Justement, c'est pour ça que je suis là. Je vais te faire la cuisine.

— Si tu as que ça à foutre...

Je n'ai pas relevé, je suis allé dans sa chambre et je lui ai rapporté une chemise et un pantalon propres. Ceux qu'il portait étaient tachés.

— Sans ta mère, je suis perdu, a-t-il lâché dans un sourire timide, comme on s'excuse d'être encore un enfant.

Je l'ai regardé se changer. Il était maigre comme un clou. Quand était-il devenu si vieux ? On aurait dit qu'il ne prenait de l'âge que par àcoups. La première fois ce fut lorsqu'il avait pris sa retraite. Cinquante-huit ans et du jour au lendemain il s'était mis à en faire vingt de plus. Portait la casquette et des gilets d'octogénaire, s'était mis à la pétanque avec les retraités du quartier, râlait sur les jeunes quand ils passaient dans la rue sur leurs scooters, avait décrété que les comiques d'aujourd'hui étaient moins drôles que les anciens, les champions de foot de tennis et de vélo moins valeureux et charismatiques que jadis, qu'il ne comprendrait jamais rien à Internet, qu'il n'y avait plus de vrais chanteurs depuis Brel Brassens Ferrat et les autres, que le cinéma était mort et que la France allait à vau-l'eau. Ma mère avait suivi le mouvement, s'était mise à porter ces chemisiers à fleurs ou à motifs géométriques qui semblaient exclusivement conçus à l'intention des vieux voulant montrer qu'ils l'étaient, à coiffer ses cheveux en une permanente qui lui rendait quinze ans, à se voûter un peu. J'avais vingt-cinq ans, je les regardais et dans les rues de Paris dont je hantais les cinémas d'art et d'essai, les librairies, les cafés remplis d'étudiants, je voyais passer des écrivains, des journalistes, des comédiens, des gens de télé qui avaient leur âge et c'était impossible à comprendre. Il fallait croire qu'on vieillissait mieux à Saint-Germain-des-Prés. Mieux et moins vite en tout cas qu'ici.

J'ai entendu la voiture de mon père s'éloigner et le silence a envahi la maison. J'ai fait le tour des pièces, ouvert tous les rideaux, les volets, je ne supportais pas l'obscurité, ce sentiment de confinement, cette camisole. Ça faisait partie de ce que Sarah nommait mes névroses, de ce qui d'après elle me rendait invivable. Ma phobie des rideaux tirés, des volets clos, des pièces sans fenêtres. Mon aversion pour les lumières crues et directes. À la maison j'avais fini par installer des petites lampes un peu partout, des guirlandes, des bougies. Et j'entrais dans des colères noires sitôt que quelqu'un s'avisait d'allumer des plafonniers que j'envisageais sérieusement d'amputer de leurs ampoules une fois pour toutes. Ma peur du silence, que je comblais du matin au soir à coups de disques, d'émissions radiophoniques. Longtemps j'avais dormi la radio allumée. Dans cette maison même. Mon père avait installé les enceintes à la tête de mon lit, l'une accrochée au mur, l'autre à la commode qui encadraient mon matelas. De telle sorte que, même à très bas volume, j'entendais distinctement les chansons et les paroles qui sortaient en flot continu. Toutes les nuits, vers trois ou quatre heures du matin, ma mère venait éteindre. Je m'en apercevais aussitôt, rallumais, la gorge nouée, le sommeil fragile, en proie à ce qui ressemblait d'assez près à de la panique.

La chambre de mes parents n'avait pas changé depuis mon enfance. Même papier peint orange à motifs, mêmes meubles de bois aux formes un peu lourdes. Mêmes cadres où seules les photos avaient varié au fil des années. Sarah, les enfants et moi sur la commode. François, Delphine et leurs trois enfants sur la table de nuit de mon père. Ma grand-mère sur celle de ma mère. Depuis sa mort, mamie veillait sur le sommeil de sa fille. Cette photo était là depuis trente ans. En la regardant je me suis demandé si moi aussi j'exposerais un jour des photos de mes parents dans ma chambre ou dans le salon. Je savais que la réponse était non. Cette photo, mon grand-père l'avait placée près de son lit lui aussi, à côté de la petite radio Sony, dans la chambre minuscule de la maison de repos où il avait fini sa vie. Un endroit sinistre et laid aux couloirs peuplés de morts vivants aux yeux hagards, appuyés sur des déambulateurs et égarés dans l'odeur de soupe et de désinfectant. Dans la pièce dont il ne sortait plus se dressait son lit d'hôpital, une chaise en formica, une commode en bois reconstitué où trônait un téléviseur flambant neuf qu'il n'allumait plus jamais. Même pas pour le foot ou les infos. Au-dessus du radiateur, un coffrage percé dans le mur présentait deux étagères. On y trouvait une photo de ma mère et de ma tante, un cube avec ses six petits-enfants, et un exemplaire de chacun de mes romans. C'est tout ce qu'il avait emporté de son appartement. Tout ce qui restait de sa vie. Des photos, ses vêtements, sa radio et mes livres. Le jour où François avait voulu le convaincre de décorer un peu l'endroit, de poser des jolis rideaux, d'acheter une lampe avec un bel abat-jour pour ne plus utiliser cet affreux néon, d'accrocher des cadres, de couvrir ses draps d'un dessus-de-lit, d'acheter une nouvelle commode, il avait refusé net. Il n'en avait rien à foutre. Il était là pour mourir. C'était sa dernière demeure et peu lui importait qu'elle soit laide ou froide, ce lieu n'avait pas d'importance, il y attendait la mort et c'était tout. Il espérait juste qu'elle ne serait pas trop longue à venir. Il était pressé de rejoindre sa femme maintenant, vingt-cinq ans loin d'elle ça commençait à bien faire. De toute façon il ne voyait presque plus rien et passait le plus clair de son temps les yeux fermés, dans ses souvenirs.

Je suis redescendu dans le salon, j'ai fait un brin de ménage, dans la cuisine j'ai lavé la vaisselle et fait l'inventaire des placards et du frigo. Ma mère était absente depuis seulement six jours mais on aurait dit que ça faisait déjà six mois. Je n'étais pas venu depuis presque un an. Depuis la séparation. Quelque chose en moi répugnait à rentrer chez mes parents dans ces circonstances. Plusieurs fois, mon frère avait tenté de m'alerter sur l'état de maman : elle ne bougeait quasiment plus de son fauteuil, son arthrose la faisait tellement souffrir qu'elle rechignait désormais à marcher, et ses lombaires la laissaient alitée une semaine sur deux. Ces jours-là elle ne quittait même pas l'étage, prétendait qu'elle avait trop mal pour descendre les escaliers. La dernière fois que mon père avait réussi à la convaincre de sortir un peu, elle n'avait pas mis le nez dehors depuis quinze jours. Elle n'était pas près de le refaire. À peine la porte ouverte, elle avait chuté dans l'escalier, dégringolé jusqu'à la pelouse du jardin et fini à l'hôpital. Là-bas, gavée d'antidouleurs, elle semblait perdre un peu la tête, elle avait des absences, c'est ainsi que l'avait trouvée mon frère lors de sa première visite. À tel point qu'il en était venu à se demander si la morphine était bien seule en cause. S'il n'y avait pas autre chose. J'avais tenté d'en parler à mon père au téléphone mais il avait balayé la remarque d'un soupir exaspéré.

— Qu'est-ce qu'il y connaît ton frère ? Il est vétérinaire, pas médecin. Il prend ta mère pour une génisse, une vache, ou je sais pas quelle bestiole ?

Je n'avais pas pu m'empêcher de rire. Je ne perdais jamais une occasion de me foutre de la gueule de François. Mais ça n'avait rien de drôle. Mon père avait toujours été aveugle, ou fait mine de l'être. Il n'avait rien vu quand j'avais cessé de m'alimenter à seize ans, deux ans à ne me nourrir que de pain de mie et de jus d'orange que je vomissais aussitôt, deux ans à me creuser jusqu'aux os, deux ans à partir le ventre vide courir deux heures d'affilée, comme drogué d'adrénaline, dans un état second, si léger que je volais, survolais les chemins et me fondais dans l'air circulant parmi les arbres. Rien vu non plus quand François s'était mis à fumer de l'herbe. Pourtant des plants de cannabis poussaient au fond du jardin. Il les trouvait jolies ces plantes, avec leurs feuilles à la forme si particulière. Rien vu non plus quand après que j'avais quitté la maison ma mère s'était mise à gober du Prozac comme s'il s'agissait de Tic-Tac. Je ne sais même pas s'il avait su à l'époque qu'elle voyait un psy. Chaque semaine, elle devait quitter la maison en disant qu'elle partait faire les courses, revenait deux heures plus tard avec son sac rempli de pommes de terre, de navets, de carottes et de poireaux pour la soupe, un steak saignant pour lui parce qu'elle ne supportait plus la viande, rien que la regarder ça lui donnait envie de vomir. Faites-vous du poisson, lui disais-je. Elle répondait toujours que mon père n'aimait pas les arêtes. Ne s'en acheter que pour elle ne lui effleurait même pas l'esprit. Ma mère avait toujours vécu dans l'idée du sacrifice. Elle se sacrifiait pour ses enfants, pour son mari, comme sa mère s'était sacrifiée avant elle. Elle était toujours inquiète, affairée, soucieuse, les deux pieds dans le concret, le quotidien, et nous n'entrions jamais mieux en contact avec elle que dans ces moments où elle continuait à prendre soin de nous, à s'inquiéter de notre santé ou de celle des enfants, même de loin, même par téléphone. J'avais l'impression que son esprit était alors tout entier tourné vers notre guérison, comme quand nous étions petits. Le jour où son psy lui avait suggéré qu'il était peut-être temps d'être égoïste, de penser à elle et de consentir à se faire un peu plaisir, elle avait haussé les épaules. La vérité c'est qu'elle n'avait même pas idée de la manière dont elle pourrait s'y prendre.

Je suis sorti faire des courses. Le centre-ville était désert. Hormis des petits vieux, des mères au foyer, mais ici elles étaient de plus en plus rares. Tout le monde était au boulot ou en cours. Une bonne partie de la ville travaillait ou étudiait à Paris ou dans d'autres villes alentour. Quand V. s'activait c'était ailleurs. La ville se vidait d'elle-même. Elle ne se remplirait qu'à la tombée du jour, à l'heure du dîner. Le soir les plus jeunes s'y emmerdaient ferme, tout dormait au son des téléviseurs allumés et des volets clos, à part les stades de foot les terrains de basket rien ne s'animait, il n'y avait plus qu'à se morfondre, à s'enfermer face à son ordinateur, à faire des conneries pour passer le temps et repousser l'avenir qui n'avait rien d'attirant, pour ce qu'on pouvait en voir en contemplant ses parents et ceux des copains : au collège au lycée on parlait d'élargir les cerveaux mais le temps se chargerait bien vite de les réduire au minimum syndical.

À la caisse du Simply, je l'ai reconnu tout de suite. L'inverse n'a pas été vrai. Il faut dire qu'il n'avait pas tant changé que ça alors que moi si.

La dernière fois que nos chemins s'étaient croisés, le jour du bac, que j'avais obtenu et lui pas, je devais peser la moitié de mon poids actuel. J'étais alors au plus profond de ma crise, vêtu de noir et des recueils de poèmes dans les poches je n'étais plus qu'un fantôme, un spectre glissant à la surface du monde. Tout à fait absent et retranché en moi-même, perdu dans mon cerveau malade, j'errais au beau milieu d'étendues blanches, de plaines neigeuses, de champs de lumière. Je me prenais pour Glenn Gould, Lanza del Vasto ou saint François d'Assise, et j'attendais l'illumination. Je ne mangeais rien de la journée, maigrissais à vue d'œil, ne quittais ma chambre et le *Stabat Mater* de Pergolèse ou le *Requiem* de Fauré que pour me perdre dans la forêt, les yeux rivés aux feuillages transpercés de soleil. Je l'ai salué tout en déposant mes victuailles sur le tapis roulant. Les tempes dégarnies, les joues creusées, le teint pâle piqueté de petites rougeurs, on le reconnaissait, même si en le voyant là, dans son gilet rouge obligatoire, il était difficile d'imaginer celui qu'il avait été, toutes ces années, au collège, au lycée. Il était comme une version amoindrie de lui-même. De microchangement en microchangement il s'était perdu de vue et n'était plus que l'ombre de ce qu'il avait été. Une ombre un peu terne, banale et pâle. Lui que j'avais connu si solaire, meneur incontesté du petit groupe auquel je n'appartenais qu'à peine, dont je n'étais qu'un membre silencieux et absent, connu pour sa manie de disparaître à tout bout de champ sans prévenir, son goût pour les livres et les chansons dépressives. Il m'arrivait parfois de penser à lui, de me demander ce qu'il avait bien pu devenir. À plusieurs reprises je m'étais surpris à taper son nom sur Google, mais rien n'en était jamais sorti. J'avais toujours admiré ce type, son aisance, son charme, son charisme, sa drôlerie. Les filles l'adoraient. Qu'il ait été le premier à coucher n'enlevait rien à son aura. Il était même sorti avec Sarah en quatrième, je ne la connaissais que de vue à l'époque et elle faisait partie de ces filles qui m'étaient d'emblée inaccessibles. Au moment de payer j'ai balbutié mon nom. En lui adressant la parole je me suis rendu compte qu'il m'impressionnait encore, qu'il avait beau s'être fané il gardait sur moi cet ascendant de grand frère. Et si je réfléchissais un instant c'était là la marque de la plupart de mes amitiés masculines. Au fil des années j'avais toujours jeté mon dévolu sur des types brillants qui m'entraînaient dans leur sillage, dont j'enviais la beauté, la légèreté, le charme. Ils étaient en quelque sorte mon négatif et je les regardais d'en dessous, guettant les miettes d'affection et de confiance qu'ils voudraient bien me prodiguer. Tristan et Alex aujourd'hui, Stéphane, Éric, Fabrice hier, tous répondaient à ce portrait, quand je me voyais si empesé, empêché, inapte. Ses yeux se sont illuminés d'un coup. Un sourire est venu barrer son visage et soudain ses traits d'hier ont ressurgi, cette beauté un peu farouche, vive, rieuse qui avait longtemps été sa marque.

— Ça alors. Paul. Mais qu'est-ce que tu fous là ?

— Rien de spécial. Je suis venu voir mes parents.

— T'es là pour quelques jours ?

— Oui, je sais pas. Au moins la semaine. Et toi ? Tu bosses ici alors ?

— Eh ouais. Je suis en période d'essai. C'est pas le Pérou mais bon, de nos jours, on peut pas faire la fine bouche. Et puis j'ai deux gamines à nourrir...

En finissant sa phrase il a jeté un œil inquiet à la file de petits vieux qui s'était formée derrière moi. J'ai rentré mon code et me suis pressé d'enfourner mes yaourts et mes steaks dans mon sac. Je n'allais pas le mettre en retard.

— Ouais. Vaut mieux pas. Tu sais qu'ils mettent des caméras, m'a-t-il dit en désignant le plafond.

On s'est séparés en convenant de se revoir. Je n'avais qu'à passer à la fermeture un de ces soirs, on irait boire un verre en parlant du bon vieux temps. Juste avant que je ne quitte le supermarché, il m'a confié qu'il n'avait lu aucun de mes livres mais qu'il était tombé sur un film adapté de l'un d'eux, un soir : l'histoire d'une fille qui cherchait son jumeau. Il avait trouvé ça chouette. En tout cas sa copine avait adoré. Elle avait même pleuré à la fin...

L'hôpital dominait la ville. Sarah y avait travaillé les premiers temps, nous vivions déjà à Paris et j'étais encore étudiant. Il m'arrivait parfois de la rejoindre quand elle faisait ses nuits. Je me glissais dans les couloirs déserts et bourdonnant d'un silence électrique. Elle était seule dans la pénombre du service, à son bureau qu'éclairait une lampe de chevet. Tout autour dans les couveuses dormaient des nouveau-nés, la plupart minuscules. Auprès de certains se tenaient des parents inquiets, roulés en boule dans des fauteuils inconfortables, allongés à même le linoléum. Je m'installais dans un coin et somnolais jusqu'à l'aube. Alors nous prenions le premier RER et nous arrêtions à la station Saint-Michel. Puis nous marchions dans Paris jusqu'à notre chambre sous les toits, dont l'unique fenêtre donnait sur la cathédrale orthodoxe Saint-Alexandre-Nevski. Le Christ scintillait au milieu des dorures, on baisait sur la moquette, le sommier était monté sur des parpaings et complètement déglingué et nos voisins étaient tous plus dingues les uns que les autres.

Quand je suis entré dans la chambre mon père dormait, un journal déplié sur les genoux, et ma mère l'imitait la bouche ouverte. On l'avait opérée deux jours plus tôt, lui avait enfoncé des tas de vis dans ses os déjà rongés. D'instinct, comme on cherche une échappatoire, je me suis dirigé vers la fenêtre, sa vue sur les immeubles en quinconce et les petits quartiers pavillonnaires au milieu, le fleuve qui filait vers Paris et traversait des villes toujours plus denses et verticales.

— Tu boites toujours, dis donc...

Je me suis retourné et ma mère me regardait. Elle avait toujours eu ce genre de sixième sens qui la faisait se réveiller dès qu'un de ses enfants approchait d'elle. Adolescents, lorsque François ou moi faisions le mur, quittant la maison pour rejoindre la nuit profonde des forêts, jamais nous n'échappions à son regard quand, alcoolisés au dernier degré, puant l'herbe et le tabac, nous rentrions sur la pointe des pieds.

— Tu dis rien à papa, hein, l'implorions-nous.

Elle secouait la tête. Nous étions incorrigibles. Seuls nous sauvaient nos résultats scolaires. C'était notre façon d'avoir la paix sur le reste. Nous nous foutions qu'une nuit sur deux elle se fît un sang d'encre, imaginant le pire.

J'ai haussé les épaules, bien sûr je boitais encore un peu, c'était tout elle de s'inquiéter de ça alors qu'elle était parfaitement incapable de bouger dans son lit, qu'elle allait en baver pendant des mois avec la rééducation, et même après à cause de l'arthrose et du reste. Petite mère courageuse que la douleur de ses enfants effrayait bien plus que la sienne. J'ai posé mes lèvres sur son front.

— Ça va. T'as pas trop mal ?

Elle n'a pas répondu et m'a demandé en retour comment allait ma cheville, l'opération datait de plus d'un an maintenant, une dégénérescence osseuse avait contraint de souder les os les uns aux autres. D'articulation l'ensemble ne gardait que le nom. Après trois mois de plâtre j'avais passé trois semaines dans un centre de rééducation à Perros-Guirec, autour de moi ce n'étaient que des types en fauteuil et des femmes marchant avec des cannes. Tout le monde portait un peignoir ou un survêtement là-dedans. La kiné qui s'occupait de moi avait les yeux verts et fumait comme un pompier. Après les séances il nous arrivait d'aller boire des bières ensemble sur la plage, un soir nous nous étions embrassés dans la nuit trop froide, c'était juste un truc volé comme ça, un truc pour rien, parce qu'on s'aimait bien et qu'elle s'ennuyait un peu avec son mec, qu'est-ce que je voulais vingt ans de vie commune ça usait toujours un peu, il ne pensait qu'au surf et aux gosses, depuis combien de temps ne l'avait-il pas emmenée quelque part ? Depuis combien de temps ne l'avait-il pas regardée autrement que comme la mère de ses enfants, elle n'en savait rien, parfois elle se disait qu'elle allait se tirer et puis quoi, la fatigue ou autre chose, elle finissait par se dire que son sort était plutôt enviable, que sa vie était douce et sans histoires, les enfants les sorties au parc les balades sur les sentiers douaniers, les samedis après-midi dans le jardin à jardiner ou à lire, un DVD le soir, et les beaux jours sur la plage les pâtés une pizza au resto, une vie calme et modeste, une vie juste un peu ennuyeuse mais on pouvait s'y faire, et même finalement aimer ça. En l'embrassant je m'étais demandé ce qui me poussait toujours dans les bras des soignantes. Je partageais ma vie avec une infirmière. Cela devait bien vouloir dire quelque chose. Étais-je à ce point malade ? Avais-je à ce point besoin qu'on s'occupe de moi ? Pendant les séances elle faisait ce qu'elle pouvait, me torturait en s'excusant de le faire. On ne pouvait pas attendre de miracle. Quand tout serait terminé je boiterais un peu, ne pourrais plus vraiment courir, elle était désolée, ils l'étaient tous, mais pas autant que moi. Parfois je me dis que Sarah m'a quitté à cause de ça. C'est idiot mais je ne peux pas m'empêcher de penser qu'elle en a eu marre de se traîner un type qui boite. Avec mes cent kilos, mes cheveux trop longs et ma barbe, j'avais de plus en plus l'air d'une épave : la moitié de mes dents étaient fausses, je me bloquais le dos une semaine sur deux, l'hypertension me filait des mouches devant les yeux et me collait des migraines terribles, et mon foie demandait grâce. Même si j'avais abandonné la canne au bout de quelques semaines, j'étais tout de même un type usé. Et usant. Je ne pouvais pas lui en vouloir. C'était déjà un miracle qu'elle ait tenu tant d'années.

— Comment va Delphine ?
— Qui ça ?
— Delphine, ta femme. Comment elle va ? Et les trois petits ?

Ma mère s'était légèrement redressée et le moindre de ses mouvements semblait être pour elle une torture. Le lit n'était pas très large et pourtant elle y paraissait perdue. Le drap rose flottait autour d'elle, comme en suspension. Sous sa chemise de nuit se devinait un corps désormais osseux que peinait à couvrir une chair froissée et translucide. Quand avait-elle maigri, rapetissé à ce point ? On aurait dit qu'une part d'elle-même s'était absentée, avait fait ses valises, la précédant dans des territoires de terres brunes et d'arbres en lambeaux.

— Maman, moi c'est Paul.

— Paul ? Bien sûr. Paul. C'est gentil d'être là. Fallait pas faire toute cette route pour moi. Fallait pas te déranger. Mais où est François ?

— Il est chez lui. Il ne peut pas fermer le cabinet comme ça, tu sais bien. Et Delphine est à New York pour un congrès. Il doit s'occuper des enfants. Il viendra le week-end prochain.

Ma mère a enregistré les informations d'un air perdu. Sous le drap rose son corps ne formait plus qu'un léger renflement. Dans mon dos j'ai entendu tousser mon père. Le son de nos voix l'avait réveillé et il nous observait, le visage clos et le regard froid.

— Ah tu es réveillée, a-t-il articulé, sur le ton du constat. Le docteur est passé pendant que tu dormais. Il a dit qu'il reviendrait dans une petite heure. Tu veux que je te mette la télé ?

Il ne lui a pas laissé le temps de répondre et s'est levé pour allumer le poste. Les chaînes ont défilé pour rien. Qu'est-ce qu'on pouvait trouver à regarder en plein après-midi ? Il s'est finalement décidé pour Eurosport. Un match de foot italien datant de l'avant-veille s'y jouait sous des commentaires blasés. Maman devait être contente, ai-je pensé, elle qui n'aimait ni le sport ni rien d'autre, quand on mettait la télé elle finissait toujours par s'endormir, quel que soit le programme. Ça m'avait toujours étonné cette faculté à ne s'intéresser jamais vraiment à rien. La politique lui faisait hausser les épaules. Le cinéma, sauf à de rares exceptions, la faisait bâiller d'ennui. Le sport n'avait aucun intérêt pour elle. « En faire, encore, je ne dis pas, mais le regarder, non merci. » Évidemment, je ne l'avais jamais vue courir ni nager ni enfourcher un vélo de sa vie. Les livres lui « prenaient la tête », les miens en particulier mais tous en général, elle disait ne pas parvenir à se concentrer. « Et puis c'est écrit trop petit », ajoutait-elle en guise d'excuse, comme essayant de ne pas me froisser, moi qui leur avais consacré ma vie. Quant à la musique, elle lui filait toujours « mal au crâne » au bout d'un moment. Dans ce domaine elle n'aimait rien en particulier. Quand on lui en faisait la remarque elle s'en offusquait, bien sûr qu'elle aimait la musique, la preuve, elle et mon père s'étaient sacrifiés pour payer à mon frère la moitié de ses cours de saxophone, toutes ces années elle avait dû supporter son boucan à la cave, sans compter nos chaînes respectives qui hurlaient à longueur de temps, faisant s'entremêler dans la maison Archie Shepp et Franz Schubert, Ravel et Charlie Parker, les Clash, Bach, Nirvana, Léo Ferré, David Bowie, Barbara, les Smiths et Dexter Gordon.

Un silence pesant s'est installé dans la pièce. La rumeur hospitalière envahissait tout, soulignait chaque odeur, nimbait chaque meuble, chaque ustensile d'une lumière chirurgicale. La finalité du lieu annihilait tout le reste. Aucune conversation, aucun sentiment ne pouvait s'y épanouir. Tout semblait sous perfusion médicamenteuse. Et puis nous n'avions pas l'habitude de nous parler, d'alimenter le bavardage. J'ai demandé à mon père s'il voulait un café. Il a décliné. Comme toujours. À part de ma mère il n'acceptait de personne le moindre service, la moindre attention. « Je peux le faire moi-même, répliquait-il. Je suis pas encore handicapé. » Je suis sorti comme on va chercher de l'air à la surface de l'eau, après trois minutes d'apnée totale. Dans le couloir peint de rose pâle circulaient des aides-soignantes en blouse, des chariots couverts de pilules et de flacons. Dans une chambre vide une femme vêtue de vert s'activait sur le sol. Nos regards se sont croisés un instant. Je l'ai saluée. Son visage me disait quelque chose et à sa manière de me fixer je me suis demandé si nous nous étions déjà croisés quelque part. Arrivé à la machine à café son nom de famille m'est revenu. Bonneval. C'était la sœur de Fabrice. Après la cinquième, on l'avait envoyée en CAP dans l'établissement d'à côté. De ses quatre frère et sœurs, Fabrice avait été le seul à pousser jusqu'au lycée. Le seul parmi ceux de la cité aussi. David, Luis et Samira avaient dévié vers des bacs pro comptabilité ou service, Mehdi, Karim et Noredine s'étaient tirés en apprentissage, et les autres avaient purement et simplement disparu du circuit. Il devait bien y avoir quelques filles en première G mais je ne les connaissais que de vue, pour la plupart l'écrémage avait eu lieu dès le collège, la machine était en marche et elle était impitoyable et bien rodée : CAP ou déscolarisation pour les garçons de la cité, bac pro pour les filles, bac technique pour les lotissements bas de gamme et les pavillons modestes, lycée puis BTS pour les lotissements milieu de gamme, université pour les maisons du centre-ville, grandes écoles, écoles d'ingénieur écoles de commerce pharmacie vétérinaire médecine pour les enfants des résidences haut de gamme. Bien sûr il y avait des exceptions, dans toutes les classes et dans tous les sens, mon frère et moi en étions la preuve, mais c'était la règle générale, elle était établie depuis longtemps, les classes dominantes s'employaient depuis toujours à la maintenir en l'état, à l'entretenir, la huiler, la lubrifier, la visser, la perfectionner, et ni les politiques ni l'école n'y pourraient jamais grand-chose.

En buvant mon café j'ai essayé de me souvenir de son prénom. Je n'y suis pas parvenu. Mes parents avaient vécu aux Bosquets mais pas moi : ils s'étaient endettés à vie l'année de ma naissance pour acquérir un petit pavillon ceint d'un jardinet. Longtemps j'avais fréquenté la cité parce que Éric y vivait. C'était mon meilleur ami alors et nous ne nous séparions jamais. Après les cours j'étais toujours fourré chez lui et, plus rarement, parce que comme tous mes camarades il craignait mon père, lui chez moi. Puis aux alentours de ses quinze ans ses parents avaient trouvé à louer un pavillon crépi de rose dans un lotissement neuf et bâti à la va-vite. Les maisons étaient mitoyennes et les murs à peine plus épais qu'à la cité mais ils avaient de l'espace, personne en dessous ni au-dessus, et une pelouse où planter une table ronde et quatre chaises, quelques fleurs et un cerisier menu que je n'ai jamais vu grandir. Du jour au lendemain nous avions déserté les pelouses et les cages d'escalier des Bosquets. Mehdi, Noredine et Karim ne nous avaient plus adressé la parole : nous n'étions plus des leurs, nous étions devenus des bourges, ou des Gaulois, ce qui revenait au même, on l'était vite là-bas, un pavillon suffisait à vous y classer, des emplois stables non liés au ménage, au bâtiment ou à la surveillance, un emploi tout court pour l'un de vos deux parents aussi. Là où j'avais vécu, la lutte des classes, c'était un jardin, un boulot, une voiture et des vacances une fois par an, même au camping. De fait, j'avais grandi en pensant dur comme fer appartenir à la classe moyenne, peut-être même aux premiers échelons de la bourgeoisie. Un peu plus tard en débarquant à la fac j'avais compris que la notion de classe moyenne était une notion variable. Tout dépendait du point de vue. Puis j'avais été amené à fréquenter les milieux artistiques et intellectuels parisiens où j'avais eu la surprise de voir mes parents immédiatement relégués au sein des classes populaires, prolétaires, à deux doigts des pauvres, des marginaux. J'avais déjà commencé à publier des livres. Quelques journalistes s'étaient mis en tête de dresser mon portrait. Le contenu des articles avait tellement blessé ma mère. On y parlait de notre « petite maison de banlieue », du milieu « très modeste » dont j'étais issu, de maman comme d'une « petite » employée, de la famille de mon père comme sortie d'un roman de Zola, son propre père éboueur, ses six frères et sœurs s'entassant dans le F3 de Maisons-Alfort, la grand-mère qui ne parlait que le patois alsacien, l'oncle à moitié fou. On y parlait de leur certificat d'études, de leur entrée dans le monde du travail à quatorze ou quinze ans, des vacances au camping. Rien de tout cela n'était faux, et si c'était parvenu à leurs oreilles je ne pouvais en vouloir qu'à moi-même, c'était bien moi qui leur avais fourni la plupart de ces informations, dont je retirais une certaine fierté je dois bien l'avouer, mais la manière dont l'accent était mis sur toutes ces choses semblait, à ses yeux, nous rabaisser.

— Non mais tu as vu ? Pour qui ils nous font passer ? Pour des nécessiteux.

Au cinquième papier de cet acabit j'avais fini par m'ouvrir du problème à mon éditeur mais ça n'avait servi à rien, publier des romans m'avait propulsé dans un monde d'appartements clairs, poutres apparentes, moulures, parquet, miroirs, cheminées, un monde où l'on prenait l'avion ou le train, faisait des voyages, partait en week-end, louait des maisons, où l'on tapait son code de carte bleue sans frémir, où l'on déjeunait et dînait au restaurant plus souvent qu'une fois par an, où l'on payait ses cafés en terrasse deux euros cinquante, où l'on s'achetait des livres, des CD, des DVD, des vêtements de marque quand le désir vous en prenait, un monde où tout cela était tout simplement normal, un monde qui de son propre point de vue n'était pas un monde de riches ni même de bourgeois, mais un monde de classes moyennes, les vrais riches étaient ailleurs encore, dans les hautes sphères des affaires, de la finance, de toutes ces choses, vu de Saint-Germain-des-Prés comme des rédactions des journaux culturels j'étais bel et bien un rejeton des classes populaires, un enfant d'ouvrier, un petit-fils d'éboueur. Quant à ceux des cités, à leurs yeux, ils paraissaient vivre à la marge, exclus d'office, et il n'y avait personne autour de moi pour ne pas frémir à la simple évocation des grands ensembles. Pourtant, avant d'en être exclus pour embourgeoisement caractérisé, Éric et moi y avions vécu des après-midi, des week-ends et des vacances libres et joyeux. Bien sûr il nous était arrivé d'être confrontés à l'une des bandes qui régnaient sur le quartier, traficotaient un peu, rien de bien méchant, du shit et de l'électronique, bien sûr on s'était fait tirer un vélo chacun, nos raquettes de tennis et deux ou trois ballons mais au fond il me semblait que les choses n'étaient pas bien différentes de ce qu'avait pu me raconter mon père de son enfance dans les cités de brique rouge de Maisons-Alfort. J'imagine que depuis les choses se sont détériorées, que les relations se sont tendues entre ceux de la cité et les autres, je suppose que nous avons vécu les dernières années sans problème majeur. Je n'en sais rien. Je sais juste qu'un jour Éric s'est fait voler son Piaggio par un des frangins de Fabrice, qu'il a voulu le récupérer et s'est retrouvé sous la menace d'un couteau, et qu'à partir de là nous avons évité la cité et ceux de notre âge qui y vivaient. Éric a été terriblement blessé par cet épisode. Il avait grandi là. Il était métis, d'un père noir et d'une mère elle-même métis. Et il n'était plus le bienvenu. Il était devenu un ennemi. Comment les choses avaient-elles pu basculer si vite ? Personne n'en savait rien. Personne ne sait quand exactement les fissures deviennent des failles, puis se muent en gouffres infranchissables.

Quand je suis revenu dans la chambre mon père n'était plus là.

— Ton frère est sorti fumer une cigarette, m'a dit maman.

— Mon père tu veux dire.

— Oui, oui, bien sûr. Ton père. Mais... Redis-moi ton nom.

— Paul, maman. C'est Paul.

— Bien sûr. Paul. Ah. C'est ces putains de médicaments, aussi. Je ne sais pas ce qu'ils foutent là-dedans. Moi qui ai une si bonne mémoire.

Et c'est vrai qu'elle n'oubliait rien. Ni de sa vie ni de la nôtre. Elle se souvenait du moindre de nos gestes, de la moindre de nos paroles. Pour ma part je n'avais aucun souvenir avant l'âge de dix ans. Je l'avais souvent dit ou écrit et je sais combien ça la blessait. Je sais qu'elle voyait ça comme une négation de mon enfance, de ce que nous avions vécu l'un et l'autre. Et il suffit d'avoir des enfants soi-même pour savoir ce que représentent ces dix premières années. Combien cela pouvait être douloureux d'entendre son fils déclarer un peu partout qu'il ne se rappelait rien. De cet amour inquestionnable, de ce lien quasi animal, sauvage, comme allant de soi et se suffisant à lui-même. De ce lien si puissant, originel, que rien ne pourrait plus jamais dénouer, qui serait comme un socle, un entrelacs de racines. J'avais grandi sur le sable meuble des zones pavillonnaires, des banlieues sans début ni fin, et mon enfance s'était volatilisée quelque part. Comment n'aurais-je pas eu ce sentiment de flotter dans le vide, de vivre suspendu, entre deux eaux, sans attaches solides ni repères ? J'avais souvent pensé à ça, cette mémoire close et opaque s'ouvrant sur la mort de ma grand-mère, puis sur un jour d'été où tout au bord d'un ravin j'avais songé si fort à disparaître. Cette géographie indistincte où j'avais poussé sans m'en souvenir. Confusément, ces trois éléments semblaient étroitement liés, me paraissaient éclairer quelque chose. J'y lisais les fondations de mon goût pour les échappées, de mon penchant pour la fuite et l'absence, l'effacement. J'y comprenais mieux ma défiance des racines, des identités confinées et rances, ma capacité à me sentir chez moi à l'autre bout du monde, ma manie de me choisir des refuges et de tout y réinventer.

Ma mère me regardait, comme gênée ou honteuse. Elle n'aimait pas l'idée qu'on puisse s'inquiéter de son état, passait son temps à minimiser les maux qui pouvaient l'affecter : dans ma famille il était inconvenant de se plaindre. Me revenait toujours en mémoire cette interview de Jean-Louis Murat, dans laquelle il racontait combien l'écoute de *Cheyenne Autumn* avait choqué sa grand-mère : elle jugeait indécent d'étaler ainsi sa mélancolie, sa douleur, de s'épancher sur des doutes, des blessures aussi intimes. Ma mère n'aimait pas qu'on s'appesantisse sur quoi que ce soit, ni qu'on se fasse remarquer. Que je sois devenu romancier avait tout pour lui déplaire, et chaque parution d'un nouveau livre était pour elle un affront, une épreuve, qui la mettait au supplice.

Mon père a fait irruption dans la chambre, son gobelet à la main, le visage aussi clos et froid que de coutume. Après quoi en avait-il ainsi ? Toutes ces années, à qui s'adressait cette colère rentrée, cette exaspération, cet agacement perpétuel, cette raideur glaciale avec lesquels il arpentait la vie ? Il a jeté un œil désapprobateur au téléviseur. J'avais profité de son absence pour passer du sport à la politique. La Cinquième diffusait un débat. Il y était question de la montée de la Blonde : certains sondages la donnaient au second tour tandis que le Président sortant s'effondrait. Un des commentateurs semblait s'en effrayer, s'en indigner même. Mon père a soupiré, d'un air écœuré, avant de saisir la télécommande et de faire défiler les chaînes, jusqu'à s'arrêter sur un jeu à la con. Entre ses dents je l'ai entendu maugréer : ils le fatiguaient tous ces commentateurs de salon, avec leurs jolies vestes leurs cravates leurs putains d'écharpe rouge et leurs grandes gueules. Ils parlaient pour ne rien dire, ils parlaient des gens mais qu'est-ce qu'ils y connaissaient aux gens ? À quand remontait la dernière fois qu'ils avaient quitté le seizième arrondissement, hein il me le demandait.

— Et puis, y en a marre de ces émissions de débats. Tout le monde n'a pas envie de se prendre la tête tout le temps comme toi. On a besoin de se détendre aussi un peu, merde.

Je me suis tourné vers ma mère, elle regardait ailleurs. Elle redoutait par-dessus tout qu'une discussion ne s'engage. Celles qui m'avaient opposé à mon frère pendant des années l'avaient suffisamment traumatisée comme ça, elle ne voulait pas que ça recommence, et surtout pas avec mon père, lequel était d'ailleurs incapable de discuter. À la moindre contradiction on voyait son visage se pigmenter de rouge, ses traits se durcir, et en tant qu'interlocuteur on se sentait immédiatement haï, méprisé, détesté. Ce qui se révélait un sentiment particulièrement troublant et blessant quand on se trouvait par hasard être son fils.

J'ai changé de conversation tout en me demandant de quoi il pouvait bien vouloir se détendre. Il était à la retraite depuis longtemps maintenant, ne subissait aucune contrainte, disposait de temps en pagaille. À longueur de journée, lorsque je lui rendais visite, je l'entendais déclamer qu'il ne voulait plus qu'on l'emmerde mais personne n'y songeait, nulle part, le monde entier le laissait tranquille mais apparemment ça ne suffisait pas encore. Une mobylette dans la rue, la vue d'une bande de jeunes un peu agités, un commentaire qu'il jugeait déplacé à la radio ou à la télévision suffisaient à le mettre en rogne. Tout l'agressait. Parfois je me disais qu'il n'attendait plus que la mort, que c'était ça qu'il souhaitait vraiment, ça qu'il voulait dire quand il affirmait désirer qu'on le laisse en paix désormais. Je le regardais et je songeais au père de ma mère dans sa maison de repos avec sa radio qu'il n'allumait même plus les derniers temps. Toute sa vie je l'avais connu branché sur RTL, du matin jusqu'au soir. Le jour où allant le visiter j'avais trouvé son poste éteint, ce jour-là j'avais compris qu'il allait mourir bientôt. Trois semaines plus tard une mauvaise bronchite l'emportait. La nuit qui avait précédé j'avais rêvé de lui. Il errait sur un parking désert, en caleçon et chaussettes, cheminait à pas lents hésitants, perdu et semblant chercher un chemin, une issue, une lumière. Soudain le bitume s'était fissuré et l'avait englouti dans une mare de macadam fondu.

Une aide-soignante est entrée avec le plateau-repas du soir. C'était la sœur de Fabrice. Sur la commode à roulettes elle a posé un peu de purée fade à l'odeur de conserve et une tranche de cuir bouilli qu'on voulait sans doute faire passer pour de la viande. De nouveau, son regard fatigué s'est porté sur moi. Je me suis demandé si elle m'avait reconnu. Puis j'ai compris qu'elle ne me regardait pas, qu'elle ne regardait personne, que ses yeux se posaient sur du vide et la renvoyaient à l'intérieur d'elle-même, au fond de ses pensées, ou de leur absence, dans ces contrées floues et cotonneuses que peint la fatigue. Comment aurait-elle pu me reconnaître ? Que restait-il de celui que j'avais été à quinze ans ? Les années et les kilos s'étaient chargés de le faire disparaître, et dorénavant il errait dans des paysages flous, des vallées incertaines et noyées sous la neige. J'ai aidé ma mère à se redresser, tandis que mon père enfilait sa veste et lâchait un « bon, on va te laisser tranquille » qui trahissait surtout son envie de rentrer chez lui. Qui aurait pu lui en vouloir ? Qui avait envie de demeurer des heures dans une chambre d'hôpital sans être malade ? Et puis ma mère et lui vivaient ensemble depuis si longtemps, ils n'avaient plus grand-chose à se dire. À la maison le quotidien effaçait en partie le silence, le comblait, le rendait anodin et habituel mais ici, dans cette pièce close aux parfums de légumes sans goût, de désinfectant, d'éther, d'alcool et d'eau oxygénée, il s'imposait comme une gêne, une incapacité, une défaite. Chacun notre tour, nous avons embrassé ma mère sur le front, puis nous avons regagné le couloir. De la plupart des chambres sortaient des visiteurs, une fois la porte refermée ils pressaient le pas, on devinait chez eux la relaxe, le soulagement. Sortir de là était toujours une délivrance, on avait toujours peur d'y rester nous aussi. Ça finirait bien par arriver mais en attendant on en rasait les murs, comme si ça pouvait retarder l'échéance. Tous nos espoirs étaient fondés sur cette croyance enfantine : ne pas se faire remarquer et passer entre les gouttes. Longtemps j'avais cru ça : éviter les médecins m'apparaissait le plus sûr moyen de ne pas tomber malade. Évidemment il n'en était rien, aux alentours de mes trente-cinq ans j'avais dû me résoudre à ne plus jouer à l'autruche, du foie aux chevilles en passant par les dents tout s'était déglingué peu à peu, les limites étaient dépassées, mon corps demandait grâce, et mon emploi du temps était soudain devenu moins littéraire que médical. Nous sommes sortis de l'hôpital et avons gagné nos voitures respectives. Un soleil pâle tentait de percer le ciel laiteux, déversant une lumière jaune sur les immeubles alentour. En contrebas le fleuve semblait charrier de la boue. J'ai laissé mon père rentrer seul à la maison. J'avais besoin d'une bière avant de rentrer à mon tour, de préparer le dîner et d'affronter son silence, sa froideur, son regard coupant. De lui, je n'avais jamais rien connu d'autre : les mâchoires serrées par l'exaspération, la colère froide, la fatigue. Les gueulantes et les coups de pied au cul. Sa manie de nous broyer le bras, de nous traîner jusqu'à la porte d'entrée, de l'ouvrir tout en nous tenant fermement et de nous foutre dehors histoire de nous calmer et de nous faire réfléchir à ce que nous venions de faire, de dire. Ou de ne pas faire. Ou de ne pas dire. Je n'avais jamais rien connu d'autre, mais je n'étais jamais parvenu à m'y habituer vraiment. Je me suis arrêté dans le bar que tenait le père de Yann, le seul où j'aie jamais foutu les pieds dans cette ville. Du reste je n'en connaissais pas d'autre. J'avais fini par oublier à quoi pouvait ressembler ce genre d'endroit dans un coin pareil. Pas à un lieu où on allait par choix, par goût, ni pour se retrouver, en tout cas. Non. Dans un lieu pareil, on échouait forcément, poussé par l'ennui, la solitude ou le besoin d'alcool, quand ce n'était pas les trois à la fois. Là où je vivais désormais les cafés étaient remplis de lycéens et d'étudiants joyeux s'enfilant des rhums arrangés, les cheveux encore humides et brûlés par le sel, au milieu des boiseries, au son de vieux standards de rock ou de reggae. Mais ici ça ne serait venu à l'idée d'aucun jeune, d'aucun adulte de moins de quarante ans, avec le lot d'emmerdes et de désillusions que cela suppose, de pousser la porte d'un établissement comme ça. Surtout s'il ne vendait pas de cigarettes. Le café du père de Yann, c'était juste une dizaine de tables en formica alignées le long du comptoir étroit où s'accoudaient trois habitués, entamés avant même d'avoir commandé leur premier blanc. Je me suis installé près de la porte. Au-dessus du bar un téléviseur diffusait des images du Japon. En boucle tournaient les mêmes plans inconcevables, impossibles à assimiler : des villages effacés, des villes rasées recouvertes d'une boue charriant des voitures, des arbres, des poteaux télégraphiques, des foules entassées dans des hangars, des gymnases, sur des matelas, occupés à lire le journal ou à soigner leurs enfants, des visages égarés, des corps sans vie, des membres dépassant des décombres, des visages noyés de larmes, des existences ruinées, désossées, anéanties. Regarder ça était tout simplement intolérable. J'ai changé de place pour faire face à la rue banale et sans grâce. Le père de Yann est venu prendre ma commande. Il était encore plus maigre qu'à l'époque, comme si les années l'avaient creusé, s'étaient payées sur la bête. Sa femme a fait irruption dans la salle. Toujours aussi forte en gueule elle a clamé qu'elle se réveillait de sa sieste et se sentait d'attaque pour un pastis, avant de claquer la bise aux clients. Elle était plus jeune que ma mère mais en la regardant qui aurait pu croire qu'elles étaient peu ou prou de la même génération, qu'elles avaient des enfants du même âge ? Elle n'avait pas tellement changé. Les cheveux toujours longs et teints en roux presque rouge, les yeux maquillés au-delà du raisonnable, la poitrine à la fois découverte et moulée dans un de ces tee-shirts aux imprimés criards, quand ce n'était pas carrément léopard, qu'elle avait toujours affectionnés. Sa voix était plus rauque encore et ce n'était pas rien : déjà à l'époque elle semblait n'être plus qu'un condensé de goudron. En me voyant sa bouche s'est ouverte comme celle d'un poisson. Théâtrale, elle a fait mine de s'évanouir et s'est mise à gueuler « ben ça alors, ben ça alors ». Je ne savais plus où me mettre. Je me sentais comme un gamin timide qu'un oncle blagueur pousse soudain dans la lumière. Le père de Yann l'a regardée d'un air interrogatif, tandis qu'il posait mon demi sur la table. Tous les piliers s'étaient tournés vers moi, les joues rouges et le nez grêlé.

— Mais enfin, tu le reconnais pas ? C'est Paul.

— Paul ?

— Ben oui. Le Paul de Yannick.

Elle s'est assise en face de moi. Un sourire immense et tendre lui barrait le visage. Nous avons bavardé un moment. Elle paraissait vraiment heureuse de me voir. Si elle m'avait reconnu si facilement c'est que Yannick lui avait montré des photos de moi dans les journaux, il était tombé sur un article un jour et s'était précipité en librairie, lui qui n'aimait pas spécialement lire depuis lors il dévorait tout ce que je publiais et découpait les articles qui parlaient de moi quand ils lui passaient entre les mains. Elle-même avait essayé mais c'était toujours pareil avec les bouquins, au bout de trois pages elle décrochait, surtout quand ce que ça racontait n'était pas vraiment vrai. Pourquoi voulais-je qu'elle s'intéresse à des choses qui ne s'étaient pas vraiment produites dans la vraie vie ?

— Et le cinéma ? ai-je hasardé.

— Quoi, le cinéma ?

— Le cinéma, vous aimez ça, non ?

— Ouais.

— Pourtant c'est des trucs inventés. Et puis les gens qu'on voit à l'écran c'est juste des acteurs qui font semblant, non ?

Elle n'a pas pris la peine de répondre et m'a posé des tas de questions sur l'endroit où je vivais, ma situation familiale, le type de vie que je menais. Après quoi elle a dégainé une série de souvenirs qu'elle gardait de moi quand je venais au café ; en général nous ne faisions que traverser la salle, nous poussions la porte et montions à l'étage où se situait leur appartement. Le frigo était toujours rempli de bières. On en prenait quelques-unes et on s'enfermait dans la chambre minuscule de Yannick. Le plus souvent, Éric était là aussi. Parfois Stéphane, que j'avais croisé la veille au Simply. David, Fabrice, et Christophe quand ses parents l'autorisaient à sortir. Thomas venait de temps en temps lui aussi, mais moins souvent que nous autres. Ses parents n'aimaient pas qu'il traîne dans un bar. Ils se méfiaient de Yann. Personne ne savait trop pourquoi. D'après eux il se passait des trucs pas toujours clairs dans ce café, et puis avant ça les parents de Yannick avaient été forains, puis on les avait vus sur les marchés des villes alentour, Yann et son frère Jérôme filaient un coup de main, le dimanche matin j'adorais aller les voir au prétexte d'aller chercher du poulet et des tomates pour rendre service à ma mère. Je les voyais charger et décharger les caisses, servir les clients, rendre la monnaie. Ils m'impressionnaient. Je crois même que je les enviais. Avec l'argent qu'il gagnait ainsi, Yann avait été le premier à se payer une mobylette. À une époque, aussi, ses parents avaient tenté de transformer leur troquet en fast-food. Le père disait qu'il fallait être moderne, que bientôt il n'y aurait que ça partout, des restaurants à hamburgers. Il ne s'était pas trompé sur ce point, mais le leur n'avait duré que quelques mois à peine. Les piliers avaient déserté, et personne ne semblait vouloir manger des cheeseburgers ailleurs qu'au McDonald's qui venait de s'ouvrir le long de la nationale, à deux pas du Auchan. Sous le bistrot, il y avait une cave. Jérôme y avait installé une platine reliée à des enceintes, des spots rouges et verts, des projecteurs de jardin sur lesquels étaient posées des gélatines. Il avait récupéré une ou deux banquettes, des tables basses. Punaisé au mur des photos de Madonna, U2, Cure et Simple Minds. Il avait même suspendu une boule à facettes au plafond. C'est là que se tenaient les boums. Bimensuelles. Puis hebdomadaires. Là que je passais des soirées collé aux platines, timide, emprunté, tandis que les autres dansaient. Là que je projetais d'inviter à danser Nathalie, Caroline ou Céline à l'heure des slows, Scorpions Eagles George Michael, sans jamais oser finalement, sans jamais aller assez vite, de toute façon elles se retrouvaient toujours dans les bras de Stéphane, ou d'un autre, qui finirait par les embrasser et « sortir » avec elles pendant une semaine ou deux, avant de « casser » et de les laisser éplorées et toujours un peu amoureuses. Thomas ne venait pas souvent, ses autorisations de sortie étaient moins larges que les nôtres. En plus de ne pas aimer les bars, ses parents n'appréciaient guère ce genre de soirées. Ni ce qu'ils nommaient ses « fréquentations ». Mais quand il venait il ramassait toujours la mise, avec ses airs de minet bien coiffé, ses bonnes manières et ses vêtements choisis. C'était le seul bourge de la bande. Étrangement il n'était pas scolarisé avec les autres au collège privé de la place Jules-Ferry, une sacrée blague au passage, presque aussi belle que l'adresse du Pôle emploi à V., sise rue de l'Avenir. Le premier jour de la rentrée en sixième, je m'étais retrouvé à côté de lui en français, nous avions vite sympathisé et il m'avait invité chez lui un samedi midi. Il vivait dans une résidence Kaufman and Broad, composition de pavillons cossus plantés autour d'un parc et d'une grande demeure Belle Époque qu'on nommait « le château ». De petits canaux circulaient au milieu des allées. Sous les arbres immenses qui faisaient une ombre vert bouteille au-dessus de grandes pelouses impeccables s'organisaient des étangs et des aires de jeux en bois massif. Quand j'étais arrivé chez lui, avec Éric sous le bras, sa mère nous avait regardés de biais, et sa première question avait été de savoir où nous vivions. Ma réponse vague mais rassurante (au centre-ville, madame) m'avait sauvé du pire mais Éric n'avait jamais passé la barre : qu'il vive dans la cité et arbore un visage clairement métis ne jouait visiblement pas en sa faveur. Par la suite, il n'avait jamais été réinvité en présence des parents. Ce premier samedi nous avions passé l'après-midi à faire du vélo, jouer aux fléchettes, et même au billard, il y en avait un immense en bois d'acajou et vêtu d'un tapis vert quasi neuf, dans une pièce réservée à son usage. Il y avait aussi un bureau-bibliothèque et c'était bien la seule maison que je connaissais à en posséder un, la cuisine était lumineuse et richement équipée, le salon triple et doté de canapés en cuir crème posés sur un parquet blond. Thomas avait trois frères et chacun avait sa chambre, moquette épaisse et murs peints sans posters, impeccablement rangée. Tous ensemble ils partaient régulièrement en week-end, à la mer ou à la campagne dans leur maison de vacances, l'hiver ils allaient skier à Courchevel, l'été ils prenaient l'avion pour des destinations lointaines, à l'époque nous ne faisions attention à rien de tout cela mais avec le recul je comprends mieux les regards méfiants et désapprobateurs que ses parents nous jetaient. Tu n'as pas assez d'amis à la résidence ? Et tes copains de l'aumônerie ? l'imploraient-ils en secouant la tête d'un air navré. La première fois que j'avais mis les pieds chez lui, juste avant de repartir, sa mère nous avait remis à chacun une brochure intitulée « Tu crois ? Je crois », que j'avais consultée le soir même dans mon lit. Il y était question de la foi et de Jésus, du catéchisme, des prières et de la messe du dimanche. Je l'avais posée sur ma table de nuit pendant quelques semaines. Mon père m'avait un jour interrogé à son propos : tiens, tu lis ça toi ? Ce fut tout, mais à son ton et à son visage j'avais bien saisi que ça ne lui plaisait pas beaucoup. Il en était quand même resté là : la mère de ma mère était très pieuse et maman n'aimait pas qu'on soit trop critique à l'égard de la religion catholique, quand bien même elle n'était pas croyante. Elle adorait sa propre mère, et si cette dernière avait pu jusqu'à sa mort croire à toutes ces choses, on ne pouvait les balayer d'un simple geste de la main. C'eût été insulter sa mémoire. À cette époque il m'arrivait souvent de rêver à la vie que j'aurais eue si j'avais grandi parmi les frères de Thomas. Son père haut fonctionnaire. Sa mère occupée à diverses bonnes œuvres. Le grand piano dans le salon, les leçons de tennis, le golf, le ski, la messe, le catéchisme... Lui aussi je l'enviais, comme j'enviais Yann de vivre dans un bar disposant d'une cave aménagée pour les boums, ce dont il tirait naturellement une certaine popularité. De ça et de sa mère. Son père nous faisait un peu peur, comme tous les pères, comme le mien. Sans doute était-ce une question de génération. À part celui d'Éric, un Antillais doux et infidèle, coureur de jupons à la voix délicate, aux gestes presque féminins, tous les pères nous faisaient peur, celui de Christophe, qu'on appelait le facho, au premier chef, mais pas seulement. Celui de Yann était sec et taiseux, des tatouages parcouraient son dos et ses épaules, on disait qu'il avait travaillé dans un cirque, puis qu'il s'était occupé d'attractions foraines, certains disaient même qu'il avait fait un peu de prison, ce qu'un jour Yann m'avait confirmé en éludant : « Mais c'était y a longtemps, avant de rencontrer maman. Avec elle, je peux te dire qu'il file doux. »

La mère de Yann m'a servi un deuxième demi sans que je demande rien. Elle semblait vraiment émue. En la regardant je ne pouvais m'empêcher de penser aux soirées étranges que nous avions passées chez elle. Nous restions parfois dormir, Éric, Stéphane et moi. Fabrice n'avait jamais le droit. Sa mère ne voulait pas, « ça ne se fait pas de déranger les gens comme ça », disait-elle. Ce que Fabrice ne comprenait pas, mais avait fini par comprendre, c'était qu'il importait peu à sa mère qu'il dorme chez les uns ou les autres tant que c'était à la cité. En dehors de ça rien n'était possible. En y repensant il y avait là de quoi sourire : l'appartement de Yann était sombre et exigu, les pièces minuscules, rien qui puisse donner à qui que ce soit un sentiment d'infériorité sociale, à qui que ce soit à part à elle qui nettoyait des bureaux et dont le mari était agent de sûreté au centre commercial. La mère de Yann passait beaucoup de temps avec nous, à la fermeture du bar elle remontait à l'étage, se glissait sur le canapé entre Yann et moi, nous embrassait tous sur le front, nous posait des tas de questions sur les filles et le reste, regardait avec nous les films d'horreur et les blockbusters qu'on s'enfilait au kilomètre, les *Gremlins*, *Retour vers le futur*, *Indiana Jones*, *Star Wars* et tous ces trucs. Elle restait aussi quand Yann mettait la Six pour les émissions de charme. Qu'on regarde ça en sa présence m'avait gêné les premiers temps et puis on s'était habitués, on ne faisait plus gaffe à la fin, ses commentaires sur les filles qui soupiraient et les mecs qui gardaient leur slip pour faire semblant de baiser sur des tapis moelleux devant un feu de cheminée au son d'un saxophone langoureux nous arrachaient des fous rires.

— Et Yann, ai-je demandé. Qu'est-ce qu'il devient ?

— Yann, ça va. Tu sais comment il est. Tout va toujours avec lui. Il bosse chez Castorama. Chef du rayon jardin. Les tondeuses et tout. Ce qui me fait marrer parce qu'on n'a jamais eu de jardin et qu'il n'en a toujours pas. Il habite à côté, à D., un petit appart dans une résidence calme. Il est marié. Avec Céline d'ailleurs. C'est quand même marrant. Toutes ces années à lui courir après. Elle est sortie avec tous ses potes mais jamais avec lui à l'époque.

— Avec moi non, en tout cas.

— Oui mais toi...

— Quoi moi ?

— Ben toi t'étais déjà un rêveur. Toujours l'air grave, torturé de l'intérieur. Timide, intello. Ça plaît pas aux filles, ça... Elles disent le contraire à longueur de magazine, qu'elles aiment les garçons sensibles un peu poètes mais c'est du flan tu sais bien. En fait elles veulent un type fiable, rigolo si possible, qui se prend pas la tête...

— Ils ont des gamins ?

— Non. Pas faute d'essayer mais ça ne vient pas. Ça le mine. Ça le mine plus qu'elle, même. Mais tiens, je vais te filer son numéro. T'as qu'à l'appeler, ça lui fera plaisir t'imagines même pas. Ce qu'il a pu nous saouler avec son copain devenu écrivain... Un soir il nous a même fait regarder une émission sur les bouquins sur la Cinq. Je me suis endormie. Je ne t'ai même pas entendu parler. J'ai juste eu le temps de voir que t'avais quand même bien grossi et que t'étais mal rasé. Franchement. Quand on passe à la télé faut se raser quand même. Et puis se coiffer un peu, non ? On aurait dit un ours.

— Et son frère ?

— Oh, Jérôme… On ne le voit pas souvent. Il ne vit pas loin pourtant. Dans le 78. Au Vésinet. Tu imagines ? Le Vésinet. Comme dans *Maguy*. Sa maison tu verrais ça. Ici on appellerait ça un château mais là-bas ils appellent juste ça une maison. Enfin, on a pas dû y mettre les pieds plus de trois fois en dix ans. Mais c'est comme ça. Il est très occupé. Monsieur est ingénieur tu comprends. On ne va pas se plaindre. C'est ce qu'on a toujours voulu pour lui. C'est bien pour ça qu'on s'est saigné aux quatre veines toutes ces années. Pour qu'il fasse de bonnes études, qu'il ait une bonne situation. Alors on peut que se réjouir, non ? On aimerait juste le croiser plus souvent, avoir de ses nouvelles autrement qu'au téléphone. Des fois j'ai l'impression qu'il nous évite. Comme s'il avait honte. Comme on si on était plus assez bien pour lui. Ou pour sa femme. Pas les bonnes manières. Pas le bon standing. Pas le bon pedigree. Il a des enfants mais on a dû les voir quatre ou cinq fois, pas plus. Des fois Robert dit qu'il va faire un procès, qu'on a le droit maintenant. Je sais plus comment ils appellent ça. Soustraction d'enfants aux grands-parents ou un truc dans le genre. Je lui réponds tu parles, avec ton casier on aurait l'air fin, c'était y a longtemps mais bon ça la fout mal, pour des grands-parents modèles, d'avoir fait de la taule pour escroquerie.

— Et vous, ça va ?

— Oh nous, ça va toujours. Robert s'est fait enlever une tumeur l'an dernier. Au cerveau, alors qu'il n'en a pas. En revanche les poumons, rien. Il fume deux paquets par jour depuis qu'il a quatorze ans, mais rien, le médecin dit qu'il a des poumons de jeune homme. Tu y crois ?

J'ai fouillé dans ma poche à la recherche d'un peu de monnaie mais elle a fait signe de laisser. C'était sa tournée. Elle m'a embrassé sur le front comme elle le faisait tard le soir quand elle se glissait entre nous pour bavarder et regarder les émissions débiles de Jacques Pradel ou de Christophe Dechavanne. Je suis sorti et la nuit était déjà bien installée. À la radio ils parlaient toujours du Japon. Ainsi que l'avaient laissé présager les fumées noires qui en sortaient depuis le tsunami, la centrale nucléaire de Fukushima avait été endommagée. Les dégâts semblaient très sérieux. Aux abords la radioactivité avait déjà grimpé en flèche. Il fallait s'attendre au pire.

Quand je suis rentré chez mon père les volets étaient déjà clos. J'ai eu l'impression d'entrer dans la maison comme dans un caveau. Dans le salon la télévision était allumée et mon père regardait *Top Chef*, un concours culinaire dans lequel des professionnels étoilés faisaient passer des épreuves à des seconds qui rêvaient de changer de vie grâce à leurs talents de cuisiniers. Ils disaient vivre cuisine, penser cuisine, dormir cuisine. Pourquoi pas, me suis-je dit. Après tout si c'est ça qui les fait vibrer. Ce qui m'étonnait en revanche, c'est qu'on puisse à ce point vouloir passer à la télé. S'ils savaient, me disais-je. Ça m'était arrivé quelquefois et je ne voyais pas comment on pouvait vouloir y aller de son plein gré.

J'ai fait cuire deux filets de daurade et du riz tandis que mon père se passionnait pour tous ces gens qui déglaçaient tout ce qu'ils pouvaient, sublimaient des viandes, composaient des plats gourmands, précis, et possédaient tous un « univers ». Je l'entendais commenter, s'emporter, réagir. Lui qui ne savait même pas se faire cuire des pâtes. Qui aurait à peine été capable de fendre une demi-baguette pour y enfourner un peu de beurre, un morceau de comté et une tranche de jambon.

Je l'ai rejoint dans le salon, muni de deux plateaux, et nous avons mangé les yeux rivés sur l'écran. Un type au physique de catcheur pleurait parce qu'il avait raté sa mayonnaise. « Vous vous rendez compte, répétait-il. Je prétends devenir chef et je suis pas foutu de monter une mayonnaise. Et tout ça sous les yeux de Thierry Marx et Jean-François Piège… » À la première coupure pub j'ai enfin osé interroger mon père au sujet de ma mère. Je marchais sur des œufs. J'ai légèrement minoré l'impression qu'elle m'avait faite à l'hôpital. Je ne voulais surtout pas le braquer. Un mot de travers et mon père s'emporterait, son visage virerait au rouge et ses yeux prendraient cette expression qui m'avait terrorisé toute mon enfance et dont je rêvais encore, certaines nuits. Il me semblait qu'elle souffrait d'une légère confusion, ai-je hasardé. Je l'avais trouvée brumeuse et elle m'avait confondu deux fois avec mon frère.

— Ah tu ne vas pas t'y mettre toi aussi. C'est les médicaments. Je l'ai déjà dit à ton frère. Qu'est-ce que vous avez tous les deux à vouloir absolument qu'elle perde la tête ?

— On ne veut pas qu'elle perde la tête, papa. On s'inquiète, c'est tout.

— Ouais, ben vous savez bien qu'elle n'aime pas qu'on s'inquiète pour elle. Tu la connais. Elle souffre en silence, elle. Elle ne passe pas son temps à gémir comme toi et tes copains avec vos bouquins. Par contre, je te le dis parce que tu la connais, c'est pas elle qui va t'en parler, mais ce qui ne passe pas, c'est que tu te sois séparé de Sarah. Elle t'en veut de pas avoir su la garder. Et d'avoir mis les gosses dans cette situation. Voilà ce qui lui cause vraiment du souci si tu veux savoir.

L'émission a repris et mon père s'est remis à fixer l'écran, signe que la conversation était close. Je ne me souvenais pas qu'il m'ait déjà adressé tant de mots d'un coup, ni qu'il se soit jamais aventuré sur ce genre de terrain, même en invoquant l'inquiétude et le chagrin que je pouvais causer à ma mère. J'ai rapporté les plateaux à la cuisine, nettoyé les assiettes et les couverts, fini la bouteille de vin. Du salon me provenaient les cris de joie d'une femme qui venait de réussir un tagine que Thierry Marx avait qualifié d'à la fois vif, profond, réfléchi et goûtu. Les mots que venait de prononcer mon père au sujet de mon couple et des enfants me vrillaient le crâne. Je n'ai pas pu résister. J'ai composé le numéro de Sarah. Elle a décroché et à l'autre bout du fil la même émission résonnait en écho. Sarah non plus ne faisait jamais la cuisine, me suis-je dit. Et puis je me suis ressaisi. Maintenant que je n'étais plus là elle devait bien la faire, personne n'est irremplaçable, surtout pour ces choses-là. J'ai demandé à parler aux enfants.

— Ils sont couchés, Paul.

— Quoi ?

— Ils sont au lit.

J'ai regardé l'heure. À peine 21 h 30. À cette heure-là ils n'étaient jamais au lit, ni l'un ni l'autre.

— Justement. On essaie de prendre de bonnes habitudes.

— De bonnes habitudes ? Dis plutôt que vous vous ennuyez tellement sans moi que vous vous couchez avec les poules.

Elle n'a pas daigné répondre. Au salon une deuxième coupure publicitaire a permis à mon père de se lever pour aller pisser. À croire que désormais les émissions de télévision ne servaient plus qu'à patienter entre deux tunnels de réclames. J'ai baissé le son de ces inepties qu'à défaut d'interdire on aurait pu taxer massivement afin de renflouer les caisses des ministères de la Culture et de l'Éducation nationale, dont elles insultaient le travail, sapaient l'action, en vertu du principe de lobotomisation sur lesquelles elles fondaient leur impact.

— Comment va ta mère ?

— Ça va. Les médicaments lui mettent la tête à l'envers, mais ça va. Ils parlent de la faire sortir en fin de semaine prochaine.

— Et ton père ?

— Comme d'habitude. Bavard comme une pie. Chaleureux. Joyeux. Détendu. Limite italien. Bon, allez, passe-moi Manon.

— Je te dis qu'elle est au lit.

— Passe-la-moi, bordel.

— Je vais raccrocher Paul.

— Dis-leur que je les aime.

— Ils le savent.

Et elle a raccroché. Mon père est revenu s'installer face au téléviseur. Il a remonté le son. Décidément je ne supportais pas la télévision. Je détestais autant y passer que la regarder. Ça me donnait l'impression d'être enterré vivant. Depuis leur retraite mes parents lui consacraient l'essentiel de leur temps. C'était une chose difficile à concevoir. Ils avaient travaillé toute leur vie pour pas un rond, s'étaient usés à la tâche, toute mon enfance je les avais entendus rêver à leur retraite, c'était pour eux un horizon insurpassable, le début de la vraie vie, l'espoir d'une délivrance, comme le paradis pour les croyants. Mon père disait « on vendra la maison et on se paiera une petite bicoque près de la mer, au prix que ça coûte maintenant ici on aura largement de quoi, peut-être même qu'on sera au bord de l'eau si on choisit un coin un peu paumé, dans le Cotentin ou le Finistère. On aura personne pour nous emmerder, plus personne sur le dos, on sera peinards, je me mettrai à la pêche, ta mère pourra regarder la mer toute la journée, elle a toujours dit que c'était la seule chose qu'elle aimait vraiment, regarder la mer, moi au bout d'un moment ça m'emmerde un peu mais j'irai faire du vélo ou du kayak, et puis je me mettrai à lire, toutes ces années avec le boulot et la fatigue j'ai jamais eu le temps mais dès que je serai en retraite je me mettrai à lire et je vais rattraper le temps. Je vais écouter de la musique aussi. Écouter de la musique le cul dans le sable en regardant les oiseaux sans rien d'autre à faire ça doit être quelque chose... Je m'y vois déjà. » Évidemment ils n'en avaient rien fait. N'avaient pas vendu la maison, ne partaient jamais en vacances, restaient plantés devant la télévision. Qu'est-ce qui les en avait empêchés ? Rien. J'avais même fait des recherches. Leur avait déniché, pour le prix de leur pavillon, une longère entièrement refaite en pleine campagne, à deux minutes en voiture des plages de Plouha. Des rubans de galets nichés au milieu des pointes et des falaises brûlées de fougères et d'ajoncs. Un peu plus loin vers Roscoff, une petite maison de pêcheur les attendait avec vue sur le port de plaisance. Dans le

Cotentin près de Portbail c'était une chambre une cuisine un salon une terrasse, rien de bien grand mais les pieds dans le sable. Et j'en passe. Mon ordinateur débordait de leurs vies refaites et paisibles, de leur repos bien mérité face à la mer, à deux pas des dunes, des criques, des sentiers douaniers. François avait fait estimer la maison et nous avions été estomaqués par le prix que mes parents auraient pu en tirer. Si étrange que cela puisse paraître, cette banlieue où personne n'avait jamais eu envie de vivre, cette banlieue que j'avais toujours entendu qualifier de pourrie, ni plus ni moins qu'une autre mais simplement pourrie, de laideur commune, de banalité pavillonnaire et d'ennui résidentiel, était devenue l'objet d'une flambée immobilière qui me laissait interdit. On s'y arrachait les appartements et les pavillons avec jardin les moins éloignés de la gare, en train vingt-cinq minutes suffisaient à rejoindre le centre de Paris, qui eût cru qu'un jour les lignes C et D du RER deviendraient des arguments de vente autorisant toutes les enchères ? Paris n'en finissait plus de repousser les classes moyennes hors de ses murs, même la petite bourgeoisie ne s'en sortait plus, il suffisait qu'un couple ait deux enfants et c'était fini, tout était hors de prix. Tout ce joli monde avait d'abord colonisé la petite ceinture, et voici qu'il déboulait en grande banlieue, s'éloignant parfois jusqu'aux confins des campagnes. Les logements sociaux poussaient un peu partout, on évitait de peu l'effet boule de neige, mais tout juste, et les plus modestes des banlieusards allaient être bientôt contraints de dégager à leur tour et priés d'aller voir ailleurs. Déjà les nouveaux exilés les moins argentés en étaient réduits aux champs de betterave, ils s'établissaient au milieu de nulle part, prenaient des trains qui ne passaient qu'une fois par heure et en mettaient une et demie pour rejoindre les Halles. À V. comme dans les villes alentour cohabitaient désormais les classes populaires, historiquement banlieusardes, et les nouveaux déclassés géographiques. Ces derniers se consolaient comme ils pouvaient, invoquaient les berges de la Seine et la forêt toute proche, un vague air de campagne dans certains coins de la ville, encore fallait-il pour penser à une chose pareille n'avoir qu'une idée floue de ce qu'était la campagne et n'être pas trop exigeant dès qu'on parlait de nature. J'avais beau me frotter les yeux, on se battait désormais pour vivre dans cet endroit où j'avais grandi, que j'avais toujours voulu quitter, que j'avais voulu voir mes parents quitter à leur tour. Qu'est-ce qui les retenait ici ? Quel attachement ? Quelles racines ? Quelle inertie ? Pourquoi étaient-ils incapables de s'autoriser à être heureux un peu, à prendre du bon temps, à s'octroyer leur part d'horizon, de lumière, de flots argentés sous le soleil, de sable et d'oiseaux ? Je ne pouvais pas m'empêcher d'y voir un vague réflexe de classe, quelque chose comme « cette vie n'est pas pour nous ». Je ne voyais pas d'autre explication. Devant l'écran, mon père a commencé à piquer du nez. La pénombre des volets clos m'étouffait, j'ai senti m'envahir un puissant sentiment d'enfermement, de tristesse et d'ennui remonté de l'enfance. Je suis sorti avant qu'il ne m'engloutisse.

J'ai dérivé dans les rues calmes, que la lueur des réverbères rendait orange, le portable à l'oreille. À l'autre bout mon frère aussi était couché, je l'avais même réveillé, qu'est-ce qui justifiait qu'on puisse être au lit à cette heure, je n'en savais rien. « Le travail, m'a-t-il répondu sèchement. Le travail, il y en a qui bossent vois-tu, je sais que ça peut te sembler bizarre, que ça fait longtemps que ça ne t'est pas arrivé… » Je n'ai pas relevé. Ça faisait des années que dans le cercle familial, pour mes parents comme pour mon frère, il était convenu que je ne travaillais pas, que j'étais en vacances perpétuelles ou à la retraite. Et notre départ pour le bord de mer n'avait fait que confirmer cette impression. La plupart du temps quand ils m'appelaient je leur répondais les pieds dans le sable, ou cheminant sur les sentiers surplombant les flots, et quand je ne répondais pas ce n'était pas que j'étais plongé dans l'écriture de mon prochain roman mais parce que j'étais dans l'eau, frayant parmi les îlots et les cormorans en kayak, ou bien nageant en longeant la plage qui s'étendait au bout de notre rue. Je ne pouvais pas leur en vouloir. Surtout à mes parents. Je ne pouvais pas leur donner tort. En comparaison de ce qu'ils avaient vécu, leurs vies d'atelier de bureau les trois huit la pointeuse le bruit des machines les journées abruties les petits chefs et le reste, écrire des livres n'était pas du travail, et en vivre n'était rien d'autre qu'un luxe, une fleur que vous offrait le destin et dont il convenait d'être digne. Se plaindre d'écrire, des difficultés qu'on rencontrait en composant un roman, des affres de la création et des souffrances associées m'avait toujours paru tout à fait indigne. Indécent, même. Rien ne m'agaçait tant que d'entendre à la radio des écrivains se plaindre de leur sort, étaler leur souffrance au « travail ». Si tu souffres tant que ça, fais autre chose, avais-je envie de leur répondre. Et dans mon crâne j'imaginais mon père brûlant de les envoyer à la mine afin qu'ils comprennent ce que bosser voulait dire.

Nous avons échangé quelques considérations concernant notre mère et son état de santé, le dévouement des infirmières, le professionnalisme des médecins, leurs avis et leurs diagnostics. J'acquiesçais sans broncher. François était vétérinaire et se prenait un peu pour un médecin. De fait, il entretenait avec ses collègues une forme de fraternité et de solidarité qui m'amusait mais interdisait toute critique. Je connaissais ça sur le bout des doigts. Sarah travaillait à l'hôpital elle aussi, et sitôt qu'on se plaignait d'une infirmière un peu rêche, d'une aide-soignante pas aimable, d'un médecin trop sec, elle partait en boucle et vous ensevelissait sous les dures réalités de son métier, le contexte dans lequel tous ces gens exerçaient leur profession, la maladie la mort la détresse, la souffrance au quotidien, le manque de moyens et l'usure, leur engagement au service d'autrui pour des salaires de misère, quand tant d'autres s'en foutaient plein les poches en vendant n'importe quelle connerie, en se contentant de regarder travailler leur argent ou celui des autres, quand il ne s'agissait pas de dispenser de coûteux conseils sur la meilleure façon d'entuber le fisc – et il n'était pas difficile alors de savoir vers où portait son regard. À la fin, il me fallait convenir que oui, après tout, tous ces gens avaient bien le droit parfois de faire preuve d'impatience, oublier d'enfiler des gants, laisser transparaître leur fatigue... Du reste, je la soupçonnais de n'avoir jamais pensé elle non plus que mes activités littéraires constituaient véritablement un travail. Moi-même je n'en étais pas convaincu. Et bon nombre de nos dissensions provenaient de ce que justement ce travail était difficile à appréhender, qu'il ne connaissait ni horaires ni repos, à table sur la plage dans notre lit en vacances en ville j'y étais encore, quand j'écrivais un roman j'y étais en permanence, et mon absence naturelle s'en trouvait comme décuplée, si bien qu'il fallait m'appeler dix fois pour obtenir mon attention et me répéter cinq fois la même information pour qu'elle intègre mon cerveau. J'ai pris des rues bordées de cerisiers en fleur, foulé des trottoirs prune longeant des pavillons aux rideaux fermés, aux volets clos, des vies cachées, enfermées à double tour. C'étaient des rues familières que j'avais parcourues en tous sens pendant des années, dérivant à vélo d'une maison à une autre, d'un quartier à un autre, d'un lotissement à une maison crépie, d'un petit bloc d'immeubles à une cité HLM, du supermarché à la bibliothèque, du collège à la forêt, de la piscine au club de tennis, de l'épicerie au bar des parents de Yann, dans l'ennui profond des dimanches après-midi. Je suis passé devant la maison d'Éric tandis que mon frère me parlait de la nôtre, de la décision qu'avait prise notre père de la vendre au plus vite maintenant, du déménagement qu'il prévoyait pour bientôt dans la résidence pour personnes âgées qui se planquait en bas de la ville, protégée de l'autre cité de la ville, dite « des Acacias », qu'on avait entièrement rénovée dix ans plus tôt et qui déjà, de nouveau, se désagrégeait et tombait en lambeaux, par une poignée de grands arbres et une rangée d'immeubles bas autrefois commerçante où ne survivait plus qu'une boucherie, au milieu des vitrines barrées d'un écriteau « Bail à céder », « À vendre », « À louer ».

— Comment ça déménager bientôt ?

— Un appartement vient de se libérer et il faut pas traîner pour ce genre de chose. Il va visiter demain.

— Demain ? Mais putain, il m'a rien dit. Quand est-ce que tu l'as su ?

— Tout à l'heure. Il m'a appelé avant le dîner. Il m'a dit Paul est parti traîner en ville. Bon Dieu. Où t'as pu traîner ? Y a rien.

— La nostalgie, camarade, la Nostalgie.

— La nostalgie, c'est quand on regrette. Quand j'étais gamin, moi je regrettais déjà, mais ce que je regrettais, c'était de ne pas être né ailleurs.

— Oh ben ça va, ça t'a pas mal réussi, tu t'en es bien sorti.

— T'as raison.

— Je comprends pas. Je suis là et papa m'en a même pas touché deux mots.

— Je sais. Mais qu'est-ce que tu veux ? Il n'a pas l'habitude. On ne peut pas dire que tu te sois beaucoup occupé d'eux, ces vingt dernières années. Et avant ça c'est de toi qu'il fallait s'occuper.

— Comment ça ?

— Tu sais bien. Tu étais le gamin fragile, hypersensible. Enfin c'est ce que maman disait. Qu'il fallait te protéger. Quand je te vois maintenant, avec tes airs de rugbyman, ça me fait bien marrer.

— Un rugbyman qui boite.

— Ouais, qui boite, mais l'autre fois je t'ai vu à la télé... Il était loin, le poète blême et souffreteux de notre jeunesse...

Une lumière s'est allumée au front de la maison d'Éric. C'était un petit pavillon banal, crépi de rose et mitoyen, aux volets peints en vert. Dans le jardin tout avait poussé. Il y avait maintenant de vrais arbres, des arbustes robustes, et la pelouse semblait usée par le temps, mangée de mousse et de trèfle. Je me souvenais encore du jour où ils avaient emménagé. Tout était neuf. Dans la terre brune se dressaient trois troncs chétifs soutenus par des tuteurs. À l'intérieur aussi tout était neuf : carrelage crème, murs blancs, canapé-lit en tissu à motifs et meubles noirs achetés chez But. La chambre d'Éric était tapissée de voitures de rallye, des 205 Peugeot sautant des dunes à l'infini, que couvraient par endroits des posters de Yannick Noah, Jimmy Connors et Mats Wilander. De mon côté je préférais Stefan Edberg et Boris Becker. De la sixième, alors qu'il vivait encore dans la cité, jusqu'à la terminale, nous avions été inséparables. Puis j'avais disparu sans plus jamais donner de nouvelles, j'avais coupé les ponts sans raison, avec lui comme avec tous les autres, la bande du collège et ceux du lycée. Plus tard en quittant la fac j'avais fait pareil, et idem encore quand j'avais tiré un trait sur le monde du travail. Ma vie était faite de blocs successifs et indépendants les uns des autres, des morceaux qui ne se joignaient pas, dont ne subsistait aucun témoin continu. Ce que je craignais désormais, c'était que la période Sarah ne se referme définitivement et que je ne disparaisse peu à peu aux yeux des enfants, qui ne tarderaient pas à me considérer comme une connaissance lointaine et s'en remettraient vite à celui qui allait me remplacer auprès d'elle.

— Tu savais que tu m'avais sauvé la vie ?

— Quoi ?

— Quand j'avais dix ans. C'était l'année où les parents avaient loué dans un village vacances aux Deux-Alpes. Ça leur avait coûté un bras mais maman disait qu'elle en avait marre du camping, de la caravane et des lits qui lui faisaient mal au dos, des douches collectives et de la vaisselle au bac. C'était l'année de la mort de mamie alors papa avait dit OK, on va se faire plaisir pour une fois.

— Ouais je me souviens. C'était atroce cet endroit. Je préférais encore le camping.

— Moi aussi. De toute façon j'adorais le camping. Je veux dire : si on ne t'avait pas dit un jour que c'était un truc de prolos, avec tout le mépris que ça suppose, t'aurais su que c'était censé être beauf, toi ? Moi je trouvais qu'on avait une chance dingue. On partait en vacances, c'était déjà pas rien, merde. Les vacances au camping c'était déjà au-dessus de nos moyens mais papa disait toujours : Il sera pas dit que je suis pas capable de payer des vacances à mes gosses, on part et puis c'est tout.

Par la fenêtre allumée j'ai vu passer la mère d'Éric, elle était méconnaissable ou presque. Le visage creusé, elle avait dû perdre vingt kilos ou plus et arborait des cheveux grisâtres, mis en plis. Les derniers temps elle s'était laissé manger par la tristesse. Le père d'Éric s'était tiré avec une autre, plus jeune d'au moins quinze ans, une Antillaise comme lui. Grand prince il avait laissé la maison à sa femme et ses trois gosses, Éric et ses deux petites sœurs, la dernière devait avoir huit ans, quand elle était née le couple était déjà au bord de la rupture à cause des infidélités répétées du père, la gamine n'était pas vraiment prévue, elle était arrivée à deux doigts du divorce. Chaque soir c'étaient des engueulades et Éric essayait de dormir ailleurs le plus souvent possible, il s'en voulait d'abandonner ses deux sœurs au milieu des cris et des insultes mais c'était au-dessus de ses forces. La plupart du temps il allait chez Yann ou chez David, mais parfois aussi il venait chez nous. Il préférait encore l'ennui silencieux de notre maison aux volets clos dès que la nuit faisait mine de tomber, notre caveau familial avant l'heure.

— Tu ne te souviens pas ? On faisait tous les cols du Tour en voiture. L'année où Hinault a abandonné à cause de son genou. Les parents étaient restés près de la bagnole. Tu marchais devant. Il y avait un précipice. Un éboulis de roches complètement vertical. Je me suis arrêté. Et j'ai failli sauter. Mais tu as fait demi-tour et tu m'as sauvé.

— Tu racontes n'importe quoi. C'est encore un de tes films d'écrivain. T'avais dix ans, ducon. Personne ne se suicide à dix ans. Personne n'y songe même.

— Si. Moi. Et tu m'as sauvé.

— Bon, écoute, il est tard. J'ai entendu assez de conneries pour ce soir. C'est pas le tout mais j'ai des chiens à sauver moi.

— Des chats à piquer, ouais.

— Ça arrive, qu'est-ce que tu veux ?

— Rien. Je veux rien. Juste te dire merci. Et aussi que je t'aime bien dans le fond. Même si t'es de droite. Je te l'ai jamais dit.

— Arrête, tu veux. Toi et moi on n'a jamais pu se blairer.

— C'est possible.

La lumière s'est éteinte et j'ai laissé la maison d'Éric derrière moi. J'ai traversé le lotissement. Les voitures brillaient près des poubelles alignées. Le bitume luisait comme après la pluie, il était lisse comme nulle part ailleurs à cet endroit, on venait y faire du skate ou du patin, ça filait à toute vitesse, en pente légère, on se faisait des tremplins avec un parpaing et une planche de bois, on rentrait toujours chez nous les genoux rognés jusqu'à l'os et perlés de sang séché mêlé à la poussière.

— Tu te souviens, cette année-là tu prenais tes repas à la table des ados. Moi j'étais avec les parents et je me faisais chier comme un rat mort. Je te voyais te marrer à l'autre bout de la salle, t'étais toujours fourré avec une fille aux gros seins. Une brune genre gothique.

— Tu sais t'avais l'âge, t'aurais pu venir avec nous, mais t'as toujours été comme ça. Timide. Comme empêché. T'as jamais été léger. T'as jamais été cool.

— Tu te l'es tapée ?

— Qui ça ?

— Ben la gothique à gros seins.

— Qu'est-ce que ça peut te foutre ? Ça ne te regarde pas.

— Je sais pas. Juste pour savoir.

— Ben ouais.

— C'était ta première ?

— Ouais.

— La vache.

— Comme tu dis.

Il s'est marré et m'a souhaité bonne nuit, demain la visite était à onze heures trente, il voulait bien que je le rappelle après, histoire de lui dire ce que ça valait. L'agent immobilier devait aussi passer à la maison en début de soirée. Je suis sorti du lotissement et j'ai débouché sur le collège. Un ensemble de préfabriqués qui en étaient toujours restés là. Tout autour des maisons serrées les unes contre les autres avaient poussé comme des champignons. On les aurait dites construites à la va-vite, comme surgies toutes seules de la terre, des mauvaises herbes qui attendaient d'être arrachées. C'était pourtant de vraies maisons avec des gens dedans. En vis-à-vis, d'une fenêtre à l'autre en tendant le bras, on aurait pu se toucher la main. Aux murs, la peinture neuve se fanait déjà, de grandes coulées sales lacéraient le camaïeu de rouge, d'orange et de rose que l'architecte avait dû qualifier de « provençal » en livrant son projet au maire. J'ai marché vers les courts de tennis en pensant à mon frère. Je n'avais jamais su qui il était vraiment. Comme moi il me paraissait constitué d'identités successives. Une mue après l'autre il faisait peau neuve et abandonnait son être ancien au gré des rencontres, des engouements, des amitiés, des couples qu'il formait avec telle ou telle camarade, qui passait parfois à la maison et sur lesquelles je fantasmais immanquablement. Je l'avais d'abord connu nageur, puis champion d'athlétisme, collectionnant tous les records mais changeant de spécialité sitôt ses titres remportés : saut en hauteur, saut en longueur, triple saut, 400 mètres. Puis il avait tout arrêté pour devenir flûtiste baroque. La révélation s'était produite à l'école, un flûtiste était venu faire une démonstration. Il avait obtenu de mes parents de l'inscrire aux cours qui se donnaient à bas prix et par groupes de dix à la MJC, n'ayant pas idée du sacrifice que ça représentait malgré tout, du poids financier que cela faisait subir au budget familial. Moi non plus je n'en avais pas idée quand des années plus tard j'avais réclamé qu'on m'inscrive au tennis, dans le sillage de Thomas. Rien que la raquette et les chaussures coûtaient une fortune. Quand tout cela avait été derrière nous mon père avait fini par nous avouer qu'il avait dû prendre un crédit pour financer nos activités. Mais il voulait que jamais il ne fût dit qu'il n'avait pas les moyens de nous payer des cours de musique ou de sport. La vérité était pourtant telle. Il n'en avait pas les moyens et l'argent le serrait à la gorge, chaque dépense était une torture, les fins de mois commençaient le 10 et il en concevait de la douleur, peut-être même de la honte. Après la flûte baroque, qui nous avait fait l'écouter lors de concerts et d'auditions où mes parents semblaient terriblement déplacés, gênés d'être là au milieu des parents de la petite-bourgeoisie locale, empruntés et craignant le regard des autres, craignant le faux pas, craignant d'être démasqués en quelque sorte, mon frère avait tout lâché pour se lancer dans la musculation. Avec l'argent qu'il gagnait en tondant les pelouses et en taillant les haies des voisins des quartiers plus huppés, il s'était payé une batterie d'haltères que ma mère surnommait « ses casseroles ». Pendant deux ans nous l'avions vu les soulever plusieurs heures par jour, ne plus se nourrir que de sucres lents, avaler des seaux de compléments protéinés, surveiller son poids, se contempler dans le miroir, prendre ce qu'il appelait « de la masse », s'attarder sur le dessin de chaque muscle, il en apparaissait chaque semaine, pour la plupart on ignorait même qu'ils aient pu exister. À cette époque il ne fréquentait plus que des types comme lui, obsédés par les haltères, regardait en vidéo des gars huilés bandant leurs muscles et affublés de minuscules slips rouges, s'enfilait les films d'Arnold Schwarzenegger et de Sylvester Stallone, couvrait les murs de sa chambre avec des posters des stars de la spécialité. Comment faire le lien ? Entre le type qui jouait Bach, Haendel, Rameau, Vivaldi, Couperin, Telemann et les prébaroques, ne lisait que de la poésie, et ce visage rougi par l'effort, regard vide et muscles saillants, souffle de bœuf tandis qu'il soulevait des barres de cent kilos au développé couché et surveillait la croissance de ses pectoraux qui faisaient comme des seins sous ses tee-shirts, l'été. Du jour au lendemain, là encore, il avait tout arrêté, et la musique s'était rappelée à lui. Il était devenu saxophoniste de jazz. Dans sa chambre on n'entendait plus que Coltrane, Dexter Gordon, Archie Shepp, Stan Getz, Charlie Parker et les autres. Il s'était payé un instrument après deux mois de travail d'été chez le maraîcher de la place, à l'époque il y en avait même deux, l'un avait été remplacé par un opticien et l'autre par le Simply où j'avais croisé Stéphane. Puis il s'était acoquiné avec une guitariste, un bassiste et un batteur. Ils s'étaient installés à la cave… Comme toujours quand il se lançait dans quelque chose c'était à fond et avec un don inné qui lui faisait brûler les étapes et l'avait mené aux portes des clubs parisiens où il avait commencé à se produire. C'est à ce stade qu'il avait rencontré Delphine, sa future femme. Il végétait alors en fac de droit, rêvant d'embrasser la carrière de commissaire, tout en bossant au McDo le soir et les week-ends. L'ensemble, jazz, police et hamburgers, dit assez la complexité de son profil. Elle n'aimait ni les flics ni le jazz ni les hamburgers, mais nourrissait une double passion pour la défense du droit des plus nantis à payer moins d'impôts qu'ils n'en devaient et les animaux. François avait tout arrêté pour devenir vétérinaire, l'épouser, migrer vers des banlieues plus chics et lui faire trois enfants.

Je l'avais aussi connu à quinze ans branché du matin au soir sur Radio Libertaire, lisant *Charlie Hebdo* et *L'Humanité*, écoutant Jacques Higelin, Bernard Lavilliers et Hubert-Félix Thiéfaine, lisant les poètes russes et la Beat generation. Rien qui ne laisse présager qu'un jour il s'inscrive en droit et se mette en tête de devenir commissaire. Encore moins qu'il devienne un sympathisant zélé du RPR puis de l'UMP. Tout avait changé le jour où sur la place du marché deux types descendus de la cité d'une ville voisine lui étaient tombés dessus, fermement décidés à lui voler son portefeuille. Sans doute ne l'avaient-ils pas bien regardé. François était en pleine période Schwarzy et leur avait démoli la gueule, avant de rentrer à la maison, tranquille comme un lama, son portefeuille bien calé dans la poche intérieure de sa veste en jean. Portefeuille qui ne contenait bien entendu qu'un billet de dix francs et sa carte de bus pour le lycée. Une semaine plus tard, au même endroit exactement, ils étaient douze et munis de lames de rasoir. François était rentré tuméfié, le nez pissant le sang, la peau lacérée sous le tee-shirt, et sans son portefeuille. En parlant avec lui des semaines plus tard je compris que quelque chose avait changé. Il s'était mis à haïr la banlieue dans laquelle il avait grandi et contre laquelle je ne l'avais jamais entendu dire quoi que ce soit jusqu'alors. Il rapportait chaque matin *Le Figaro*, que mon père jetait aussitôt à la poubelle, *Le Point* certains jeudis, que mon père feuilletait en soupirant, parlait de s'inscrire à Assas et semblait résolu à voter Chirac dont il vantait les ambitions en matière de sécurité et d'immigration, Charles Pasqua lui apparaissant comme un sérieux gage en la matière. Cette transformation-là avait été radicale elle aussi et avait signé le début de ces querelles qui animaient les repas, nous amenant tout près d'en venir aux mains, et désespéraient ma mère pour qui droite ou gauche c'était kif-kif, blanc bonnet et bonnet blanc, déclarations qui plongeaient mon père dans une colère noire, ne faisaient qu'envenimer les choses, la mesure pas plus que la diplomatie n'ayant jamais figuré au rang de ses qualités principales.

Les courts de tennis avaient vieilli. Ou bien était-ce moi qui m'en souvenais mal ? À l'époque, ces cinq courts en quick et les deux couverts en ciment, le minuscule club-house étaient comme un havre pour moi, un refuge de chaussures blanches, de balles jaunes, de cordes tendues, de gestes parfaits, de polos pastel. Un lieu dont je ne m'étais jamais dit alors qu'il était spécifique, codé, socialement étiqueté. Éric et Yann m'avaient suivi eux aussi, et nos six parents grimaçaient en signant les chèques d'abonnement annuels, on les sentait rétifs mais on ne comprenait pas bien pourquoi, alors que tout leur sautait aux yeux, le fossé de classe sociale, le montant de l'inscription, le style des habitués, la coiffure de minet à mèche de Thomas et de ses copains de la résidence Kaufman and Broad. Avec le recul, j'ai honte. Je vois ça comme un caprice. J'étais d'une inconscience coupable. Mon père était tellement fier, et ma mère tellement occupée à ne pas paraître « pauvre », ils auraient dit oui à n'importe quoi, d'autant que je collectionnais les bonnes notes et, dans leur esprit, méritais ce genre de sacrifice. Yann, de son côté, se payait ses cours et ses raquettes en aidant ses parents au service. Quant à Éric, son père se sentait tellement coupable qu'il avait lâché l'argent sans trop rien dire. Plus tard Éric avait compris que la somme avait été soustraite à un compte destiné à lui payer ses études, un compte ouvert à sa naissance et rempli chaque mois à coups de sommes minuscules virées automatiquement en dépit des découverts et des deux crédits à la consommation. J'ai joué pendant quatre ou cinq ans. Jusqu'à ce que je rencontre Sarah, qui pourtant vivait à deux pas, avait fréquenté le même collège et le même lycée que moi. Nous nous étions croisés à Paris et avions décidé d'y rester quoi qu'il en coûte : après les contours nous rêvions d'être au centre. Je ne savais pas encore que malgré son pouvoir d'attraction et sa beauté cette ville n'était pas pour moi, je n'étais pas conçu pour elle, Paris m'aiguisait, jouait avec des nerfs que je n'avais pas assez solides. J'étais inflammable et rien n'était plus dangereux pour moi que d'aller au-devant des étincelles. De toutes ces années, sur les courts rouges et verts où j'avais passé tant d'heures à perfectionner mon revers, à plier les genoux, à ajuster ma prise en fonction des coups, à tenter d'improbables montées à contre-temps, de hasardeux passings en bout de course, à alterner lobs spécieux et amortis confus, j'avais finalement retenu ceci : on est ce qu'on peut. On a certes le devoir de l'être de son mieux mais enfin, on est ce qu'on peut. La première fois que j'avais mis les pieds au club, muni de ma raquette Head soldée chez Décathlon, de mes fausses chaussures Adidas à deux bandes achetées au marché, de mon short flottant et d'un vieux tee-shirt bleu pâle, c'était avec la ferme intention de ressembler à Stefan Edberg. À mon petit niveau, bien sûr. Mais tout de même. Il était mon modèle, mon idéal. Son élégance, la pureté inégalée de son revers, ses volées de funambule. Sa ligne de conduite entièrement vouée au risque, à l'attaque. Son refus d'y renoncer. Même sur terre battue. Même quand vint le règne des brutes, des cogneurs, des fameux « attaquants de fond de court ». Jamais je ne l'avais vu patienter. Jamais je ne l'avais vu défendre. Jamais je ne l'avais vu piocher. Pas d'emphase, pas de lourdeur, pas de cri, pas de grimace, pas de pathos, pas d'effet de manche. Non, toutes ces années, je l'avais vu tutoyer la grâce, le service volée chevillé à l'âme, le geste pur pour éthique, la fluidité, la légèreté, la vitesse pour seul viatique, et je voulais lui ressembler... Quatre ans plus tard, à force d'entraî-nement maniaque, qu'en était-il ? Eh bien j'étais devenu ce que j'avais pu. Un bûcheron. Un type qui balance de grands coups droits depuis la ligne de fond de court. Un type qui tire des passings aux attaquants comme un chasseur allume une mésange. Un type lourd arrimé au sol. Bref : un type qui joue ses revers à deux mains. J'avais trahi la cause. Je m'étais rêvé en Edberg, Sampras ou Federer et j'étais un piètre Nadal. Je m'étais imaginé Mozart, Haydn, Schubert, et j'étais Brahms. Plus tard je m'étais vu en Modiano, Fante, Sagan, Salinger et j'avais écrit les livres que j'avais écrits. Des livres de cogneurs de fond de court, solides mais dénués de grâce, laborieux et pesants. On est ce qu'on peut. Mais de le savoir, rien ne nous console...

J'ai laissé les courts dans mon dos, emprunté une rue en pente, une rue étroite qui, si on la poursuivait jusqu'à son terme, menait à la forêt. Un peu plus haut sur la gauche, avant la place où se nichait une boulangerie, on arrivait devant chez Caroline. La maison était dissimulée par tant d'arbres qu'on la voyait à peine. Évidemment, elle n'était pas si belle ni si grande que dans mon souvenir. Ce n'était qu'un pavillon blanc aux volets bleus, percé de multiples portes-fenêtres aux vitres à croisillons. Son père était professeur d'anglais au lycée et sa mère occupait un poste de cadre au siège de la Société Générale. Elle vivait dans un autre monde que le nôtre. Un monde où le salon était rempli de livres, où la chaîne jouait en permanence de la musique classique ou les grands de la chanson, Brel Brassens Ferré Barbara, un monde où on lisait *Télérama*, *Le Monde* et *Le Nouvel Observateur*, où la télévision ne servait que rarement, réservée au visionnage de films, anciens ou inconnus pour la plupart, où jouaient Yves Montand, Fanny Ardant ou Jean-Louis Trintignant, et qu'on glissait dans un magnéto-scope. Un monde au jardin fleuri de lilas et de glycine, de tables et de chaises en fer peintes en blanc. Elle étudiait le violon et ne sortait que rarement en dehors des cours. Nous nous connaissions depuis le CE2 et j'étais tombé amoureux d'elle le jour même où je l'avais vue. Je crois qu'elle m'aimait bien elle aussi. Nous avions traversé les années avec timidité, à distance respectueuse, nous souriant parfois d'un bout à l'autre de la classe. Quatre ou cinq fois j'avais mis les pieds chez elle à l'occasion de goûters que ses parents supervisaient discrètement, occupés à lire dans le salon mais nous ayant à l'œil. J'étais le seul garçon de la classe à y être convié. Les autres venaient du conservatoire. Sinon c'était le groupe habituel des filles qui l'entouraient, des gamines studieuses qui vivaient pour la plupart dans le centre-ville ou dans les résidences les plus huppées de la commune. À cette époque, Éric vivait encore aux Bosquets et j'y étais quasiment tout le temps. Nous passions notre vie juchés sur des vélocross, ne quittions la cité que pour jouer au foot sur les terrains pourris qui jouxtaient la piscine, ou bien pour gagner la forêt où des trous d'obus jamais rebouchés nous offraient un parcours idéal. C'était une vie de poussière, de terre aux genoux, de sueur sous les tee-shirts, et nous étions toujours vaguement crasseux. Quand je croisais Caroline elle me semblait sortie d'une autre époque, avec ses robes sages, ses couleurs pastel, ses longs cheveux coiffés que retenait un affreux serre-tête. Un jour, en classe de troisième, elle nous avait annoncé qu'elle partait. Elle allait étudier au conservatoire de Paris et quittait le collège. On ne la verrait plus. J'étais à la fois fier d'avoir navigué toutes ces années dans l'univers d'une fille qui allait devenir une artiste, et insondablement triste, comme on peut l'être à cet âge quand on se croit amoureux. Les derniers temps, seule notre timidité commune nous avait interdit de « sortir » ensemble. Autour de nous, pourtant, des couples se formaient, les filles se succédaient dans les bras de Thomas ou de Stéphane, les mêmes souvent qu'ils devaient s'échanger. Éric sortait avec Cendrine, une fille qui vivait avec sa mère, caissière à l'Intermarché de D., dans un petit appartement de la cité des Alouettes, la plus petite et la plus tranquille de la ville, si petite et si tranquille qu'on avait même du mal à la qualifier de cité. Elle ne présentait que trois barres de quatre étages, séparées par des pelouses et des parkings. Patrice, un Black très fort en athlétisme, extrêmement bosseur et doué en maths, et Xing vivaient là eux aussi, tous deux étaient portés sur l'informatique, parlaient du matin au soir Amstrad ou Amiga, aimaient programmer ensemble, s'entraînaient ensemble, et ne frayaient jamais avec ceux des Bosquets. Au lycée je les avais perdus de vue, ils s'étaient engagés dans des voies technologiques, préparant des bacs F qui les mèneraient à des BTS dont j'ignorais les intitulés et ne comprenais qu'à peine l'objet et le contenu. Il y avait là un mystère insondable. Quand ceux des Bosquets ou des Acacias semblaient abonnés au CAP ou à la déscolarisation pure et simple, ceux des Alouettes, garçons comme filles, s'en sortaient beaucoup mieux. Pourtant il s'agissait des mêmes. Les parents de Xing ne parlaient pas un mot de français et s'entassaient avec leurs quatre enfants et divers cousins de passage dans un F3 dont le loyer ne serait jamais assez modéré pour eux. Ceux de Patrice travaillaient le plus souvent de nuit, le père comme ouvrier dans le secteur ferroviaire, la mère comme femme de ménage dans les tours de la Défense. Rien, sinon la géographie et la politique urbaine qui avaient présidé à l'organisation de la ville, ne pouvait expliquer que leurs parcours s'avèrent si dissemblables de ceux qui attendaient leurs homologues dans d'autres coins de V., plus en lisière, plus excentrés.

Peu avant le départ effectif de Caroline, j'avais pris mon courage à deux mains et l'avais invitée au cinéma. Nous serions quatre, Cendrine et Éric se joindraient à nous, comme deux couples en quelque sorte, et j'avais bien l'intention d'oser enfin l'embrasser. Aux regards qu'elle m'avait jetés durant les jours qui avaient précédé ce fameux samedi, j'avais compris qu'elle le savait et qu'elle était d'accord. Mais rien de tout cela ne s'est jamais produit. Mon père, au moment de me délivrer la somme nécessaire, avait refusé tout net : nous avions prévu d'aller voir *Recherche Susan désespérément* et il était hors de question qu'il dépense un centime pour ces conneries de films américains et encore moins pour cette pute. Il ne portait pas Madonna dans son cœur, ni grand monde de l'époque d'ailleurs. De son côté, le père de Caroline avait exigé de savoir avec qui elle projetait de sortir. Je le revois encore à la sortie du collège, au volant de sa voiture, la vitre descendue, nous regardant, tandis que Caroline nous désignait du doigt, Éric et moi, occupés ce jour-là à jouer au foot avec une balle de tennis devant le collège, avec Fabrice et deux de ses frères, ainsi que Noredine et Mehdi, qui sortaient du LEP et attendaient le bus pour rentrer aux Bosquets. Le lendemain Caroline m'avait annoncé que son père ne voulait plus qu'elle sorte le samedi, elle avait son violon et devait répéter pour un concours à venir. C'était sans doute plus raisonnable. Évidemment, ce fut gentil à elle de mentir mais je n'étais pas dupe, son père ne nous avait pas trouvés dignes de sa fille, pourtant il m'avait accueilli quelquefois chez lui, mais dans son environnement habituel je m'étais fondu dans la masse. Là devant le collège, au milieu de mes copains agités, colorés, mal habillés, il n'avait vu qu'un braillard parmi d'autres.

Après ça, Caroline avait disparu et j'avais tenté de la chasser de mon esprit. Ce que j'ignorais alors, c'est qu'elle finirait par revenir et que sa vie ne serait pas celle que j'avais imaginée. Pas de concerts, pas de répétitions interminables au sein d'un quatuor enregistrant l'intégrale de Schubert pour la Deutsche Grammophon, pas de tournées dans un orchestre philharmonique sous la direction de Claudio Abbado, Ricardo Muti ou Vladimir Ashkenazy. En première nous l'avions vue surgir, en plein milieu d'année, dans le parc du lycée, méconnaissable et étrangère. Elle avait abandonné le violon du jour au lendemain. Nous tenions cela de Cendrine avec qui elle était restée en contact tout ce temps. Cendrine sortait avec Thomas désormais, au grand désespoir de la mère de ce dernier qui ne comprenait pas ce que son fils pouvait trouver à la fille de la caissière qui faisait défiler ses courses sur le tapis roulant chaque mardi après-midi. Caroline était revenue métamorphosée. Les cheveux teints en noir corbeau elle se maquillait outrageusement. Éric précisait : « comme une pute », et ça me faisait mal de l'entendre. Mais ce n'était pas loin d'être vrai et sa manière de s'habiller, découvrant ses jambes et ses seins plus que n'importe quelle autre fille du lycée, le confortait dans son jugement. Elle passait parmi nous en nous ignorant, je lui lançais des regards affolés et ardents mais elle faisait mine de ne rien voir. À la sortie des cours on la voyait rejoindre des gars plus âgés juchés sur des motos, qu'elle embrassait à pleine bouche. Les types n'hésitaient pas à la serrer contre eux, à caresser ses cuisses et son cul, parfois même ses seins à travers le chemisier transparent. Souvent elle rentrait en bus et je me tenais debout à quelques mètres d'elle, je la regardais je n'en perdais pas une miette, d'apercevoir la naissance de ses seins, son soutien-gorge, suffisait à me coller une gaule monstrueuse. Ma bite se tendait à faire mal. Une fois rentré chez moi je me branlais frénétiquement. Dans mes rêves elle enlevait sa culotte mais gardait sa jupe, ouvrait son chemisier et me suçait, dans mes rêves je la prenais en levrette avant de jouir entre ses lèvres. C'étaient des rêveries intensément sexuelles, un peu dégradantes parfois. Je ne rêvais de personne comme d'elle, avec cette intensité-là presque animale. À l'époque je vivais autre chose, mon cœur battait pour Sophie, qui elle aussi était déjà prise, mais qui m'avait offert une place à ses côtés en tant que « meilleur ami ». Le contrat était clair en apparence. J'avais moi-même déclaré n'en attendre rien d'autre. Pour donner le change, je m'inventais des inclinations amoureuses qui changeaient chaque semaine. Elle me disait ce qu'elle en pensait mais je m'en foutais, je citais des noms pour tromper sa vigilance, cachais les sentiments que j'avais pour elle, qui couchait avec un mec bien plus vieux qu'elle : elle avait seize ans il en avait vingt-six, ils étaient ensemble depuis qu'elle en avait douze, sur le coup ça ne m'avait pas paru si étrange mais tout de même, ce type avait vingt-deux ans quand il l'avait embrassée pour la première fois. Comment était-ce possible ? Il s'entraînait au même club de natation qu'elle et l'avait séduite alors qu'elle n'avait que douze ans, l'avait baisée alors qu'elle n'en avait que treize. Je le haïssais et il ne pouvait pas m'encadrer non plus. Il voyait clair dans mon jeu. Il savait bien que je crevais d'amour pour elle et qu'elle faisait mine de rien voir. Il savait bien que j'attendais qu'ils se séparent pour être avec elle à mon tour. Il avait raison mais jamais, jamais je n'avais rêvé de Sophie de cette manière. Non, avec elle je ne rêvais que d'étreintes douces et tendres, asexuées. Quand je fermais les yeux je voyais son visage mais jamais son cul ni ses seins. Pourtant, son cul et ses seins, il m'était arrivé de les entrevoir. Et jamais non plus je n'ai rêvé ainsi des filles avec qui je suis sorti pendant toutes ces années, amoureux de Sophie et l'attendant infiniment, même de celles ensuite avec qui j'ai couché, dont j'ai touché la peau, que j'ai pénétrées, et qui m'ont pris dans leurs bouches.

La dernière fois que j'ai vu Caroline, c'était le jour des résultats du bac. Ses parents l'accompagnaient et son allure contrastait sévèrement avec la leur, pantalon de toile et chemisette blanche pour lui, longue robe fleurie et collier de bois pour elle. Bien sûr elle n'était pas reçue. Je lui ai souri d'un air compréhensif mais elle n'a pas relevé, son regard a traversé mon visage pour aller se planter ailleurs, très loin au-delà des panneaux d'affichage, des bâtiments et des villes tentaculaires si éloignées du centre qu'elles oubliaient qu'il en existait un et qu'elles avaient pour fonction de le circonscrire. Quelques années plus tard, un jour qu'avec Sarah nous rendions visite à mes parents – à cette époque nous vivions à Paris et je m'imposais encore la corvée d'aller les voir quatre ou cinq fois par an – j'avais vu sur les poteaux de la ville des avis de recherche qu'illustrait sa photo. Cela avait duré quelques semaines, peut-être deux ou trois mois, et puis les affiches avaient disparu. Longtemps je me suis demandé ce qui avait pu se passer, dans quelles conditions elle avait disparu, si on l'avait retrouvée, si on avait renoncé, si elle était morte. J'avais fini par appeler ses parents, un soir, vaguement saoul, étrangement nostalgique et sentimental, tandis que Sarah travaillait à l'hôpital. Le père avait décroché, il se souvenait de moi, avait lu des articles dans *Le Nouvel Obs* et *Télérama* mais n'était pas tout à fait sûr, il n'était pas certain de mon nom de famille, mais mon prénom, mon visage, et la mention de V. dans certains papiers lui avaient fait penser à moi.

— Si j'avais su, à l'époque…

— Si vous aviez su quoi ?

— Non, rien, c'est idiot.

— Oui.

— J'aurais surtout dû la laisser faire ce qu'elle voulait, sortir avec qui bon lui semblait.

— Sans doute. Je sais pas.

— Vous avez des enfants ?

— Oui

— Une fille ?

— Oui.

— Vous verrez à l'adolescence. Vous verrez… C'est pas si facile. On a peur de tout.

— Vous aviez peur de moi ?

— Peut-être.

Nous avons parlé de Caroline, de son arrêt de la musique, des années qui avaient suivi sa « crise » comme il disait. Au fond sa crise n'avait jamais connu de fin. Un jour il était rentré et elle n'était plus là. Il avait trouvé sa chambre dévastée et vidée de ses affaires. Elle n'avait plus donné signe de vie. Ils l'avaient cherchée pendant des semaines, des mois. Certains témoins disaient l'avoir repérée avec un groupe de jeunes marginaux qui circulaient en minibus, mais ce fut tout. Jusqu'au jour où, des années plus tard, ils étaient tombés nez à nez dans une rue du quatorzième arrondissement de Paris. Elle sortait d'un immeuble et tenait la main d'un enfant dont ils ne surent jamais s'il était le sien ou celui d'une autre.

— Elle avait l'air en bonne santé. Un peu maigre peut-être. Mais bien coiffée, bien habillée. Comme quelqu'un qui sort pour aller travailler dans un bureau. Elle a refusé de nous parler. Et ses yeux quand elle nous a vus. Vous auriez vu la haine dans son regard. Mais qu'est-ce qu'on lui a fait ? Qu'est-ce qu'elle nous reproche ?

Sa voix était brisée. Je n'avais pas de réponses. Ils avaient sûrement fait du mieux qu'ils avaient pu, comme la plupart des parents, mais ça n'avait pas suffi voilà tout, c'était ainsi, une loi mathématique, l'amour des parents était une condition nécessaire mais pas forcément suffisante, tant d'autres choses entraient en jeu, Caroline était un jour tombée dans un gouffre, nul n'en connaissait l'origine, et quand elle en était sortie elle les avait peu à peu effacés de sa vie. Comme si vivre n'était désormais possible qu'à ce prix. Je comprenais cela. Ce besoin de rompre. De faire place nette. De mener le saccage à son terme. Pendant des années, chaque fois que je m'étais rendu dans les parages de la rue Daguerre, rue de Gergovie, rue d'Alésia, rue des Plantes, où était née Manon, rue Didot, rue des Thermopyles, dans le quartier de Plaisance où avait vécu ma mère enfant, lors de ces longues déambulations parisiennes qui étaient alors mon quotidien et que je menais sans but précis ni véritable itinéraire, laissant mon esprit divaguer au gré des noms qu'affichaient les interphones, des cafés où j'entrais faire une pause, des façades derrière lesquelles s'écrivaient mille vies comme autant de romans, une part de moi espérait tomber sur elle. Mais cela non plus, ça ne s'est jamais produit.

Christophe vivait dans la maison d'à côté. Un pavillon de plain-pied sans étage, crépi de gris et dont le corps formait un L. Je le connaissais mal, au fond. Il était plutôt solitaire, n'appartenait à aucune « bande » identifiée, mais tout le monde l'aimait bien. Il parlait peu, sans doute parce qu'il était légèrement bègue, et sa voix était douce et feutrée. Il arborait un sourire en permanence, un sourire un peu triste qui ne trompait personne. Son père était flic et nous faisait froid dans le dos. On l'appelait « le facho ». Pas parce qu'il était flic mais parce qu'il était vraiment facho. C'était un type mutique au visage sanguin, dont chaque geste traduisait la brutalité. Il ne parlait qu'entre ses dents et le visage tendu, excédé par tout et par tout le monde, surtout si ce tout le monde était noir ou arabe, et vu où on vivait les sujets d'exaspération ne manquaient pas. Sa mère on ne la voyait presque jamais, c'était une femme menue et discrète, je ne suis pas sûr d'avoir jamais entendu le son de sa voix. Dans le jardin qu'enca-draient de hauts murs hérissés de tessons, il y avait un sale clébard qui gueulait tout le temps, un grand tonneau d'eau vaseuse où clapotaient les poissons-chats qu'ils allaient pêcher le dimanche à l'aube dans l'étang du parc de loisirs. Je n'y étais venu qu'une poignée de fois. La plupart du temps après l'école Christophe filait dans son coin. Il n'osait nous inviter que lorsque son père était absent. Une fois, le facho avait débarqué alors que nous étions dans le jardin en train d'observer les silures, et nous avait ordonné de foutre le camp d'une voix sèche et le visage révulsé. Au passage il nous avait informés que nous n'étions qu'une bande de petits connards. Nous étions partis la tête basse, angoissés par ce qu'il allait advenir de Christophe. Il ne parlait jamais de rien mais tout le monde se doutait, tout le monde savait. Depuis la fois où il était arrivé au collège le crâne rasé, un pansement cachant des points de suture juste au-dessus du front, tout le monde savait. Et puis du jour au lendemain sa mère avait disparu. Christophe n'en disait jamais rien, ou bien seule-ment qu'elle était malade et qu'on la soignait dans un hôpital à Paris. Quand nous avions quitté le collège, Christophe était resté redoubler sa troi-sième. On ne le croisait plus que dans la rue, de temps en temps, lui proposant de se joindre à nous, il répétait toujours « non faut que je rentre, la prochaine fois peut-être ». Quant aux nouvelles que nous lui demandions de sa mère, elles demeuraient toujours aussi évasives : elle était encore malade mais ça pouvait aller, il allait la voir de temps en temps. Imaginer Christophe seul dans cette maison avec son père et son chien avait tout pour vous nouer la gorge. Je me souviens qu'à une époque, des croix gammées avaient commencé à fleurir sur le mur qui séparait le jardin de la rue. Chaque fois qu'on passait devant chez lui le week-end, on voyait Christophe et son paternel armés de peinture recouvrant patiemment les inscriptions. Trois jours plus tard elles réapparaissaient. Et puis peu à peu on ne l'avait plus vu du tout. On croisait parfois le vieux, il nous regardait comme s'il s'apprêtait à nous frapper, personne n'a jamais osé lui demander où était passé son fils. Je ne l'ai revu que quinze ans plus tard, à Paris. Je me rendais à la Maison de la Radio, j'étais en retard et l'émission était en direct sur France Inter à une heure de grande écoute, j'étais debout dans le bus, suspendu à une poignée de plastique, et je l'ai aperçu. Sur un carton devant le McDo de la porte Saint-Denis, au milieu des putes chinoises qui faisaient le tour du quartier sans jamais s'arrêter, attendant qu'un homme les aborde et leur demande combien elles prenaient et si elles acceptaient de sucer sans capote. Aujourd'hui encore, je me demande comment j'ai pu ne pas descendre à l'arrêt suivant. J'ai dû m'inventer que je n'étais pas certain qu'il s'agisse de lui, alors que je l'avais reconnu tout de suite bien sûr. Son sourire triste, ses traits un peu frustes et très doux, comme ceux d'un boxeur fatigué. J'ai dû m'inventer qu'au fond je ne le connaissais pas si bien que ça... J'ai dû m'inventer que j'avais des choses importantes à faire, comme d'aller parler d'un livre à la radio,

124

un livre dont on louerait le caractère empathique, l'attention donnée au « social », le tout bien au chaud dans un studio confortable, avec café et croissants. Au retour j'ai pris le bus en sens inverse, suis descendu à Strasbourg-Saint-Denis, me suis dirigé vers le McDo mais sur les cartons ce n'était plus lui. À sa place bavardaient deux hommes en veste militaire, munis des barbes, des chiens et des bouteilles de Villageoise réglementaires. Je leur ai demandé où était passé le type qui était là avant eux. Ils n'en savaient rien.

— Mais, vous le connaissez ?

— Christophe ? Ouais. On le croise de temps en temps, mais il change tout le temps d'endroit. Il fait plutôt le métro, normalement.

— Vous savez où je peux le trouver ?

— Vous êtes flic ?

— Non, non, je ne suis pas flic. On était au collège ensemble, j'étais dans le bus tout à l'heure, je l'ai reconnu.

— Ben il dort au foyer Saint-Martin, de temps en temps.

À plusieurs reprises je me suis rendu au foyer, me suis posté au café d'en face pour surveiller les allées et venues. Je voyais défiler tous ces types en guenilles, sales et mal rasés, avec leurs sacs plastique. Il y avait aussi quelques femmes, la plupart édentées, le visage plissé, on leur donnait soixante-dix ans alors qu'elles n'en avaient sûrement pas plus de quarante. Jamais je n'ai recroisé Christophe. Plusieurs fois aussi, je suis repassé devant le McDo de Strasbourg-Saint-Denis. Il y avait toujours les deux types et leurs chiens au milieu des putes chinoises et des badauds qui se ruaient au Monoprix faire leurs courses après le boulot. Pendant quelques mois ils n'ont rien eu de neuf à m'apprendre. Puis un jour l'un d'eux m'a annoncé qu'il était à l'hôpital, du moins c'était ce qu'il avait entendu dire. Nous étions en plein hiver et Christophe avait contracté une méchante pneumonie. J'ai commencé par Lariboisière. Je n'ai pas eu besoin d'aller plus loin. Le premier fut le bon. Mais il était trop tard. Il était mort la veille. J'ai appris ça comme on apprend une nouvelle aux infos, vaguement hébété, incertain de la réalité de la chose. Ce jour-là, je me souviens d'être rentré à l'appartement et d'avoir tourné sans fin dans le salon en attendant le retour de Sarah, le cerveau vide et les poumons réduits à deux minuscules poches d'air acide. J'avais besoin de lui parler, de lui raconter ce qu'il était advenu de Christophe, qu'elle avait dû croiser elle aussi, de plus loin que moi mais d'assez près pour se rappeler son visage, sa voix, la terreur que nous inspirait son père et l'inquiétude impuissante avec laquelle nous le considérions. J'avais besoin de lui parler de tout ça pour me convaincre que c'était bien réel, qu'un de mes amis d'enfance s'était bien retrouvé à la rue, que je l'avais bien aperçu un jour, que j'avais bien tenté de le retrouver et qu'il était bel et bien mort. Quand elle a fini par rentrer je me suis jeté sur elle et l'ai noyée sous un flot de paroles ininter-rompu. S'y mêlaient une peine, dont je n'avais même pas soupçonné l'étendue pendant toutes ces heures à l'attendre, et un sentiment de culpa-bilité, dont je n'ai jamais réussi à m'affranchir. En face de moi, Sarah a fondu en larmes. C'étaient des larmes sans sensiblerie. Chaque jour à son travail elle se trouvait confrontée à des situations largement aussi dramatiques, et de plain-pied. Au fil des ans elle avait su se forger cette carapace propre à ceux qui exercent ce genre de profession et qui n'enlève rien à leur humanité, à leur dévouement. Elle me lançait des regards interdits. Comment avais-je pu ne pas descendre du bus ce jour-là ? Comment Christophe avait-il pu en arriver là ? Comment ses parents, sa famille, ses amis avaient-ils pu l'abandonner à ce point ? Au point de le laisser finir dans la rue et y mourir. Comment avais-je pu le guetter durant des semaines aux abords du foyer, du métro Strasbourg-Saint-Denis sans jamais lui en dire un mot ? À toutes ces questions je n'avais pas la moindre réponse. Mais au long des jours, des mois, des années, elles n'ont cessé de me hanter, jusqu'à se muer en obsession. Cent fois j'ai nourri le projet d'écrire sur Christophe et à travers lui sur l'endroit où j'avais vécu, sur ceux qui avaient grandi à mes côtés, que j'avais quittés sans jamais donner la moindre nouvelle, que j'avais fuis sans un regard en arrière, comme on se déleste d'un poids, comme on raye de sa vie ce qui l'encombre et contredit ses propres aspirations. Mais jamais je n'ai réussi à aligner plus de trois lignes sur cet épisode. Ou bien l'ai-je fait de manière détournée : en ne cessant de mettre en scène des lieux et des personnages qui me ramenaient à V., à Christophe, à sa trajectoire, qui aurait pu être celle de n'importe lequel d'entre nous, me disais-je, même si c'était faux, même si les lieux et le contexte dans lesquels nous avions passé notre enfance les uns et les autres n'expliquaient rien, ou en tout cas pas tout ; en m'imposant la charge de leur rester fidèle, quels que soient les méandres qu'empruntait ma vie, qui sans cesse m'éloignaient d'eux, géographiquement, socialement, culturellement, sentimentalement. Les rares fois où l'on passait voir les parents avec Sarah et les enfants j'allais fouiller dans les armoires. Je sortais la photo de classe de troisième. Celle où nous étions tous réunis. Stéphane, Thomas, Éric, Fabrice, David, Sophie, Caroline, Cendrine, Christophe et les autres. Sur le cliché, Christophe avait les cheveux ras, ils repoussaient à peine et on voyait encore la rougeur de la cicatrice. À combien de reprises avais-je projeté de me rendre dans les rues où je marchais en ce moment même ? Combien de fois m'étais-je imaginé cet instant, découvrant la maison de Christophe, à la fois fidèle à mon souvenir et totalement différente de celle que j'avais en tête, comme s'il s'était agi d'une autre, d'une réplique, d'un faux ? Combien de fois avais-je rêvé du jour où j'apercevrais son père ? Combien de fois m'étais-je inventé que le voyant je me jetterais sur lui, lui sauterais à la gorge, l'abreuverais d'insultes et le sommerais de s'expliquer ? Savait-il ce qui était arrivé à son fils ? Comment avait-il pu le traiter ainsi toutes ces années ? Comment avait-il pu le laisser à la rue ? Comment avait-il pu le laisser crever comme un chien ? Combien de fois avais-je cru entendre sa réponse : Et toi ? Et vous ? Ses amis ? Comment avez-vous pu l'oublier, le laisser à son triste sort ? Comment as-tu pu rester dans ce putain de bus, te rendre tranquillement à ton émission de radio ? Comment as-tu pu penser que c'était plus urgent que de le rejoindre ?

Dans mon dos, j'ai entendu grincer un portail. Je me suis retourné et j'ai vu le facho sortir la poubelle. On aurait dit qu'il avait rétréci, qu'il avait fondu de moitié. Dans mon souvenir, il était immense et menaçant. Un chien s'est mis à gueuler. Entre ses dents il lui a craché de la boucler, l'affublant du doux sobriquet d'enculé de ses couilles. J'ai tout de suite reconnu sa voix. Il avait beau flotter dans ses vêtements et être quasi chauve, un frisson d'horreur m'a parcouru l'échine. Le même qui toujours me saisissait quand sous l'écorce civilisée des mâles, à la faveur d'un mot, d'un geste, perçait la brutalité sous-jacente, la violence pure qui menace à tout instant de prendre le dessus. Cette brutalité, cette violence il me semblait la percevoir chez la plupart des hommes, c'était peut-être une déviation de mon esprit mais elle me paraissait omniprésente, dangereuse, effrayante, un peu comme ces chiens dont les propriétaires vous assurent qu'ils sont gentils mais dont vous voyez les crocs luire et les muscles se bander sous la peau que peinent à couvrir les poils ras. Je n'étais pas loin de penser qu'à la plupart des hommes il aurait fallu coller une muselière. Évidemment je n'ai pas esquissé le moindre geste. Évidemment je suis resté pétrifié jusqu'à ce qu'il referme la porte derrière lui, non sans avoir ordonné une dernière fois à son connard de clébard de fermer sa putain de grande gueule.

Quand je suis rentré à la maison mon père dormait assis, un peu affaissé sur le côté droit du canapé. Sur l'écran des hommes et des femmes se recevaient à tour de rôle et tentaient de se montrer les meilleurs cuisiniers possibles et les hôtes les plus irrésistibles. J'ai éteint en me demandant ce que signifiait cette obsession pour la bouffe.

Juste avant j'ai zappé sur les infos, les images provenant du Japon étaient toutes plus effrayantes les unes que les autres. Après analyse on estimait que la vague qui avait tout emporté mesurait plus de trente mètres à certains endroits et avait pénétré jusqu'à cinq kilomètres à l'intérieur des terres, ravageant tout sur son passage. La centrale nucléaire touchée semblait sur le point d'exploser, se fissurait de partout. On envisageait de l'arroser à l'aide d'hélicoptères pour la refroidir. À l'intérieur, des employés s'activaient à tout remettre en ordre, soumis à des radiations qui les tueraient en quelques jours, en quelques semaines, sacrifiant leur vie pour remettre en route les circuits de refroidissement et éviter le pire, tandis qu'à Tokyo on craignait les répliques incessantes. Les images n'en finissaient pas d'affluer, provenant de caméras, de téléphones portables, d'appareils photo, des images tremblées que je ne supportais pas de regarder plus de trente secondes. À l'horreur que vivaient ces gens s'ajoutait une sensation étrange, relative aux mois que nous avions passés là-bas, au sentiment que j'y avais éprouvé d'être tout à fait là, en accord et délesté, ces jours lumineux comme des tombées d'azur, où nous allions parmi les temples Sarah Manon Clément et moi, noués les uns aux autres, coulés dans le temps qui s'étirait en douceur, flânant sous les érables rouges, nous saoulant de mousse et d'encens, de cèdres, d'érables, de ginkgos, de rivières filant au creux de vallées semées de rizières et de champs pris dans la brume.

J'ai étendu mon père sur le canapé, recouvert son corps endormi d'une couverture. Il n'a même pas grogné, s'est laissé faire, tel un enfant tombé dans le sommeil comme au fond d'un puits. La maison était parfaitement noire et silencieuse. Je suis monté à l'étage. Dans ma chambre j'ai ouvert le placard où mes parents entreposaient une partie de mes affaires. J'ai fouillé, jusqu'à trouver ce que je cherchais, la photo de troisième. Nos vêtements ridicules, nos coupes de cheveux ingrates, nos visages entre deux âges, portant encore les marques de l'enfance, laissant entrevoir l'adolescence qui nous emportait peu à peu. Nous étions tous là, Christophe bien sûr, Stéphane, qui se tenait très droit et souriait de toutes ses dents, les yeux brillants, Caroline et ses nattes, sa robe blanche à dentelle, Cendrine en survêtement brillant, Éric les cheveux curieusement relevés, comme aspirés par le plafond, Thomas et sa mèche de Mickey, son polo Lacoste et son sourire de gamin de bonne famille, Yannick dont la tête paraissait bizarrement énorme, son corps moulé dans un sous-pull orange qui lui tenait trop chaud, si j'en jugeais par la couleur de ses joues. Fabrice, Xing, Patrice, Martin, William et tous les autres. Et puis Sophie, que je ne fréquentais que de loin à l'époque, qui vivait dans une autre sphère avec son amant de dix ans plus âgé, ce n'était qu'au lycée que nous étions devenus amis, une fois le groupe éclaté entre de multiples classes, diverses filières. J'ai allumé l'ordinateur et j'ai tapé son nom. Sur Copains d'avant son nom de famille apparaissait entre parenthèses, suivi de son nom de mariage. Deschamps. Sophie Deschamps. Il était indiqué qu'elle vivait à V. Décidément tout le monde était resté là. Ou dans les environs. Tout le monde à part moi et Thomas, dont j'avais tapé le nom un jour dans Google. La recherche m'avait mené jusqu'en Californie où il avait fondé une petite société qui commercialisait des yaourts « à la française », élus produit de l'année par plusieurs jurys de consommateurs. J'ai tapé d'autres noms. Patrice avait suivi un BTS, on le retrouvait vendeur chez Surcouf et son domicile était situé à cinq kilomètres d'ici, dans la ville contiguë à la nôtre, par les vitres du RER on la repérait aux sept grandes tours qui surplombaient un vaste étang artificiel. Xing vivait toujours à V. lui aussi, à la rubrique profession il était indiqué « chauffeur ». En face de la mention entreprise on pouvait lire : indépendant. Je n'ai rien trouvé sur Cendrine. Rien non plus concernant William, David et Martin. L'absence de la moindre donnée les concernant disait assez bien qu'ils avaient dû se fondre dans la masse, où ils étaient noyés depuis la naissance, comme chacun d'entre nous ici. J'ai fini par taper le nom d'Éric. Nous nous étions retrouvés deux fois à Paris pendant ma première année de fac, puis ce fut une poignée de coups de téléphone et ensuite plus rien. J'avais tourné la page, je vivais à Paris, le passé était le passé et j'en avais fait table rase. Du moins c'est ce que j'avais longtemps cru. Taper dans Google les noms de mes anciens camarades de classe me semblait, pathétiquement, témoigner du contraire. Avant d'éteindre l'ordinateur j'ai cherché l'adresse de Sophie dans les Pages Jaunes. Elle vivait dans un quartier pavillonnaire aux abords de la forêt, un de ces nouveaux ensembles de maisons destinés à absorber l'afflux des familles quittant Paris et ses loyers exorbitants. J'ai noté l'adresse et suis allé me coucher dans mon lit d'adolescent. La chaîne fonctionnait toujours, avec ses enceintes de chaque côté de la tête de lit, qui me faisaient comme un casque. Comme avant j'ai mis la musique à bas volume. Par la fenêtre je voyais la lune et les lignes électriques. J'ai pensé à Sarah et aux enfants, je ne comprenais pas qu'ils puissent dormir sans moi, cinq cents kilomètres au nord-ouest d'ici. Au fond de moi j'espérais qu'ils n'y arrivaient pas vraiment. Au fond de moi j'espérais que Manon et Clément ne trouvaient plus le sommeil depuis mon départ, qu'ils fondaient en larmes chaque soir en se mettant au lit. Au fond de moi j'espérais leur manquer. J'étais comme un gamin qui pense à mourir pour qu'on le regrette. J'étais ce genre de gamin exactement. Je l'avais toujours été.

Le lendemain j'ai accompagné mon père pour la visite de l'appartement. Nous nous sommes garés en retrait de la cité des Acacias. À l'arrêt de bus, qui se dressait dérisoire au pied des longues barres d'immeubles dont les murs partaient en lambeaux, s'effritaient, cloquaient, se couvraient de graffs et d'inscriptions diverses, se massaient une vingtaine de personnes, en majorité noires ou d'origine maghrébine. Certains hommes portaient des djellabas, certaines femmes un foulard, et la plupart des adolescents une tenue empruntée aux stars du hip-hop.

— On est plus chez nous, a maugréé mon père en secouant la tête.

Je l'ai regardé interloqué.

— Qu'est-ce que t'as dit ?

— T'as très bien entendu.

La conversation semblait close quand nous avons passé la barrière qui marquait l'entrée du parc entourant la résidence, petite combinaison de pelouses dominées d'arbres immenses qu'on nommait un peu pompeusement le « domaine ». Mais mon père, à mon grand étonnement, a souhaité la reprendre. À son ton, j'ai compris qu'il se sentait jugé, qu'il voyait dans mon regard un reproche et que ça ne lui plaisait pas. Je l'ai vu se raidir, comme chaque fois qu'on s'opposait à lui d'une quelconque façon, que ce soit en matière politique ou concernant le jugement qu'il portait sur telle ou telle personne, jugement qui invariablement se résumait à qualifier celle-ci de gros con ou d'âne bâté. Aux yeux de mon père je ne voyais pas très bien qui ne l'était pas. Je ne l'avais jamais entendu parler de qui que ce soit en bien. Personne n'était jamais assez droit, vertueux, intelligent, modeste, intègre ou que sais-je encore, tout le monde suscitait son agacement ou son mépris. Cela expliquait sans doute que, de sa vie, je ne lui avais jamais connu le moindre ami. Ses relations se bornaient à la sphère strictement familiale de ses six frères et sœurs et de leurs conjoints et descendances. Eux aussi, en grande partie, étaient selon mon père des crétins, des imbéciles ou des cons, mais il se sentait obligé de les fréquenter. Pour une raison que je ne m'expliquais pas, les liens du sang étaient sacrés à ses yeux. Indiscutables. Inquestionnables. D'ailleurs il voyait d'un mauvais œil ma propension à me défaire de mes attaches, à déserter les réunions de famille, à n'entretenir aucune relation avec mes oncles, tantes, cousins, cousines, au bénéfice d'une famille « reconstituée », inventée, composée de mes amis et de ceux de Sarah, et de tout un tas de connaissances professionnelles qui s'invitaient régulièrement à la maison le temps d'un week-end et de deux après-midi sur la plage, allant même jusqu'à refuser obstinément que certains de mes cousins qui venaient de s'installer à quinze kilomètres de chez nous passent la porte de notre jardin. Au final, à force d'entendre mon père parler des autres, de constater que personne n'était jamais assez bien pour lui, assez droit, assez raisonnable, assez sérieux, j'en venais à me demander ce qu'il pouvait bien penser de nous, mon frère et moi, et de nos compagnes respectives. Ce qu'il pouvait bien penser de nos vies, de nos enfants. Ce qu'il pouvait bien penser de mes livres.

— Tu peux pas comprendre. Tu vis plus là, toi. C'est facile pour toi de prendre tes grands airs choqués, mais tu ne vis pas avec « eux », toi. T'es tranquille dans ta belle maison près de la mer. Tu fréquentes le beau monde. Alors viens pas me faire de leçon s'il te plaît.

Il écumait. En effet je ne pouvais pas comprendre. Qu'il considère que je n'étais plus d'ici, comme si je l'avais jamais été, comme si je n'en venais pas, comme si ces zones ne m'avaient pas fondé moi aussi, non, je ne pouvais pas le comprendre.

— J'ai grandi ici, ai-je rétorqué.

Il n'a pas relevé et s'est allumé une cigarette, le visage rougi par la colère, poursuivant dans sa tête un dialogue imaginaire qu'il se refusait à mener réellement. Nous avons marché jusqu'à la résidence, côte à côte et silencieux. Moi aussi je bouillais, sous mon crâne la bataille faisait rage, la polémique battait son plein, mais nous en sommes restés là. Je ne lui ai pas dit qu'au fond ce qu'il appelait « chez lui » n'était pas « ici » mais « avant », dans sa jeunesse, qu'en réalité il regrettait juste sa jeunesse et que c'était bien le problème des vieux, qui rêvaient que leur pays redevienne celui qu'il était quand ils avaient vingt ans, comme si ça pouvait les leur rendre. « On est plus chez nous. » Qu'est-ce que ça pouvait lui foutre ? En quoi ces gens le gênaient-ils ? Que lui volaient-ils ? Pourquoi ne supportait-il pas leur présence ? Quant à moi j'avais grandi ici, fréquenté la cité, et dans mon souvenir la France avait toujours ressemblé à ça. Elle n'avait jamais été strictement blanche ni catholique, elle avait toujours été métisse, plurielle, complexe, mutante, mixte, bigarrée. Après V. je m'étais installé à Paris, dans le quartier de Barbès, j'avais travaillé à Château-Rouge puis à Belleville, passant du quartier arabe au quartier chinois au quartier africain en un clin d'œil. Les boucheries hallal, les épiceries asiatiques, les boutiques afro, les kebabs c'était le seul Paris que je connaisse. En partant pour l'ouest, ce qui m'avait le plus étonné, c'était que les choses puissent être différentes ailleurs. Je marchais dans les rues et tout me semblait uniforme et étriqué. Heureusement la mer lavait tout ça à grandes eaux. Heureusement le vent cinglait et faisait entrer l'air par paquets. Heureusement l'été ouvrait grand les fenêtres et attirait toutes sortes de gens dans la ville et sur les plages. J'avais débarqué en Bretagne étonné de découvrir une terre où tout le monde était blanc, où il restait encore des gens pour se définir comme « catholiques », où beaucoup se revendiquaient d'ici depuis des générations et paraissaient en tirer une fierté que je trouvais, selon les jours, suspecte ou carrément imbécile. Où certains parlaient sans rire d'identité régionale, de traditions locales, de coutumes, de particularismes, de racines. Un truc surgi du passé en somme, une France telle que l'imagine Jean-Pierre Pernaut, attardée et refermée sur elle-même. J'avais toujours tenu cette France-là pour une fiction, destinée à des gens comme mon père, nostalgiques de leurs vingt ans, vantant un pays qui n'existait plus, même si en dehors des grandes villes, de Paris, de Marseille, des banlieues, en subsistaient visiblement quelques traces. Je parlais à des gens qui s'effrayaient dès qu'on prononçait le mot de Paris, qui s'inquiétaient de la présence d'immigrés dont ils n'avaient jamais vu la couleur mais qu'ils percevaient tout de même comme une menace ou un problème, ou tout du moins comme une réalité pour eux si inconnue qu'elle les rendait frileux. Quant à la jeunesse, et notamment celle qu'on disait « de banlieue », elle leur foutait tout simplement la trouille. Bien sûr, c'étaient surtout les vieux qui voyaient les choses ainsi, et toute cette poussière finirait par s'envoler avec eux, mais enfin le pays vieillissait, ils étaient des millions et votaient, les programmes télé étaient en bonne partie conçus pour eux, une large part des mesures que prenait le gouvernement aussi, sans parler des débats qu'on tentait à toute force d'imposer au pays, identité nationale, immigration et insécurité, islam et laïcité, et j'en passe. Il me semblait qu'un pan entier du pays vivait avec un œil dans le rétroviseur, la pédale sur le frein, la nostalgie d'un temps qui n'avait pas existé en bandoulière, du sépia plein les doigts.

Nous sommes entrés dans la résidence pour personnes âgées qui se proposait d'accueillir mes parents au moment même où secrètement je militais en faveur d'une interdiction de vote pour les plus de soixante-dix ans. La directrice était vêtue d'un tailleur en laine vert sapin et ses cheveux permanentés étaient si blancs qu'on aurait dit que de la lumière en jaillissait. Son bureau jouxtait la salle commune, une pièce rectangulaire tapissée de tissu caramel, où se dressaient des fauteuils et des alignements de tables rondes en bois munies de leurs quatre ou six chaises. C'était là que les résidents pouvaient se retrouver l'après-midi pour des parties de bridge, d'échecs ou de Scrabble, ou tout simplement goûter le plaisir d'être ensemble et de bavarder de tout et de rien. La directrice usait d'un ton mielleux exaspérant et ne s'adressait qu'à moi, comme si mon père avait été sourd ou déficient mental.

— Ici ce sont les boîtes aux lettres où il pourra retirer son courrier, là le local où il pourra, s'il le souhaite, se faire couper les cheveux par notre coiffeur qui vient tous les jeudis. Ici la porte ouvrant sur l'escalier qui mène aux étages, et là l'ascenseur que nous allons prendre pour visiter l'appartement, à moins qu'il ne préfère faire un peu d'exercice, certains de nos résidents sont encore très en forme vous savez et aiment mieux l'escalier, ici ce n'est pas une maison de retraite, simplement une résidence pour retraités où chacun peut profiter d'un calme garanti et d'un repos bien mérité après une dure vie de travail, n'est-ce pas ? Et qu'est-ce qu'il faisait alors ?

— Vous pouvez le lui demander. Hein, papa, elle peut te parler directement, c'est peut-être mieux... ai-je tenté.

Mon père s'est contenté de grogner : « Bon alors il est où cet appartement ? » Il n'avait jamais aimé perdre son temps en vains bavardages. N'avait jamais aimé grand-chose d'ailleurs, il fallait bien l'avouer. Visiblement froissée, la directrice a appuyé sur le bouton d'appel et nous avons attendu que la porte s'ouvre. Pour rien. L'appartement était situé au rez-de-chaussée, c'était justement notre chance, puisque Madame avait quelque difficulté à se déplacer, si elle avait bien saisi.

— Oui, enfin, pour le moment elle est à l'hôpital, mais quand elle sortira elle aura juste une canne, elle pourra quand même prendre l'ascenseur.

— Eh bien elle le prendra pour aller visiter les amies qu'elle ne manquera pas de se faire ici. Il y a beaucoup de femmes à la résidence, elles s'invitent les unes chez les autres, c'est joyeux vous verrez, la plupart vivent seules, elles ont perdu leur mari et parfois on dirait qu'elles n'attendaient que ça...

Mon père l'a fusillée du regard et elle s'est confondue en excuses, elle ne disait pas ça pour lui bien sûr, et puis il avait l'air en pleine forme, n'est-ce pas ? Nous nous sommes engagés dans un couloir sombre où grésillaient des appliques insuffisantes. La directrice nous précédait à petits pas glissés, on aurait dit qu'elle marchait sur des patins. Ça m'a rappelé le pavillon de ma tante Josyane, son salon au parquet ciré, ses meubles couverts de napperons et de bibelots de verre figurant des canards, des poissons, des chats, des oiseaux. Elle vivait seule depuis la mort de mon oncle, à cinquante-deux ans, une tumeur au cerveau qui l'avait emporté en deux mois, il travaillait aux ateliers Renault de Boulogne-Billancourt, section moteurs, parlait fort et disposait d'un répertoire de blagues inépuisable qu'il semait tout au long des dîners durant lesquels il buvait toujours trop. C'était mon préféré je crois, avec Serge, le mari de la plus jeune sœur de mon père, un type extrêmement nerveux qui passait sa vie à s'engueuler avec sa femme mais qui nous adorait mon frère et moi. Quand ils venaient déjeuner avec leur fille unique, ma cousine Louise, nous nous postions à la fenêtre dès dix heures du matin, les guettant avec impatience alors qu'ils n'arriveraient que deux bonnes heures plus tard, à bord de leur vieille Alfa Romeo rouge. Serge gérait un petit supermarché à Ivry et ça nous faisait rêver qu'il puisse être chef de quelque chose, avoir des gens sous ses ordres. À nos yeux il avait réussi, comme un autre de nos oncles, qui avait lui aussi épousé l'une des sœurs de papa et qui travaillait comme chef des ventes pour les extincteurs Sicli. Toute la famille en avait un. On n'était pas près de mourir dans les flammes d'un incendie. Serge venait toujours avec des trésors : un ballon flambant neuf, un jeu de fléchettes, des nunchakus, des BD, une cassette vidéo. Impulsif, sanguin, il s'emportait pour un rien. À plusieurs reprises mon père et lui avaient failli en venir aux mains. Je ne sais même plus de quoi ils parlaient. De politique, j'imagine. Un jour ma tante et sa fille avaient débarqué chez nous sans prévenir, affolées ; ils s'étaient engueulés une fois de plus, d'ailleurs ils s'engueulaient tout le temps et à tout propos, c'était leur mode de fonctionnement, comme certains couples dont on se demande comment ils peuvent tenir comme ça, à n'être jamais d'accord sur rien, à s'envoyer des piques du matin au soir, à s'asticoter moitié pour rire moitié sérieux, mais cette fois la situation avait dégénéré, il l'avait menacée avec un couteau. Ma tante était arrivée en larmes et s'était jetée dans les bras de mon père. Quelques minutes plus tard le téléphone avait sonné et mon père avait répondu à Serge que s'il mettait ne serait-ce qu'un pied à la maison il le crevait. Louise et sa mère étaient restées chez nous plusieurs semaines. Nous vivions dans la terreur que Serge débarque à un moment ou à un autre. Mais il n'a jamais osé, même aux heures où mon père était au boulot. Le soir nous dînions tous ensemble et ma tante pleurait tandis que mon père la raisonnait, elle voulait retourner avec lui, elle lui avait pardonné et au fil des conversations je compris qu'il la frappait. Depuis longtemps. Depuis toujours presque. C'était de notoriété publique dans la famille. Même si personne n'en parlait jamais qu'à mots couverts, par allusions. Quand j'ai compris ça, quelque chose en moi s'est effondré. Serge tombait du piédestal où je l'avais placé durant toute mon enfance. Je crois que je me sentais trahi. Trompé. Et coupable aussi un peu, d'avoir tant aimé un type qui traitait ainsi sa propre femme. J'imagine aussi que ça m'a déniaisé, que j'ai entrevu une réalité nouvelle quant aux relations qui pouvaient se nouer entre certains adultes, et à la relative complaisance qu'entretenaient certains d'entre eux en matière de rapports homme / femme.

La porte s'est ouverte sur un petit appartement vide et doté d'un balcon clos par une barrière peinte en vert. On y accédait par une baie vitrée qui longeait la totalité de la pièce principale. Celle-ci jouxtait une kitchenette, et un simple rideau la séparait de la chambre, dont la fenêtre donnait sur un arbre particulièrement apprécié des écureuils, avait cru bon de préciser la directrice, comme si elle s'adressait à des enfants. Je ne m'expliquais pas cette manière, mielleuse et bêtifiante, qu'avaient certaines personnes de s'adresser aux gens âgés. J'imaginais mon père rageant en son for intérieur, excédé, sur le point de déguerpir. Mais les choses ne se sont pas passées ainsi. Il semblait absolument satisfait de la visite, de cet appartement minuscule où on lui proposait de vivre désormais et de faire tenir une maison entière.

— C'est parfait, a-t-il conclu, à mon grand étonnement. Et c'est libre de suite ?

— Tout à fait.

— Eh bien montrez-moi les papiers. J'ai apporté les miens. Je pense que j'ai tout ce que vous m'avez demandé.

— Attends, l'ai-je interrompu. Et maman ? Tu ne lui demandes pas son avis ?

— Ta mère est d'accord, a-t-il répliqué d'un ton ferme. Elle est déjà venue ici par le passé. Pour rendre visite à une de ses connaissances. Les appartements sont tous pareils.

Je n'en revenais pas. Que les choses aillent si vite. Que ma mère n'ait même pas visité. Que mon père ait pris cette décision. Qu'il abandonne la maison comme ça, en un clin d'œil. À peine mise en vente elle trouverait preneur, cela ne faisait aucun doute. Un bus passait à quelques mètres seulement, vous menait à la gare en moins de vingt minutes, dix autres d'attente et vingt-cinq de RER vous reliaient au cœur de Paris, station Châtelet-les Halles, l'école et les premiers commerces étaient accessibles à pied, tout cela était très recherché, ne manquaient jamais de lui faire remarquer les agents immobiliers qui se présentaient régulièrement, tandis que ma mère haussait les épaules et se demandait à juste titre qui pouvait bien vouloir payer si cher pour vivre ici...

— Beaucoup de monde, madame. Et je vous prie de croire que si vous ne souhaitez pas faire monter les enchères, on la vend dans la journée, votre jolie petite maison.

Non, je n'en revenais pas. Pendant toutes ces années j'avais tenté de les convaincre de troquer leur pavillon contre une petite bicoque en bord de mer. Toutes ces années ils avaient multiplié les excuses : d'abord il avait fallu s'occuper de mon grand-père, puis, après sa mort, ne pas trop s'éloigner de François et de ses enfants, puisque les miens, n'est-ce pas, ils ne les connaissaient qu'à peine, précisait ma mère un pli amer au coin de la bouche. Il y eut encore : « Pour que ça vaille le coup il faudrait vraiment trouver quelque chose avec vue sur la mer, surtout si ta mère continue à connaître des difficultés pour se déplacer, sans quoi ce serait trop frustrant d'habiter près de la mer sans pouvoir en profiter. Et vue sur la mer, c'est pas pour nous. On a pas les moyens de se payer ce genre de luxe. » Toutes sortes de raisonnements s'étaient succédé ainsi, que je démontais un par un, jusqu'à ce que maman s'avoue vaincue et finisse par concéder qu'ils vivaient là depuis trente ans et que c'était chez eux. Le seul « chez-eux » qu'ils aient jamais connu, aussi difficile que ce soit à comprendre pour quelqu'un comme moi qui ne s'était jamais senti de nulle part, ni de cette maison ni de cette banlieue ni de ce pays même, qui pouvait se sentir chez lui au Japon comme au

Portugal ou au Canada, dans le Sud comme dans le Nord, à Paris comme à la campagne. Elle n'avait pas tort. J'avais un mal fou à comprendre cet attachement aux lieux, aux liens du sang, aux objets, aux choses, aux souvenirs même. Il me semblait que j'avais passé mon temps à effacer des traces, à briser des liens. La moindre évocation du passé me mettait mal à l'aise. Le moindre retour en arrière me vrillait le cœur. D'ailleurs, depuis trois jours que j'étais ici, je me sentais comme un paquet de larmes qui ne voulaient pas couler. La gorge serrée en permanence, j'étouffais et n'avais qu'une hâte : repartir, m'arracher au passé, aux fondations, aux racines, et retrouver la vie que j'avais réinventée de A à Z, à travers mes livres, à travers Sarah, à travers mes enfants, en posant mes valises dans un lieu neuf et sans mémoire, face à l'horizon, balayé par les vents et les marées, où je ne connaissais personne et où rien ne me ramenait au passé.

— Attends, papa, ai-je tenté une dernière fois. On pourrait peut-être regarder si je ne peux pas vous trouver un truc vers chez moi, avec le prix de la maison je pourrais trouver un petit appart près de la plage.

— Tu dis ça mais je ne suis pas sûr que tu aimerais vraiment nous avoir dans les pattes… Et puis qu'est-ce que tu veux qu'on foute sur la plage, ta mère et moi ?

J'ai réfléchi un instant à cette question. Je n'avais pas de réponse valable. Je les ai laissés s'échanger des papiers, en remplir d'autres, j'avais la sensation d'accompagner mon père à la signature d'une convention d'obsèques. J'ai dit « je t'attends dehors » et je suis sorti, dans le couloir j'ai croisé deux vieilles pimpantes et parfumées qui papotaient joyeuses, précédées de caniches toilettés. J'ai traversé le hall et aperçu une dizaine de papys et de mamies qui prenaient le thé en jouant aux cartes dans la salle commune. Un haut-parleur diffusait des chansons de Charles Trenet. Tous les hommes étaient chauves et vêtus de beige, toutes les femmes avaient les cheveux légèrement bleutés, sur une table patientaient des pâtisseries luisantes de sucre, tout ce petit monde avait l'air parfaitement heureux mais leurs sourires et leur bonne humeur m'angoissaient, imaginer mon père et ma mère là-dedans m'angoissait, j'aurais dû me réjouir que les mystères de l'immobilier en banlieue, la folle flambée du mètre carré de béton au cœur de villes sans âme, sans centre ni contours, sans cafés ni restaurants fréquentables, sans cinémas dignes de ce nom, sans quoi que ce soit qui ressemble de près ou de loin à une offre culturelle acceptable, leur permettent, au presque terme d'une vie ouvrière, de se payer ce genre de havre où couler des jours paisibles, protégés de la fureur des quartiers et de l'ennui des cités-dortoirs par des arbres égarés d'une forêt ancienne, mais je n'y suis pas parvenu. Une fois à l'air libre, j'ai inspiré une grande bouffée d'air résineux. D'un pin à l'autre j'ai vu un écureuil sauter, un gros écureuil roux sorti d'un dessin animé. Je voyais les mêmes de mon bureau avant que Sarah ne m'expulse de ma propre vie, la fenêtre donnait sur un bout du jardin où j'avais planté une balançoire pour les enfants, une haute haie masquait la rue et se cognait aux grands cèdres de la maison d'en face, une demeure bourgeoise dont on ne voyait rien tant les arbres la camouflaient. J'ai quitté le parc, sauté par-dessus la barrière et me suis retrouvé au milieu de la rue, des gens, au milieu de la vie, des voitures, des scooters, des djellabas, des femmes coiffées de foulards, des enfants braillards, des adolescents déguisés en rappeurs qui s'envoyaient des vannes et se parlaient dans une langue inventée dont je ne comprenais plus la moitié des mots. J'ai allumé une cigarette et j'ai attendu que le tabac fabrique sa nuée de papillons libératrice. Bientôt leurs ailes m'ont caressé les poumons et j'ai patienté un moment comme ça, parmi les poussettes, les sacs de courses, les langues mélangées et j'étais bien, à ma place, étranger et noyé dans la masse, porté par un flux qui ne me concernait pas mais dans lequel j'aimais me fondre. J'ai repensé à la phrase de mon père : « On est plus chez nous. » Un peu plus tôt à la radio j'avais entendu un des sbires du Président, un ministre de la République, affirmer à peu près la même chose. Qu'est-ce que cela pouvait bien signifier, je n'en savais rien, de quoi parlaient-ils, de quel « chez-nous » ? De quel pays rance, moisi, clos sur lui-même ? Et qui pouvait bien avoir envie d'y vivre, à part eux-mêmes et les vieux regrettant leur jeunesse ?

J'ai vu mon père surgir de l'ombre des grands arbres. Je lui ai fait signe et il s'est approché d'un pas méfiant, recroquevillé sur lui-même, comme cherchant à se faire le plus discret possible. À quelques mètres de moi une bande d'adolescents parlaient fort, s'apostrophaient bruyamment, s'insultaient à tour de bras, se balançaient des coups sur le crâne en se marrant à grand bruit ; certains s'amusaient à faire peur aux passants, des petits vieux pour la plupart qui filaient sans demander leur reste. Mon père avait l'air pressé de déguerpir. La peur se lisait sur son visage. J'aurais voulu lui demander ce qu'il craignait au juste. Si une bande d'adolescents pareillement agités mais blancs de peau l'auraient terrorisé à ce point eux aussi. Mais je me suis contenté de lui emboîter le pas et de rejoindre la voiture.

Nous sommes arrivés à l'hôpital juste avant la visite du médecin. Un type au regard un peu fou et au visage de rongeur qui me faisait penser à Mathieu Amalric, ce qui me le rendait plus sympathique qu'il ne l'était vraiment. Selon lui tout allait bien, l'opération avait réussi et les radios étaient rassurantes, ma mère allait pouvoir regagner son domicile d'ici quelques jours. Pendant plusieurs semaines, elle ne pourrait se déplacer qu'en fauteuil, des séances de rééducation quotidienne lui seraient prescrites, elle pouvait demander à y être amenée en ambulance sans problème, les choses étaient naturellement prises en charge. Bien sûr il faudrait prendre des dispositions à la maison pour qu'elle n'ait pas à monter ni à descendre les escaliers.

— Même sans ça, ça devenait difficile de toute façon, a rétorqué ma mère d'une voix fatiguée.

Le médecin lui a posé une main sur l'épaule et s'est tourné vers mon père :

— Mais votre mari va vous aider et vous aménagera tout ça comme il faut, j'en suis sûr.

Mon père a acquiescé comme un enfant devant son maître. Face aux médecins mes parents baissaient toujours la tête, arboraient des voix et des attitudes que je ne leur connaissais pas, soumises, impressionnées. Je m'étais souvent demandé si c'était ainsi qu'ils se comportaient également devant leurs patrons. Jamais ils ne posaient la moindre question, jamais ils ne sollicitaient la moindre explication et, généralement, une fois les médecins enfuis, restaient avec leurs informations partielles, leurs questions et leurs incertitudes.

— Mais tu ne leur as pas posé la question ? leur demandais-je alors.

— Oh non, tu sais comment ils sont. Et puis il était pressé, il a plein de patients à voir, je ne voulais pas lui prendre tout son temps.

— Mais merde maman toi aussi tu es sa patiente. Autant que les autres. Il ne te fait pas une fleur en s'occupant de toi. C'est son boulot…

Au visage de ma mère je voyais bien qu'elle n'en était pas convaincue, qu'elle imaginait que les médecins qui s'attardaient sur son cas avaient d'autres patients bien plus importants qu'elle à traiter. Et cette importance, je le savais bien, n'était pas liée à la gravité de leur état mais à leur statut social : il y avait sûrement des ingénieurs, des cadres, des patrons, des enseignants à soigner avant elle… Le médecin est sorti et je lui ai emboîté le pas dans le couloir. Il avait l'air pressé et s'apprêtait à entrer dans la chambre d'à côté. Je l'ai retenu par la manche. À son regard j'ai bien vu qu'il n'en avait pas l'habitude. Il m'a toisé d'un air impatient. Visiblement, dans son esprit, le temps qui nous était imparti était désormais écoulé.

— Je peux vous parler au sujet de ma mère ? ai-je demandé

— Oui. Mais deux mots alors. J'ai d'autres patients à voir.

Je l'ai questionné. Était-il « normal » qu'elle soit à ce point confuse ? Au moment de l'embrasser en arrivant, elle m'avait accueilli d'un « Ah Paul, c'est gentil d'être venu. Tu as fait bonne route ? Quel temps faisait-il en Bretagne ? Et Sarah, elle n'est pas venue avec toi ? » Visiblement elle ne se souvenait pas de m'avoir vu la veille. Mon père avait préféré détourner le regard. Assis dans le grand fauteuil il avait fait mine de feuilleter un *Télé Loisirs* qui traînait là comme si, vraiment, il s'attendait à y dénicher une information capitale ou qui vaille simplement la peine d'être lue.

— Écoutez. Vous avez vu ce qui est inscrit là ? m'a-t-il lancé en désignant son badge.

— Oui.

— Eh bien voilà. Je suis chirurgien orthopédiste. Je m'occupe du fémur de votre mère, pas de son cerveau.

— OK. Mais d'après vous, ça peut être lié aux médicaments ?

Mon insistance l'indisposait. Il a haussé les épaules en grimaçant. Ça devait vouloir dire non.

— Vous savez, passé un certain âge, la mémoire se dérègle un peu. Si vous ajoutez à ça la fatigue, les antidouleurs… Vous pouvez toujours lui faire consulter un neurologue.

— Mais elle n'est pas si vieille… ai-je couiné.

— Vieille, ça ne veut rien dire, vous savez. D'une personne à l'autre, c'est tellement variable. Les gens ne vivent pas tous dans les mêmes conditions. Sans même parler des facteurs génétiques. Personne n'a le même âge.

Quand j'ai regagné la chambre la télévision était allumée et ma mère dormait. Mon père fixait

l'écran comme si véritablement ça pouvait l'intéresser qu'une grosse femme dénommée Valérie
réussisse ou non à deviner un mot de six lettres
en tirant des boules dans une urne transparente.
Je suis ressorti et j'ai traversé des couloirs tous
pareils, poussé des dizaines de portes battantes,
me suis engagé dans un escalier où j'ai fini par
trouver ce que je cherchais : entre deux étages
deux infirmiers fumaient, dans tous les hôpitaux c'est la même chose, il y a un coin où le personnel se planque pour fumer, un couloir donnant
sur des bureaux inoccupés, un escalier que personne n'emprunte. Je me suis assis sur une
marche, légèrement à l'écart. Ils m'ont salué d'un
hochement de tête et ont repris leur conversation
tandis que j'allumais ma cigarette. D'un signe de
main le plus grand m'a désigné le cendrier. Je me
suis demandé s'ils l'emmenaient avec eux quand
ils venaient fumer ou s'il était installé là en permanence. À quoi en étions-nous réduits ? Qui voulait vivre dans un monde où il fallait se planquer
pour fumer une cigarette, comme des pestiférés
ou des assassins ? Une question me taraudait
depuis longtemps : qui avait une idée du coût
exact de cette vaste opération nationale, mon-
diale, antitabac ? Qui avait vraiment évalué tout
ça à long terme ? Bien sûr les cancers des poumons ou les maladies de ce genre allaient tendre
à la baisse, et avec eux les coûts associés pour la
Sécurité sociale, car il ne fallait pas se leurrer,
tout le monde s'en foutait bien de la santé des
gens, la seule chose qui préoccupait les pouvoirs
publics c'était l'équilibre des comptes, comme en
toute chose c'était la gestion, l'économie qui pré-
valaient. Mais *quid* des prescriptions d'anxioly-

tiques, d'antidépresseurs, de calmants qui allaient monter en flèche ? *Quid* des maladies liées à la nervosité, au stress ? *Quid* de la violence, de la fatigue nerveuse, de l'usure ? *Quid* de l'obésité, quand pour se calmer les gens allaient se bouffer un Twix au lieu de tirer une taffe ? *Quid* du coût social que représentait une société gangrenée par la mauvaise humeur, l'agressivité, la frustration ? J'ai allumé une seconde cigarette. Les infirmiers avaient quitté les lieux. Aussitôt, deux aides-soignantes les ont remplacés. Elles ont à peine remarqué ma présence. La plus petite parlait de sa fille : elle ne trouvait pas de boulot, elle avait fait quatre ans d'études supérieures mais elle ne trouvait pas de boulot. Partout on lui disait c'est la crise, partout on lui proposait des stages non rémunérés ou des contrats pour deux heures par jour. Et par-dessus tout ça son copain s'était tiré. Un jour, il était rentré à la maison et lui avait simplement dit comme ça : « Voilà je me barre, j'ai rencontré quelqu'un. »

— Et tu sais pas qui c'était ? Sa conseillère au Pôle emploi. Elle ne lui a pas trouvé de boulot, de toute façon il n'y avait pas d'urgence vu qu'il avait encore six mois de droits, mais elle lui a mis le grappin dessus. Qu'il ait une compagne, au chômage elle aussi, ça n'a pas paru la gêner plus que ça. De toute façon les mecs sont tous pareils, ils pensent avec leur queue on y peut rien.

J'ai écrasé ma cigarette dans le cendrier.

— On disait pas ça pour vous, monsieur.

— Qu'est-ce que vous en savez ?

Elles ont ri d'un rire franc et ça m'a fait du bien de les entendre rire comme ça, avec leurs voix trahissant la nicotine et leurs beaux visages déjà mangés par les rides, froissés comme du papier entre les mains. Je les ai saluées. Je suis remonté dans les étages. Soudain je me suis rappelé pourquoi j'avais toujours préféré la compagnie des fumeuses.

Après l'hôpital, j'ai laissé mon père à la maison. Le matin je lui avais préparé son dîner. L'assiette était déjà dans le micro-ondes. J'avais même programmé le minuteur et dressé la table sur la toile cirée du salon. Il n'avait plus qu'à appuyer sur le bouton « on ».

— Ça ira ? ai-je lancé avant d'enfiler ma veste.

— Bien sûr, ça ira. Je ne t'ai pas attendu pour savoir me débrouiller seul ici. Je n'ai pas besoin que tu t'occupes de moi, tu sais. Heureusement d'ailleurs. Parce que vu le peu de fois où on t'a vu ces vingt dernières années, j'aurais été bien emmerdé. Je ne t'en fais pas le reproche. Je dis ça surtout pour ta mère. Elle aurait aimé que tu ne t'éloignes pas tant...

J'ai encaissé sans broncher. Face à ce genre de déclaration c'était ce qu'il y avait de mieux à faire. Je ne prétendais pas être un fils parfait mais enfin, toutes ces années je leur avais régulièrement téléphoné, j'étais passé une ou deux fois par an, pour Noël ou un anniversaire, il y a quelques années ils étaient même venus trois jours en Bretagne, et tout cela me coûtait toujours tant que j'avais du mal à accepter que ça n'ait pas encore été assez. J'étais bien conscient d'en faire moins que François. Mais quelque chose me disait que même dans le cas contraire j'aurais eu droit à des réflexions de ce type. Entre nous les rôles étaient distribués depuis si longtemps qu'ils étaient devenus immuables.

Je suis passé prendre Stéphane à la sortie du Simply, ainsi que nous en avions convenu le matin même. Je m'y étais rendu pour acheter de quoi nourrir mon père et il était de nouveau à la caisse, vêtu de son gilet rouge, aimable et souriant, ne rechignant pas à glisser un mot gentil aux petites vieilles qui traînaient leurs caddies. Nous nous sommes rendus chez lui à pied. Il habitait à deux pas du centre, un appartement au premier étage, au-dessus du fleuriste dont j'avais toujours entendu ma mère affirmer qu'il était le meilleur de la ville. Pour ce que je pouvais en juger, ce n'étaient pourtant que des bouquets sans grâce ni élan, trop fournis et chargés de couleurs criardes. Réunies ainsi les fleurs coupées semblaient mourir une seconde fois. Au moment d'ouvrir la porte, Stéphane m'a glissé : « Tu verras c'est pas un palace mais bon, c'est provisoire. Enfin j'espère. » Je ne m'attendais à rien de tel. L'appartement était désert.

— Marie est partie chercher les enfants chez ma belle-mère. Le mercredi, c'est elle qui s'occupe d'eux. Elles ne vont pas tarder.

Il m'a fait visiter. Le salon faisait office de chambre à coucher, le canapé-lit était déplié chaque soir, et l'unique autre pièce était occupée par deux lits jumeaux. Il a ouvert la fenêtre pour aérer, en s'excusant pour le bruit de la rue.

— C'est l'heure la pire. Retour du boulot. Tout le monde rentre au bercail. Au moins, vu où je bosse j'ai pas ce problème. Je m'épargne ça. Mais j'ai donné. Pendant un temps j'ai taffé à Paris, RER matin et soir. Mon père a fait ça toute sa vie. Presque trois heures par jour, entassé là-dedans avec son journal plié en huit. Et puis un jour on lui a dit *good-bye*. Un an et demi de chômage, une prime de départ pour faire le lien, et puis la vraie retraite. T'imagines. Ils préféraient encore le payer pour qu'il reste chez lui, tellement ils en avaient plus besoin. Il était commercial, tu sais. Après ils l'ont mis dans les bureaux, au siège, où il se faisait bien chier apparemment. Toute sa vie je l'ai entendu râler qu'il bougeait tout le temps, et quand on l'a mis dans un bureau il n'a pas supporté. Ça plus se faire virer, sans même pouvoir aller jusqu'au bout, je te jure que ça l'a miné, il a pris vingt ans d'un coup. Et maintenant il s'emmerde comme un rat mort dans son petit pavillon. Je lui dis profite, jardine, sors, regarde tous tes potes ils en ont tellement rêvé ils le vivent à fond ce moment, ils voient leurs petits-enfants, se baladent, écoutent de la musique, jardinent, boivent des coups tranquilles dans leur jardin, ils vont quelquefois au ciné, ils prennent du bon temps, mais y a rien qui l'intéresse. Même mes gamines je vois bien qu'il arrive pas à s'intéresser à elles pour de bon, à faire des trucs avec elles. Il dit : ils m'ont usé, ils m'ont jeté, je suis plus qu'un détritus. Ma mère l'a fait mettre sous médocs.

On est repassés au salon et Stéphane a ouvert deux bières, versé des chips dans un grand saladier, mis de la musique en fond sonore. Christophe

Maé avait l'air de mal se remettre d'une angine carabinée.

— Avant on louait une petite maison, à la Villa. C'était bien, c'était calme. Et puis Marie a perdu son boulot, sa boîte a fermé. On s'est dit c'est rien, on va se serrer un peu la ceinture, moi j'étais ambulancier, après le bac tu sais j'ai un peu merdé, on a tous un peu merdé faut dire, Martin, William, David, Magali, on s'est inscrit en fac mais c'était un bordel pas possible là-dedans, on pigeait que dalle, on foutait rien, on a changé deux fois de matière et puis on a tous arrêté les uns après les autres. David faisait semblant d'y aller parce que ses parents auraient pas supporté, tu vois son père bossait dans l'électronique, sa mère était médecin, dans leur esprit leur fils était forcément voué aux grandes études, ça a pris plus de deux ans avant qu'ils s'aperçoivent de quoi que ce soit. Je l'ai un peu perdu de vue. Aux dernières nouvelles il bossait dans un bureau à Vincennes. Un truc administratif. Moi j'ai un peu tout fait, du démarchage téléphonique, de la distribution de prospectus, j'ai vendu des chaussures de sport, j'ai bossé un peu chez Darty et puis finalement j'en ai eu ma claque, j'ai fait les démarches pour être ambulancier. Ça me semblait bien. Je me disais que c'était un boulot utile, que j'allais servir à autre chose qu'à vendre leurs merdes en m'entendant dire toute la journée que j'étais pas assez performant et que si j'améliorais pas mes résultats j'allais devoir laisser ma place parce qu'au Pôle emploi ils étaient des milliers à attendre que mon poste se libère, et pour la plupart plus qualifiés, diplômés et motivés que moi. Ça a duré dix ans tu sais. Dix ans. Marie travaillait, moi j'emmenais mes petits vieux à l'hôpital, aux centres d'analyses, aux scanners, ils m'aimaient bien je crois, tu sais comme je suis, toujours de bonne humeur, toujours la petite blague le petit sourire, j'ai pas à me forcer j'y peux rien je suis comme ça. J'avais aussi des gamins que j'emmenais tous les jours pour des soins, il y avait un petit autiste que j'aimais bien, Marius il s'appelait, il était passionné par l'espace t'aurais vu ça, il connaissait toutes les planètes, les constellations et tout le bordel. Enfin bref tout allait bien, on était bien dans notre petite maison avec le jardin pour les gosses, je leur avais mis une balançoire et une cabane en plastique, c'était le bonheur, on allait au ciné une fois par mois, le McDo et le Buffalo Grill le vendredi soir, les petites balades à vélo dans la forêt le week-end, c'était la belle vie vraiment et puis paf, Marie qui se retrouve au chômage, et moi dans la foulée.

— Qu'est-ce qui s'est passé ?

— Dépôt de bilan. Le patron piquait dans la caisse. Il siphonnait tout. Et tu sais pourquoi ? Pour les putes. Les putes, t'imagines. Il était accro. Pas les petites putes de la rue Saint-Denis, tu vois, non, les escorts comme ils disent, des putes comme celles à Ribery, il s'en tapait deux ou trois par semaine, au final ça fait un sacré magot tu peux me croire, surtout qu'il leur offrait des cadeaux, des bijoux, du parfum, des fourrures, des dessous de luxe. Je te dis pas le bordel quand tout a éclaté, on en a parlé dans tous les journaux, sa femme a demandé le divorce. La pauvre. T'imagines. Et nous on s'est retrouvés sur le carreau. Pourtant le type, je peux te dire, on n'aurait jamais cru ça. Vraiment réglo. Sympa. Tu sais à force on se connaissait bien, c'était pas un ami parce que tu sais comment c'est, un patron ça reste un patron, mais bon quand même... Enfin. On a dû lâcher la maison et venir ici. J'ai mis deux ans à retrouver un boulot. Heureusement Marie a pris ce job au centre commercial. Elle est serveuse au bar, tu sais, celui où on allait après le ciné. Sans ça, je ne sais pas comment on aurait fait. Mais là, tu vois, on tient le bon bout. On gagne pas lourd ni l'un ni l'autre mais ça va on s'en sort. Et puis les gamines sont super. Elles ne réclament jamais rien. Elles ne se plaignent jamais. Mais tu sais ça me fait mal au bide qu'on ait régressé comme ça. Je veux dire, normalement, ça se passe dans l'autre sens, non ? Tu galères au début et puis à quarante ans ça se pose un peu. Tu vois, à quarante ans, ne pas être foutu d'avoir une petite maison pour ma femme et mes filles, ne pas être foutu de les emmener en vacances, ça me fout vraiment les boules. Mon père, il veut même pas venir ici. Il dit c'est pas possible, j'ai commencé à bosser à seize ans et au même âge j'étais cent fois mieux loti que toi. Ça le fout en rogne. Contre moi. Pas faute de m'avoir prévenu, il dit toujours. C'est vrai. Qu'est-ce qu'il a pu m'emmerder avec ça. Les études. Les diplômes. Comme quoi sans ça on était foutu maintenant. Je te jure qu'avec le recul je me dis merde, qu'est-ce que j'ai branlé ? À quoi je pensais ? Putain j'aurais dû l'écouter. Je veux dire, avec maman ils se saignaient pour que mon frangin et moi on manque de rien, qu'on soit dans les meilleures conditions pour réussir, ils étaient prêts à nous payer la fac ou même une école, mon père refusait qu'on travaille pour se payer les études tellement il avait peur que ça nous handi-

159

cape par rapport aux autres, et nous, qu'est-ce qu'on a foutu ? On était là à se réunir dans son salon pendant qu'il bossait, à jouer à nos putains de jeux de rôles à la con en fumant des pétards du matin au soir... Tu sais il m'en veut, mais il a raison au fond.

— Qu'est-ce que tu veux ? À dix-huit ans on ne peut pas savoir. On ne peut savoir qu'on n'a qu'une chance.

— Ouais. Une seule chance. C'est ce qu'il me disait toujours. Et il avait raison. Je veux dire regarde Yann, encore il s'en est bien tiré, il bosse au Casto, mais les autres, Martin, William, David, ils ont vraiment galéré. Martin, à trente-cinq ans il était chez ses parents. Il a fini par se faire embaucher chez les flics. T'imagines ? Martin ? Martin le keupon ? Flic ? Il fait la circulation à la sortie de l'école. David il conduit un bus. Il fait le ramassage scolaire. Chauffeur si t'es champion, appuie, appuie. Chauffeur si t'es champion appuie sur le champignon. À longueur de journée il entend ça. Et William, tu devineras jamais : il est gardien à Fleury. Je peux te dire qu'il en chie. Non vraiment on a déconné sévère. Moins que Christophe mais quand même. Tu sais ce qui lui est arrivé à Christophe...

— Oui. Je sais.

— Bon, bien sûr tu vas me dire t'exagères, y en a aussi qui s'en sortent bien. Regarde Thomas. Mais Thomas c'est pas pareil. Je veux dire, Thomas c'était un petit bourge. Ça c'est sûr, à part Cyril qui est complètement parti en vrille, en gros, lui et tous ses potes, Nicolas, Gaël, Wassim, ils s'en sortent bien, ils sont tous cadres dans des grosses boîtes, ils se sont barrés à S. parce que c'est plus chic, ils ont la belle baraque dans la belle résidence avec les barrières et tout, la belle bagnole et tout le reste. Mais nous, je sais pas. Pourtant on n'a pas d'excuses. Je veux dire : on n'a pas grandi à la cité, avec des parents au chômage ou qui font des ménages et tout le bordel. Je veux dire, nos parents ont pas eu la vie facile, on leur a rien servi sur un plateau, ils ont trimé toute leur vie, mais la vérité c'est qu'on s'en sort moins bien qu'eux.

— C'est plus dur aussi.

— Je sais pas. Sûrement. C'est ce que ma mère dit toujours. Qu'aujourd'hui c'est l'enfer rien que pour trouver un boulot en CDI. Elle dit : faut regarder les choses en face, un boulot à plein temps en CDI aujourd'hui, c'est du luxe. Les gens sont prêts à tout pour ça.

La porte d'entrée s'est ouverte et j'ai vu apparaître Marie, affublée de deux gamines. Elles devaient avoir huit et dix ans, ou quelque chose comme ça. Stéphane s'est levé pour les embrasser puis il nous a présentés. Elles me regardaient d'un air méfiant. Marie m'a serré la main. C'était une femme petite et menue, aux beaux traits réguliers qu'encadraient des cheveux châtains coupés au carré. Ses grands yeux noisette qui lui mangeaient le visage lui donnaient un air inquiet d'animal apeuré.

— C'est Paul. Dont je t'ai parlé, l'autre jour. Tu sais, Paul, qui est devenu écrivain. Qui a écrit aussi le film qu'on a vu l'autre jour.

— Bonjour.

C'est tout ce qu'elle a dit. Elle semblait intimidée, ou gênée. Stéphane a repris sa voix enjouée.

— Ben alors, t'avais plein de questions à lui poser ?

— Oui. Mais... Je ne veux pas l'embêter. Et puis c'est des questions bêtes...

— Y a pas de questions bêtes, ai-je tenté.

Mais elle n'a rien répondu. Les gamines allaient et venaient dans la pièce, fouillaient alternativement leurs cartables et les placards. J'ai regardé l'heure. C'était celle du bain, des devoirs en retard, du repas à préparer. Je connaissais ça par cœur. J'aurais payé cher pour y être moi aussi, à cette heure où souvent les nerfs craquaient, ceux de Sarah ou les miens ça dépendait, quelque chose se tendait dans la maison, on s'ouvrait une bouteille pour tenir et on la vidait dans la foulée, après ça c'était foutu, j'étais un peu gris, un peu parti, Sarah finissait par tout prendre en charge pendant que je me noyais dans la musique, une cigarette à la bouche, Kurt Wagner chantait et la soirée se poursuivait dans le trouble, légèrement flottante, légèrement de travers, jusqu'à ce que les enfants s'endorment et que Sarah redescende, vidée et amère, me reprochant une fois de plus de m'abstraire, de la laisser seule face au coucher des enfants qui ne se contentaient jamais d'une seule histoire et d'un simple baiser sur le front, voulaient qu'on leur parle et qu'on les serre dans nos bras tandis que la nuit les engloutissait peu à peu. Je me suis levé et j'ai pris congé. Stéphane a insisté pour que je reste dîner mais j'ai décliné. « La prochaine fois », ai-je hasardé, avant de l'assurer de la joie que j'avais eue à le revoir. Au moment de quitter l'appartement j'ai vu le visage de Marie se détendre. Celui des filles aussi. Toutes les trois paraissaient soulagées que je m'en aille, pour reprendre le cours de leur vie à l'abri des regards indiscrets.

Quand je suis rentré, l'assiette était toujours dans le micro-ondes et mon père regardait les infos à la télé. Fukushima, la Libye, la Côte d'Ivoire, la Grèce. Partout l'apocalypse guettait. Et en France pas moins qu'ailleurs. La crise qui ne cessait de s'étendre, la Blonde, les affaires qui se multipliaient, l'obsession musulmane, l'Identité et la Nation, de vieux relents de Travail Famille Patrie. Quelque chose pourrissait peu à peu dans ce pays. Une lente décomposition. À côté de quoi les débuts du Président, la vulgarité de ses manières, l'épaisseur réactionnaire de ce qui lui tenait lieu de pensée, l'impunité avec laquelle il menait les affaires du pays au seul bénéfice des puissants, n'apparaissaient plus que comme des points de détails, une matière à débats, à interprétations. À présent tout n'était plus que squames, lambeaux. Tout le monde semblait à bout de nerfs. La dépression étendait son empire. J'ai repensé à Sarah, à ses haussements d'épaules, à sa manie d'éteindre la radio, de tenir toutes ces choses à distance, comme dans la chanson de Djian et Eicher qu'elle fredonnait souvent. Elle non plus, plus rien ne la surprenait sur la nature humaine. Elle aussi aurait voulu, enfin, si je le permettais, déjeuner en paix. J'ai composé le numéro de la maison. C'est Manon qui a décroché. Entendre sa voix m'a mis le cœur en pièces. Je l'ai écoutée retracer son emploi du temps du jour, l'après-midi avec les copines à la plage et son cours de théâtre, derrière elle Clément demandait à me parler, lui aussi voulait me raconter sa journée, soudain ils m'ont manqué comme jamais, j'ai eu envie de les tenir dans mes bras, de les serrer, de sentir leur peau leurs cheveux, de glisser des baisers dans le creux de leur cou. J'aurais tout donné pour rentrer à la maison, y reprendre ma place. J'ai pris Clément au bout du fil. Il m'a parlé pendant dix minutes d'un film de Miyazaki qu'il venait juste de découvrir. Derrière j'entendais Sarah qui le pressait de raccrocher, c'était l'heure de se coucher je n'avais qu'à appeler plus tôt, moi qui détestais que le téléphone sonne après dîner, qui détestais l'entendre sonner tout court c'était quand même un comble. Elle avait beau faire, elle avait beau parfois réagir comme la dernière des connes, j'avais juste envie d'être près d'elle et de sentir sa langue dans ma bouche. J'ai raccroché et aussitôt, sans même prendre le temps d'y réfléchir, sans même savoir ce que ça pouvait bien signifier, quel sens cela pouvait bien avoir, j'ai composé le numéro de Sophie. Je me suis excusé de l'appeler si tard. Elle n'a même pas paru étonnée de m'entendre après vingt ans d'un silence dont j'avais été le seul responsable. Elle avait croisé Stéphane la veille, il l'avait avertie de ma présence en ville, au fond elle s'y attendait presque. En tout cas elle était contente que je l'appelle. Nous n'avons pas parlé longtemps. Nous avons convenu de nous voir le lendemain. Elle ne travaillait pas et, cela tombait bien, son mari était en déplacement. Sur le coup, je n'ai pas prêté attention à cette précision. Je me suis contenté de noter son adresse, même si je l'avais déjà, et de lui souhaiter bonne nuit. Sa voix n'avait pas changé. La voix ne change jamais. Et c'était une chose étrange d'entendre ces intonations intactes, ce lexique éternel. Cela me ramenait en arrière sans filtre, mieux que des photos. Il n'en aurait pas fallu beaucoup plus pour que me revienne en mémoire ce qui, durant trois ans, avait fait battre mon cœur. Ces années passées dans son sillage à recueillir ses confidences, à respirer son parfum, à traquer ses sourires qu'elle n'accordait qu'à moi. Ainsi les Pages Jaunes ne mentaient pas. Si étonnant que cela puisse paraître, Sophie vivait bien ici. Et elle ne travaillait pas. Elle menait la vie qu'elle avait toujours déclaré ne jamais vouloir vivre : la maison, les enfants et l'image de sa mère errant sans but dans le pavillon et les rues du centre-ville, triste et désœuvrée, morose et bientôt prise dans les lacets d'une dépression molle que nourrissaient l'ennui, la répétition des jours et la laideur environnante. Elle avait finalement marché dans ses pas, emprunté le chemin qu'elle redoutait tant. Comme beaucoup d'entre nous. Un instant, j'ai repensé à notre conversation et je me suis demandé pourquoi elle avait pris la peine d'ajouter que son mari était absent. Sans me consulter, le sang dans mes veines a accéléré son trafic. J'ai repensé à la réflexion des deux aides-soignantes, le matin même à l'hôpital. Bien sûr, cela n'avait aucun sens. Je me faisais sans doute des idées. Tout était si loin maintenant.

Évidemment, le grand lit au cadre en bois en plein milieu du salon, jouxtant le buffet et la table ronde désormais collée à la télé, ça n'était pas du meilleur effet. Mais mon père ne voyait pas où était le problème. C'était pratique et c'était tout ce qui lui importait. Chez lui le pratique, le confort et la fiabilité l'emportaient toujours sur tout. Cela valait pour les vêtements, l'ameublement, l'aménagement de la maison, les voitures, les chaussures, le jardin, l'alimentation, la vie elle-même, sans doute. Bien sûr, les rares fois où il avait mis les pieds à la maison ça l'avait rendu à moitié dingue. Rien ne tenait tout à fait debout, aucun tiroir ne coulissait, rien n'avait de place vraiment définie, rien n'était réellement droit ni solide, tout branlait un peu. Quand il me le faisait remarquer je répétais toujours cette phrase, qui avait le don de le mettre hors de lui : ne jamais sacrifier l'esthétique au pratique. En toute chose. Au fond je crois qu'il ne comprenait pas vraiment de quoi je parlais. Le prix que j'accordais aux objets, le soin que je mettais à tamiser chaque pièce de lumières qui rendaient la lecture impossible, à meubler le salon de petits meubles chinés, charmants mais presque inutilisables, lui semblaient parfaitement superficiels. Mon refus obstiné d'abandonner le bois que rongeait le sel de mer pour cet ignoble PVC qui défigurait tout le voisinage, toute la côte même, sur l'autel du bon sens. La fortune que j'avais dépensée pour acquérir une maison de pierre où tout était de guingois alors qu'à trois encablures de là s'alignaient des pavillons flambant neufs, dotés de grandes baies vitrées arguait-il, ce qui me faisait bien rire : qu'il fasse l'éloge des baies vitrées alors qu'il vivait volets clos ne manquait pas de m'amuser. Je m'abstenais de lui avouer le prix de certaines babioles, une guirlande qui n'éclairait rien ici, un secrétaire qui menaçait de rompre chaque fois qu'on l'ouvrait ailleurs, un bureau aux tiroirs condamnés... Je n'insistais pas sur les arbitrages budgétaires qui m'avaient fait préférer les peintures de chaque pièce à la mise aux normes d'une électricité qui était loin de l'être, ou à la réfection d'une plomberie où tout fuyait ou menaçait de le faire dans les plus brefs délais. Je n'osais même pas lui avouer que j'avais fait le choix de démonter les doubles vitrages, au prétexte que je les trouvais laids avec leurs cadres en aluminium. Sans même parler de la cuisine. Avec l'argent que tu gagnes tu aurais quand même pu te faire aménager une cuisine équipée, disait-il. Ta mère en a toujours rêvé. Qu'on puisse rêver de ce genre de chose me laissait interdit mais c'était une conversation de plus que nous n'aurions jamais, chacun campant sur ses positions puisqu'elles étaient inconciliables et qu'elles procédaient de notions aussi floues et opaques que le mode de vie, les goûts, les valeurs et, quoi que j'en dise, l'appartenance sociale. Je m'étais salement embourgeoisé, je le voyais bien dans son regard. Et c'est à peine s'il souriait en voyant Sarah marcher sur les sentiers douaniers en chaussures de ville ou en sandales délicates, vêtue de robes imprimées et de vestes légères, refusant de sacrifier à l'uniforme Aigle ou Quechua de rigueur ici, quitte à se tordre les chevilles et à se laisser transpercer par le vent. Et c'est à peine s'il s'émouvait de voir Manon et Clément refuser de porter des chaussures de sport ou un survêtement même quand il s'agissait de jouer au rugby ou de faire du vélo. C'est à peine s'il réprimait un mouvement de rage en me voyant remplir mon caddie de victuailles sans examiner le prix du moindre article, ne pas consulter mes relevés de comptes, les vider à coups de livres et de disques, de bars et de restaurants, alors qu'il était si simple de se nourrir chez soi à moindres frais. Au fond, il fallait bien que je l'admette, nos dissensions sur ces sujets n'étaient pas tant un problème de choix personnel qu'une question de classe sociale, des goûts, du mode de vie et de pensée en découlant. J'avais beau avoir grandi dans un camp, j'avais beau me sentir toujours aussi mal à l'aise au milieu de la bourgeoisie intellectuelle qui peuplait majoritairement le milieu auquel je devais parfois me frotter par obligation professionnelle, j'étais passé de l'autre côté. En dépit de tout ce que je pouvais en dire ou écrire, je n'étais plus d'ici. Et puisqu'il semblait acquis que je ne serais jamais non plus d'ailleurs, j'étais désormais condamné à errer au milieu de nulle part.

Quand tout a été bien en place, j'ai senti mon dos sur le point de me trahir. Avec le temps, j'avais appris à l'écouter et il me sommait de lui accorder un répit. Je le connaissais bien : il n'était pas du genre à plaisanter. Ses menaces étaient toujours suivies d'exécutions qui me laissaient alité et perclus de douleurs, incapable d'effectuer le moindre geste sans souffrir le martyre. Je me suis étendu sur le lit. Chacune de mes vertèbres semblait vouloir me rappeler son existence. Autour de moi, tout était plus sombre encore que d'ordinaire, comme si les meubles avaient absorbé leur part de lumière. J'ai eu la sensation qu'on allait me couvrir le corps de terre ou de sable. Sur le matelas étaient disposées les dix boîtes à chaussures que j'avais trouvées sous le sommier au moment de démonter le cadre et les pieds du lit. Dix boîtes à chaussures sans la moindre trace de poussière et dont l'usure révélait une consultation régulière et encore récente. J'ai ouvert la première et mes parents avaient vingt-cinq ans, déjà dix ans de travail dans les pattes, qui pouvait imaginer ça ? Pas d'enfants encore : ils nous avaient eus sur le tard, avaient voulu « en profiter au maximum », disait souvent ma mère, comme s'il fallait se justifier. Bien sûr, cette façon de voir cadrait mal avec leur milieu d'origine. Autour d'eux ça avait dû jaser. Même si mon père m'assurait que sa propre mère les avait encouragés dans cette voie, n'avait cessé d'enjoindre à chacun de ses sept enfants de faire preuve de modération en matière de reproduction de l'espèce, sept enfants ce n'était vraiment pas une vie, surtout quand il avait fallu les élever avec le seul salaire de leur père employé municipal de la ville de Maisons-Alfort, d'abord cantonnier puis chauffeur de camion-poubelle, et enfin superviseur à la décharge. Chaque fois que j'allais déposer à la déchetterie des branchages, des tas d'herbe coupée, des tiges jaunies de fleurs fauchées, je pensais à lui en voyant les types me guider depuis leur guérite. Je pensais à lui même si je ne l'avais jamais connu, même s'il était mort bien avant ma naissance. Sur les clichés, mon père apparaissait le plus souvent une cigarette aux lèvres, les cheveux coiffés en arrière, affublé d'un tee-shirt sans manches ou d'une chemise à carreaux, portant parfois la moustache, parfois la barbe, parfois ni l'un ni l'autre. Quant à ma mère, c'était un défilé de robes ajustées aux motifs pimpants, de coiffures à géométrie variable, de colorations passant d'année en année du roux au brun foncé, *via* toutes les nuances de blond possibles. J'avoue n'avoir jamais su quelle était sa couleur naturelle. La seule fois où je l'avais interrogée sur le sujet, consultant ces mêmes photos vingt ans plus tôt, elle m'avait répondu : « Maintenant, ma couleur naturelle, c'est le gris. » Et, contemplant ces images, m'étonnaient la fantaisie qui en émanait, dans les poses ou les variations de l'apparence, la joie aussi, la légèreté, grands sourires éclatants au volant de la Dyane, aux quatre coins de la France avec leur tente de camping, les rivières lisses et percées de lumière de l'Ardèche, les vignes rousses du Beaujolais, la plage Napoléon au pied des falaises de Plouha, ma mère se baignant dans la mer calme, immergée jusqu'aux hanches elle portait une robe verte qu'elle n'avait pas pris la peine de relever. Sur de nombreux clichés on voyait mon père juché sur son vélo de course, cuissard et maillot Peugeot blanc et noir, depuis mon arrivée il n'avait pas sorti une seule fois sa machine, pour ses soixante ans mon frère et moi lui avions offert un engin léger comme une plume, équipé dernier cri, qu'il entretenait avec un soin maniaque. En faisant un tour dans la cave la veille encore, je l'avais vu et il était comme neuf, mon père était arrivé dans mon dos et comme toujours m'avait dit : « Pas question que tu y touches, je sais pas ce que tu fais de tes vélos, mais dès que t'en prends un je le retrouve déréglé avec une roue voilée, c'est comme tes godasses t'as jamais été foutu d'en garder une paire plus de six mois… » Je n'avais rien répliqué. Tout cela était parfaitement vrai. Sans doute n'étais-je pas assez soigneux. Tout ce que j'utilisais se dégradait sur-le-champ. À peine achetée une veste sur mes épaules paraissait vieille de dix ans. Pendant une période, j'avais fini par me convaincre que la faute en revenait à la piètre qualité des vêtements que je portais, et j'avais résolu, moi qui n'avais jamais eu aucun goût pour ce genre de chose, de me calquer sur les choix d'Alex, qu'entre amis nous surnommions « l'homme le plus classe du monde », et qui présentait une ressemblance, aussi bien physique que morale, troublante, avec Don Draper, le héros de la série *Mad Men*. Cela dura quelques mois mais je dus me rendre à l'évidence : lorsque nous nous présentions ensemble à telle ou telle occasion et vêtus en jumeaux, personne n'aurait pu soupçonner que nous nous fournissions dans les mêmes boutiques. Je semblais être vêtu de guenilles, quand tout le monde le complimentait sur sa tenue, lui demandait où il avait bien pu dénicher cette veste qui lui seyait si bien, alors que je portais la même exactement et que la mienne était neuve, tandis que la sienne datait de plusieurs années déjà. La conclusion était sans appel, l'habit ne faisait pas l'homme, la classe ne s'achetait pas en magasin. J'avais vite repris mes habitudes et retrouvé mes chemises à carreaux et mes jeans qui encore neufs paraissaient déjà vieux, repassés semblaient froissés, parfaitement propres avaient l'air déjà sales.

Les photos ont continué à défiler sous mes yeux. Me frappait de ne leur y trouver aucun ami, ni à mon père ni à ma mère, tous les visages qu'on y croisait étaient ceux de mes oncles et tantes, Serge en tête, qui sur tous les clichés embrassait la sœur de mon père, la serrait dans ses bras, la couvait d'un regard dévorant où perçaient une lumière étrange, un éclat animal, une vitalité pleine de nerf et de tension. J'ai ouvert la deuxième boîte et mon frère est apparu, petite chose langée de blanc à la sortie de la maternité, en pyjama orange sur fond du papier peint à fleurs qui tapissait l'appartement des Bosquets, juché sur un cheval de bois les cheveux longs comme ceux d'une fille, dans les bras de mon père ou de ma mère, de ses grands-parents, de ses oncles de ses tantes, centaines de photos un peu jaunies, de Polaroid portant les stigmates de l'époque. Plus je regardais ces photos et plus la contradiction m'apparaissait flagrante. Entre cette débauche de clichés et les visages de mes parents, où s'était figé un masque plus sérieux, soucieux, plus dur aussi. Depuis l'arrivée de mon frère ils ne semblaient plus tout à fait les mêmes, quelque chose en eux s'était fermé, avait vieilli d'un coup. Un instant j'ai songé au peu de mots tendres, de gestes d'affection, de paroles aimantes qu'ils nous avaient prodigués durant l'enfance, j'avais beau ne me souvenir de rien jusqu'à mes dix ans je le savais par mon frère qui m'avait confirmé cette impression chaque fois que je l'avais interrogé à ce sujet. Je le savais aussi pour avoir vécu auprès d'eux par la suite. J'ai songé à tout cela, regardant ces centaines de clichés rangés dans des boîtes à chaussures qui avaient l'air de dire exactement le contraire : nous avions été le centre de leur vie, à tel point que j'en venais parfois à me demander ce qu'ils étaient devenus depuis que nous avions quitté la maison, si quelque chose s'était effondré en eux, si tout n'avait pas perdu son sens, c'était idiot de penser à une telle chose je le savais bien, les enfants n'imaginent pas que leurs parents ont une vie propre, en dehors d'eux, c'est vrai à huit ans et ça l'est toujours à quarante, que peuvent-ils devenir sans nous cette question nous traverse tous, même une fois devenus parents. Bien sûr c'était une autre époque, où la tendresse et l'amour déclaré n'étaient pas de mise, surtout dans ces milieux, et il m'arrivait même de trouver émouvants cette pudeur datée, cette retenue, ces mots empêchés, ces gestes manqués, cette froideur que démentaient les photos éparpillées sur le lit. J'ai ouvert la troisième boîte à chaussures et c'étaient des photos pareilles, des photos de moi qui disaient qu'en dépit de mon absence de souvenirs une enfance première avait bien eu lieu, qu'elle s'était déroulée entre mes parents et mon frère, mon frère que jamais je ne quittais d'un millimètre sur ces images et qui toujours posait sur moi un regard bienveillant, aimant. J'imagine combien visionner tout ça devait bouleverser ma mère : elle qui n'avait jamais encaissé qu'entre lui et moi se soit creusé le fossé banal que la vie forait parfois entre les frères et sœurs devenus adultes, quand la somme des choix effectués finissait par bâtir des êtres et des vies aux antipodes, si différents que, se croisant dans une soirée sans se connaître, nous n'aurions eu aucune envie de nous adresser la parole et nous serions mutuellement tenus pour des cons méprisables.

Au milieu des dizaines de photos que mon père avait prises de moi enfant, de ces dizaines de photos que j'avais regardées tant de fois, jusqu'à en connaître le moindre millimètre carré, comme si les fixer aurait pu me faire recouvrer la mémoire, ouvrir une brèche par où se seraient déversés les souvenirs qui me manquaient, figuraient quatre Polaroid que je découvrais pour la première fois. On y voyait un nourrisson chétif et fripé, au teint violacé, photographié à travers les parois de verre d'une couveuse. Bien sûr ce n'était pas moi, qui suis né robuste, ma mère me l'a assez raconté, combien de fois l'avais-je entendue énoncer ma taille et mon poids de naissance devant des tiers interdits ? J'ai posé ces clichés sur le matelas, les ai regardés un moment. J'avais beau me creuser la tête, je ne me rappelais pas les avoir déjà vus. Je les ai retournés, essayant d'y lire une date. N'était indiquée que l'année, qui était aussi celle de ma naissance. J'ai consulté les autres photos contenues dans la boîte. On n'y voyait guère que mon frère et moi, et puis mes parents aux traits désormais tirés, nimbés d'une tristesse diffuse, comme usés prématurément. Les cheveux de mon père grisonnaient déjà et leur chute dégarnissait un peu son front, s'attaquant d'abord aux tempes, à la manière de Georges Brassens, ma mère avait pris un peu de poids mais il m'est apparu soudain qu'autre chose la lestait, l'épaississait. Les années à la chaîne, même si à ce moment déjà elle était passée du côté des bureaux. La fatigue d'avoir à élever deux enfants. La fin de l'insouciance. Les soucis d'argent quand ils avaient quitté la cité pour s'acheter ce pavillon qu'ils mettraient trente ans à rembourser, qui était à eux maintenant et valait plusieurs dizaines de milliers d'euros, qu'ils allaient devoir abandonner pour un faux deux-pièces en L, un rez-de-chaussée donnant sur les écureuils. Rien de bien spécifique au fond, juste la légèreté et la grâce qui quittaient les visages de chacun dès trente ans, et contre quoi personne ne pouvait rien. Parcourant nos albums photos trouverait-on ce même affaissement, cette pesanteur nouvelle, aux alentours de la naissance de Manon, puis de Clément ? me suis-je demandé. Il me semblait que non. Que cette période avait été au contraire plus légère, plus joyeuse, plus vivante qu'aucune autre. En devenant père j'avais cessé de me battre contre moi-même, la tristesse m'avait quitté, quelque chose s'était apaisé, la Maladie s'était terrée dans un coin, réémergeant parfois mais ne prenant jamais ses aises, vite résorbée par la vitalité des enfants, leurs rires et leur tendresse, leur allant, leur gaieté, vite lavée par ces paysages où j'avais choisi de vivre, il suffisait que le ciel s'ouvre et se déploie par-dessus les eaux émeraude tachées de gris à l'endroit des récifs immergés, bordées de sable doré et lissées en miroir, pour que se déploient dans mes poumons des espaces insoupçonnés, des étendues limpides, des horizons neufs et refaits. Tout ça n'était sans doute qu'une impression, un leurre. Après tout Sarah avait mis un terme à notre vie commune, brisé la cellule à travers laquelle j'avais cru une fois de plus tout remettre à zéro, tout réinventer, à travers laquelle je pensais avoir fait peau neuve, comme si vraiment c'était possible, comme si vraiment l'on pouvait s'affranchir, se laisser derrière soi et tout reprendre à zéro.

De nouveau j'ai contemplé ce nourrisson dans sa couveuse. J'ai repensé à Manon dont la naissance fut un miracle, aux premiers jours où nous en avions été réduits à toucher sa petite main à travers les ouvertures aménagées dans le plexiglas, j'essayais de rassurer Sarah mais bien sûr c'était sans effet, elle travaillait dans un service du même type à l'autre bout de la ville, qui était mieux placé qu'elle pour savoir quel danger nous encourions, mesurer la gravité de la situation ? Soudain mon père est entré dans la pièce, se signalant par une quinte de toux, comme s'excusant d'aller et de venir comme bon lui semblait au premier étage de sa propre maison.

— Tiens, tu tombes bien, lui ai-je lancé. J'ai trouvé ça au milieu des photos de ma naissance, c'est qui ?

Je lui ai tendu les clichés. Il a fait mine de les regarder un moment avant de me les rendre, le visage dur et fermé comme toujours, impénétrable.

— Ça doit être un de tes cousins.

Je lui ai montré la date au dos du cliché, il l'a regardée à son tour, en fronçant les sourcils, comme quelqu'un qui essaie de réunir des informations éparses, des souvenirs enfouis. Puis il a fini par lâcher que ce devait être Sébastien, mon cousin Sébastien, nous étions nés la même année.

— En tout cas ce n'est pas toi. Toi tu es né en pleine forme. Un bon gros gars de quatre kilos.

Mais qu'est-ce que tu fous avec ces photos ? Ça t'intéresse maintenant, le passé ?

Il a quitté la pièce sans attendre de réponse, et j'ai entendu ses pas craquer dans l'escalier qui menait à sa chambre sans lit désormais. Un instant j'ai pensé à Sébastien. Mon cousin. Le fils du chef des ventes dans une boîte d'extincteurs. Depuis combien de temps ne l'avais-je pas vu ? Vingt-cinq ans au moins. Avant même mon entrée au lycée j'avais décrété que les réunions de famille c'était fini pour moi. Je m'étais aligné sur mon frère même s'il était plus âgé. C'était là le privilège des cadets : on bénéficiait des mêmes faveurs trois ans plus tôt. Qu'était-il devenu ? Quelle vie menait-il ? Avait-il des enfants ? Sans doute. Ils en avaient tous. Mais combien ? Et avec qui vivait-il ? Était-il toujours représentant chez Epson France ? Chaque fois que je l'avais au téléphone ma mère ne manquait jamais d'évoquer mes cousins, mes cousines. Elle me tenait au courant de leurs vies, des naissances, des problèmes que rencontraient les uns et les autres mais je n'écoutais que d'une oreille, à force ils se confondaient tous, et je ne savais plus vraiment qui était devenu témoin de Jéhovah, qui bossait dans un restaurant, qui venait d'acheter un pavillon à Brétigny, qui avait perdu son emploi chez Total, qui était chef de chantier pour Bouygues, gardien de parking à Étampes, magasinier aux entrepôts Décathlon de Sainte-Geneviève-des-Bois, qui avait deux filles et un fils ou le contraire, un gamin dyslexique un autre hyperactif une fille boulimique un fils précoce un contrôle fiscal des dettes un bungalow en Bretagne un cancer du sein une hanche foutue des mauvaises notes des ennuis avec la drogue une femme dépressive un mari coureur, toutes leurs histoires se confondaient et formaient une mosaïque partielle et biaisée, tant il était d'usage que ma mère ne me parle d'eux que pour m'en faire partager les problèmes. La vie comme elle va, avec ses petites joies, ses instants de grâce, ses jours insouciants, était naturellement exclue du tableau au profit des petits drames que chacun pouvait connaître et dont je ne manquais jamais de me repaître pour nourrir mes propres livres, comme si au fond les événements m'intéressaient plus que ceux qui les traversaient, ne me touchaient que dans la mesure où je pouvais les utiliser dans mon travail, au service de personnages qui m'importaient plus que les vivants eux-mêmes. J'ai refermé la boîte, me suis allongé et j'ai fermé les yeux. Dans un demi-sommeil j'ai entendu mon père m'annoncer qu'il partait pour l'hôpital. J'irais à mon tour dans une heure ou deux. Même si ma présence là-bas ne servait à rien. Au moment de m'accueillir maman semblait heureuse de me voir, ses yeux se mouillaient même un peu, elle m'embrassait en me serrant le bras, cherchant à établir un contact que nous n'avions jamais connu avant ça, puis je m'asseyais près d'elle et c'était tout, elle se plaignait de la douleur, des repas, des infirmières, des médecins, feuilletait les *Télé Loisirs*, *Femme actuelle* et autres revues de ce type que lui prenait mon père au kiosque situé au rez-de-chaussée, près de la cafétéria où je descendais le plus souvent possible, buvant des cafés jusqu'à la nausée, laissant traîner mes oreilles au milieu des visiteurs et des malades trimballant leurs perfusions sur des genres de portemanteaux en inox. De temps à autre surgissaient des couples portant un cosy où dormait un nouveau-né, mais la plupart du temps c'étaient des gens munis de grandes enveloppes contenant des radios, des gens de tous âges en fauteuil ou en pyjama qui s'aventuraient au-delà des portes d'entrée pour saisir un rayon de soleil et s'en griller une. À force certains visages devenaient familiers et nous nous saluions comme des vieilles connaissances. L'hôpital avait ceci de particulier que tous ceux qui s'y croisaient avaient quelque chose en commun : qu'il s'agisse d'eux-mêmes ou d'un proche il fallait lutter, guérir, se soigner, et si la nature et l'issue du combat n'étaient pas les mêmes il fallait tout de même faire front contre la douleur et la déveine, la vieillesse ou les périls qui menaçaient un petit être venant de naître. Tout le monde s'encourageait. Tout le monde se souhaitait bonne chance. C'était à la fois plein de chaleur et totalement déprimant. Je regardais s'écouler les minutes en ayant hâte que ça se termine, remontais dans la chambre en priant pour que mon père se lève, enfile sa veste, dépose un baiser sur le front de ma mère et lui dise à demain.

Le RER filait vers Paris. La plupart des passagers somnolaient penchés en avant, la tête si lourde qu'on aurait dit qu'elle allait finir par se détacher et rouler dans les travées comme une boule de bowling. Par la vitre défilaient les paysages familiers de la ligne D : la casse automobile, les bords de Seine, la station d'épuration, les entrepôts, les immeubles, les cités de brique rouge où avait grandi mon père, les tours réunies en buissons hérissés, les chinoiseries de Chinagora. C'était nulle part mais c'était chez eux pour tant de gens. Ça l'avait été pour moi durant tellement d'années. C'était nulle part mais c'était un peu partout, à la fois dedans et autour. Puis un tunnel nous a engloutis et nous nous sommes enfoncés vers le centre. Je n'avais rien à y faire. J'ai marché comme un fantôme dans des rues où j'avais vécu, mais qui ne gardaient rien de moi, de nous. Où étions-nous passés ? Où étaient mes amis ? La plupart avaient fui la ville. Cécile et Pierre vivaient à Londres désormais, Jean, Raphaëlle et leurs trois enfants dans le nord de la France, Stéphanie à New York. Je n'avais plus de nouvelles de Tristan depuis cinq ans, sans que je sache au juste ce qui me valait ce silence soudain, même si je le voyais comme un juste retour des choses, une correction, une manière qu'avait le destin de me faire ressentir ce que ça pouvait faire le silence subit, la rupture pure et simple, la place nette. J'avais fait ça tant de fois. Il fallait bien que ça m'arrive un jour. Sans doute étais-je devenu trop encombrant. Sans doute en partant pour Los Angeles avait-il eu comme moi avant lui l'impression de faire peau neuve. Sans doute étais-je tout ce qui le reliait à son ancienne vie et était-ce encore trop, il fallait trancher. Pourtant nous avions été proches comme deux frères, toutes ces années. Alex et Lorette vivaient encore à Paris mais ils y étouffaient comme tout le monde, passaient leur vie à chercher un peu d'air à la surface, le temps d'un bref congé, d'une semaine de vacances. J'avais appelé Alex de la gare de Juvisy, il était à Marseille pour le boulot, quant à Lorette elle avait pris une semaine de congé, était partie se mettre au vert avec dix manuscrits sous le bras. Olivier était parti écrire en Normandie, là où était son vrai chez-lui, disait-il, où il finirait par habiter un jour, longues plages de sable blême bordées d'eaux argent. Antoine était en reportage à Dakar. Quant à sa compagne, Anaïs, eh bien elle était la sœur de Sarah, et notre séparation ne simplifiait rien, ni avec elle ni avec les autres. Tout ce beau monde était absent, du reste la plupart du temps je ne les voyais pas à Paris mais en Bretagne, dès les premiers beaux jours ils débarquaient par vagues, au gré des week-ends, des vacances scolaires. Chaque année aux alentours du mois de mars je rendais mon tablier de romancier et enfilais celui du parfait maître de maison. Je préparais les chambres, partais au marché aux premières heures, cuisinais pour huit, douze ou quinze, me transformais en guide touristique ou en gentil organisateur, choisissant avec le plus grand soin la plage où se reposer, en fonction des marées, du vent, de la fréquentation. Puis l'automne s'abattait et nous laissait seuls dans notre maison de pierre aux volets lilas. Depuis notre séparation les choses s'étaient compliquées. Certains avaient pris le parti de loger tout de même à la maison. Nous nous retrouvions sur la plage ou au restaurant puis chacun repartait chez soi. Parfois la tiédeur du soir nous réunissait aux abords de La Goélette, le temps de s'enfiler quelques whiskies dans la nuit réduite à la rumeur maritime, tandis que leurs enfants dormaient fenêtres ouvertes et draps rejetés à leurs pieds. D'autres faisaient le choix de l'hôtel, dans une sorte de neutralité suisse qui ne plaisait ni à Manon ni à Clément : depuis toujours ils avaient pris l'habitude de voir notre maison si studieuse en hiver se muer dès le printemps en gîte de vacances, les uns venant les autres allant, les gamins courant par nuées de la plage au jardin puis du jardin aux chambres, piétinant les pivoines et les lys, balançant leurs ballons dans les camélias et les roses trémières, tandis que dans le salon jouait la musique de la chaîne, quand ce n'était pas une guitare au pied du grand cèdre. Cette vie n'existait plus elle non plus, elle aussi avait été engloutie, comme ces villes entières du nord de Honshu au Japon.

Paris grouillait mais Paris était désert. Un instant l'idée de passer à la maison d'édition m'a traversé l'esprit, mais il était déjà tard, les bureaux étaient fermés ou sur le point de l'être, et je n'étais pas en mesure de dire à tous ces gens ce qu'ils espéraient entendre : je n'avais pas écrit une ligne depuis des lustres, n'avais pas la moindre idée de roman à laquelle m'atteler, n'en avais même pas la plus petite envie, et encore moins l'énergie. J'avais écrit mes meilleurs livres dans la lumière de nos années les plus heureuses, puisant en elles la force et le souffle qu'il fallait. Maintenant qu'elles étaient derrière moi je me sentais comme un asthmatique à qui l'on demanderait de courir un marathon sans Ventoline. Je suis descendu au métro Courcelles et j'ai traversé le parc Monceau. Où étions-nous passés ? Qui avait effacé nos traces au pied des grands arbres, des statues, le long du bassin, allongés sur les pelouses impeccables ? Nous avions vécu à quelques mètres de là, rue Daru, au sixième étage sans ascenseur d'un immeuble bourgeois, chambres de bonne distribuées le long d'un couloir, minuscules et sans toilettes qu'il fallait partager sur le palier. Nos voisins étaient tous plus fous et inquiétants les uns que les autres. Le Serbe qui effectuait divers travaux de plomberie et d'électricité pour la communauté orthodoxe du quartier, et ses bouteilles qu'il trimballait partout avec lui, chutant dans les escaliers et les dévalant sur le cul quand il rentrait complètement ivre, vers quatre ou cinq heures du matin, sa chambre aux murs intégralement recouverts de photos porno, munie d'un lit de camp, de deux Butagaz et d'un carton en guise de table de nuit. L'Espagnole qui hurlait en pleine nuit, écoutait du flamenco à plein volume, bloquait les toilettes pendant des heures entières, se croyait fermement surveillée par le couple Chirac, affirmait détenir des informations essentielles sur leurs relations avec les extraterrestres, ce qui expliquait que chaque matin elle trouve sa boîte aux lettres vidée des courriers qu'on lui adressait, sa chambre étouffante aux rideaux de velours tirés, sentant l'ail et l'eau de Cologne, le lit couvert d'un édredon de velours rouge, la table et la commode croulant sous les napperons, les murs couverts de babioles comme on en trouve à Lourdes, Christ phosphorescent, pape à paillettes, Vierges électriques, sa bouche édentée et ses hurlements quand parfois le Serbe venait gratter à sa porte, quémander un baiser et plus, et toujours elle finissait par lui ouvrir et les cris qu'ils poussaient alors nous foutaient tellement les jetons qu'on finissait par sortir. Sur le palier on croisait le serveur du restaurant russe, en peignoir de satin bordeaux ouvert sur son torse blanc et son caleçon trop lâche où manquait un bouton, laissant immanquablement entrevoir un morceau de son énorme bite, une couille ou une touffe de poils. Bouteille de vodka à la main il attendait ses « chéries », ainsi qu'il les nommait, et nous les croisions dans l'escalier, pâles et maigres, vêtues de fausses fourrures et de bas résilles, maquillées comme les putes qu'elles étaient. Nous filions vers le parc et ses parterres de fleurs, ses étendues lisses, ses statues, des livres dans les poches, une bouteille de vin et des verres dans le sac à dos, ou bien nous nous laissions happer par les rues, nous tenant la main et guettant les affiches au front des cinémas, flânant dans les rayons des librairies, traversant Paris de part en part, sans autre but que celui de marcher ensemble en parlant pendant des heures.

Nous avions tant à nous dire, j'avais tant à rattraper, une vie entière croyais-je, j'avais tellement tout gardé en moi, j'avais tellement vécu verrouillé à l'intérieur de moi-même, j'attendais que quelqu'un me délivre, j'attendais qu'on m'offre un abri, un regard, un visage comme un refuge. Que restait-il de nous, de ces années lumineuses et pauvres, osseuses et éclatantes, comme une deuxième naissance ? Ces deux chiens perdus sans collier, pareils à deux héros modianesques, dérivant dans la ville blonde, se serrant dans la nuit allumée sous le regard penché d'un Christ d'or, où étaient-ils ? Où perdait-on leur trace ? Où était passée Sarah ? Je me souvenais d'elle sur notre lit de fortune, son visage heureux dans le vacarme de la pluie crépitant sur le zinc. C'était avant ces années sombres et chaotiques, avant que la Maladie ne me rattrape. Je croyais pourtant l'avoir semée, planqué au cœur de la ville immense, protégé par Sarah qui me tenait dans son regard. J'avais rechuté sans que jamais elle s'en aille, sans que jamais elle flanche, sans que jamais sa main se retire de la mienne. Même quand tout tanguait dans l'appartement de la rue Myrha, les murs pas droits et jaunis, les tomettes au sol et ces placards troués dans les murs où je m'enfermais. Les amis qui défilaient et la musique à fond jusqu'aux petites heures, les bouteilles qu'on vidait et celles que je rouvrais dès le matin, les heures que je passais à dériver dans la ville tandis qu'elle travaillait, les nerfs à vif, prêt à craquer, la mort tournant en boucle dans mon crâne, une idée fixe et ce geste que je faisais parfois en pleine rue de me tirer une balle avec un pistolet imaginaire que formait ma main, vingt fois, cent fois par jour ce geste de me tirer une balle pour échapper à la douleur, cette morsure qui jamais ne desserrait les dents, absurde et sans cause, une Maladie m'avait dit le médecin, vous n'y pouvez rien c'est une Maladie, une autre forme de cette Maladie qui vous a fait vouloir mourir à dix ans, qui vous a fait cesser de vous alimenter quelques années plus tard, tentant de vous effacer en quelque sorte, de vous perdre de vue et de vous noyer dans l'air, une Maladie dont Sarah vous a sauvé pendant un moment mais qui s'était juste tapie, vaincue par la force de cet amour si puissant ne riez pas, vous le savez comme moi, tout le monde sourit tout le monde se moque tout le monde se drape de cynisme mais ce n'est pas parce qu'un tel amour n'existe pas, c'est parce qu'il n'est accessible qu'à très peu de gens ici-bas, vous savez c'est cette vieille image, les deux faces d'une même pièce, les deux moitiés d'un même corps d'un même visage, quelque chose de gémellaire, son autre, son semblable, perdu quelque part dans le monde et qu'il faudrait retrouver, ne riez pas ne me croyez pas sentimental ou fleur bleue, de toute façon la Maladie s'en fout de tout ça, elle s'est tapie un moment a repris des forces et voilà elle ressurgit et vous cloue et il faut faire le dos rond attendre que ça passe, ne pas lui donner à manger, ne pas la nourrir, l'alcool la nourrit vous savez, vous croyez qu'il l'abat l'assomme mais il la nourrit la renforce, et ces marches sans but dans les rues de Barbès de Château-d'Eau de Château-Rouge de Belleville, ce flux de passants, ces langues mélangées cette foule incompréhensible dans laquelle vous croyez la noyer ne font que l'aiguiser, vous devriez partir à la mer, chez certains ça marche, mieux que les médicaments, vous verriez ça, les bords de mer sont comme des hôpitaux, on y croise des légions de convalescents, de gens fuyant la douleur c'est fou, j'avais souri à l'époque mais il avait raison, les villes de bord de mer étaient des hôpitaux à ciel ouvert. Tout ce temps, Sarah avait tenu bon. M'avait tenu à la surface. À bout de bras. Il me semblait alors que rien ne pourrait jamais nous briser. Ni la Maladie, ni la folie, ni l'adversité. Il me semblait aussi qu'à l'inverse, rien entre nous ne survivrait à la moindre éraflure, la moindre usure, la moindre mollesse. À peine ensemble nous le savions déjà : nous nous aimions trop pour nous résoudre un jour à seulement nous aimer bien. Nous avions tenu plus de vingt ans. Ce n'était pas rien. Ce n'était déjà pas si mal. Vingt ans et Sarah était usée, comme à retardement. Les années de douleur l'avaient usée. Manon était venue et de nouveau la Maladie s'était tapie dans son trou, comme groggy, K-O debout devant cette vie nouvelle. Nous avions changé d'appartement, j'avais cessé de travailler et nous vivions désormais dans ces rues que j'empruntais maintenant, aux confins de Montmartre aux lisières de Barbès. Où étions-nous passés tous les trois, les soirées les week-ends les vacances à déambuler dans ces rues, faufilant notre poussette entre les chaises des cafés bondés, couvrant nos chaussures de poussière dans les squares où Manon dévalait des toboggans ? Où étions-nous elle et moi tandis que Sarah était à l'hôpital, ces journées dont rien ne saurait dire la tendresse joueuse, la complicité heureuse, solaire ? Manon avait toujours été cette enfant aux grands yeux bleus écarquillés, pleine d'allant et de fantaisie, si légère que je doutais parfois qu'elle fût ma fille, moi qui avais tant de mal à me mouvoir dans ce monde, à lui faire confiance, moi qui étais si lourd et emprunté, comme emmuré vivant. Non, nous n'étions plus dans ces rues, elles vivaient sans nous et n'avaient plus rien à me dire. Nous les avions quittées pour les finistères quand j'avais senti la Maladie reprendre des forces. Depuis des années déjà nous ne faisions plus que fuir, trouvant refuge en Bretagne pour quelques jours, dans les calanques orange de l'Esterel quand la lumière devenait trop grise et sale à Paris. Des bordures encore et toujours, quand ce n'étaient pas des îles, Groix, Houat, Belle-Île, bouts de terre perdus au milieu des eaux mouvantes où je me sentais enfin à ma juste place. Détaché, décentré, ultramarin. Sarah avait fini par obtenir sa mutation et nous avions tout laissé derrière nous. J'avais enfoui ma folie sous des tonnes d'eau salée, de sable, d'algues de fougères et de genêts. Clément était né quelques mois plus tard, infiniment tendre et plein de vie, la dévorant comme si les journées n'étaient jamais assez longues, jamais assez remplies, comme s'il lui en fallait toujours plus. Plus de joie, de musique, de sable, d'amis allant et venant, de jeux, de danses de dingues, de combats sur le lit, de parties de foot, de vagues où nous noyer pour de faux, de baisers. J'ai dévié vers la place Franz-Liszt, descendu la rue d'Hauteville. J'en voulais tellement à Sarah. Comment avait-elle pu mettre tout ça en pièces, cette vie rêvée qui tenait la Maladie en respect, cette vie qui me semblait définitive ? Je suis passé devant les bureaux où j'avais travaillé jusqu'à ce que mes droits d'auteur me permettent de ne plus me consacrer qu'à l'écriture et je m'en voulais de n'avoir su nous garder de l'usure, des entailles, des éraflures que le temps s'était chargé d'élargir, jusqu'à creuser un gouffre dont je n'avais pas eu la moindre idée avant qu'il ne nous engloutisse. J'ai laissé dans mon dos ces bureaux où tout avait été effacé. Les bureaux où j'avais travaillé, où nous nous étions rencontrés Alex, Lorette et moi, avaient été remplacés par des appartements. La boîte avait fermé depuis longtemps. Près de la porte d'entrée un rectangle plus sombre signalait une plaque ancienne. J'ai traversé les grands boulevards, continué jusqu'à la Seine, je l'ai longée jusqu'à Saint-Michel, et j'ai repris le RER en sens inverse. Ce n'est qu'au niveau de Choisy-le-Roi que j'ai réalisé que le type en face de moi qui souriait depuis dix minutes en secouant la tête avait longtemps été mon meilleur ami. Qu'est-ce que la vie cherchait à me dire ainsi ? Que cherchait-elle en effaçant ainsi tout ce qui s'était noué au centre, en vidant Paris et ses rues de nos souvenirs ? Que cherchait-elle en me ramenant sans cesse à V. ? Aux dix-huit premières années de ma vie ?

Je ne sais pas lequel de nous deux fut le plus surpris de se retrouver face à l'autre. Je sais seulement que dans le sourire et le regard d'Éric passait de la colère. Il m'en voulait et comment aurait-il pu en être autrement ? Après toutes ces années à ne pas nous quitter d'une semelle, alors qu'il avait opté pour les sciences sociales à Évry et que je gagnais une fac parisienne pour y étudier les lettres, décision qui avait laissé mon père à la fois fier et inquiet, fier parce qu'il y avait dans ce choix quelque chose d'affranchi, d'absolu, une manière de ne pas se résoudre à l'économique, à l'efficace, à l'utilitaire, quelque chose comme une croyance en la connaissance, la réflexion, l'intelligence et la beauté qui m'éloignait d'emblée de mes origines ouvrières, chose que sans le dire il souhaitait plus que tout au monde, inquiet parce qu'il ne voyait pas où cela pouvait bien me mener, aurait préféré un diplôme qui me garantisse un travail, une situation stable, des revenus confortables. Après toutes ces années sans se perdre et alors que je rencontrais Sarah et qu'avec l'argent des petits boulots que nous avions pris l'un et l'autre pour payer nos études, ne pas en faire porter le poids à nos parents et être un peu libres, nous avions loué cette chambre sous les toits. Après toutes ces années je n'avais soudain plus donné signe de vie, et pas même quand deux ans après notre dernière conversation téléphonique il m'avait laissé un message pour m'annoncer qu'il se mariait et m'invitait à la fête. Je n'avais même pas daigné répondre ni lui adresser la moindre carte, le moindre présent, le moindre signe. Évidemment qu'il m'en voulait de l'avoir rayé d'un trait de silence, comme j'avais cru rayer toute ma vie passée, l'enfance et l'adolescence, V., la maison des parents, les copains, la cité des Bosquets, mon absence congénitale et mes manies de disparaître à tout bout de champ, mon effacement progressif, mes allures de fantôme, sac d'os vêtu de noir errant dans le parc du lycée, écouteurs vissés aux oreilles où jouaient indéfiniment les *Variations Goldberg* qu'interprétait Glenn Gould, volumes de poésie usés dépassant de la poche arrière de mon jean. Il ne servait à rien de présenter des excuses ni de fournir la moindre explication, j'avais disparu voilà tout, et je réapparaissais, méconnaissable sans doute, avec mes cent kilos, ma barbe, mes lunettes noires, mes cheveux trop longs, mes chemises à carreaux, mes dents refaites, parce que dix ans après m'être remis à manger elles étaient tombées une à une, ma cheville fixe qui me faisait boiter un peu, mon couple en lambeaux, mes enfants dont le manque me laissait incomplet et soumis au retour imminent de la douleur, mes dix romans publiés, mes scénarios portés à l'écran, ma vie de bord de mer, de vacancier permanent, j'avais disparu avant de déserter tout à fait, le travail, la famille, la patrie, j'avais tout laissé derrière moi et je m'étais planqué là où était ma place, tout au bord, en lisière. Les dix minutes qui nous séparaient de Juvisy nous ont suffi à savoir l'un de l'autre l'essentiel. Il avait deux enfants, s'était marié avec Cendrine, oui, cette Cendrine-là, celle des boums chez Yann, celle qui était sortie avec lui puis avec Stéphane puis avec Thomas, puis de nouveau avec lui des années plus tard, après deux ans de fac il avait intégré l'école d'infirmiers et il bossait en milieu psychiatrique. Qu'est-ce que la vie cherchait à me dire ? Pourquoi le monde faisait-il mine de n'être qu'un immense hôpital jouxtant un centre commercial ? J'avais déserté mais tous ceux auprès de qui j'avais grandi travaillaient dans l'un ou l'autre de ces domaines. Le monde semblait réduit à cette alternative : soit l'on vendait soit l'on soignait, soit l'on consommait soit l'on se retrouvait entre les mains des médecins.

Nous sommes descendus à Juvisy. Comme il allait prendre le bus, j'ai proposé de le raccompagner en voiture. Ça faisait un détour mais je lui devais bien ça, non ? Ma plaisanterie ne l'a pas fait sourire. Je lui devais bien plus, bien plus que cela. Toutes ces années il m'avait aspiré dans son sillage. J'avais bénéficié non seulement de son écoute, de sa patience, de sa compagnie, mais aussi de sa capacité à nouer des relations avec les autres, de sa façon d'être si pleinement dans la vie et si plein de charme, si vif et enjoué, si attentif et si présent. Il était tout ce que je n'étais pas. Nous liait notre passion pour le monde comme il allait, la politique, la société, mais nos manières différaient. Je restais en retrait, ne me connectais qu'à travers les livres, les journaux, demeurais un observateur presque extérieur, quand lui plongeait corps et âme au milieu de l'arène, menait le groupe, prenait la parole au sein des associations lycéennes, Devaquet au piquet, Touche pas à mon pote, la mort de Malik Oussekine. Au fond, je me demande si sans lui je n'aurais pas été plus radicalement isolé encore. Stéphane, Yann, Fabrice, David, Christophe, William et les autres, il me semble aujourd'hui qu'ils m'acceptaient parce que j'étais dans son sillage, parce qu'il n'allait jamais nulle part sans m'y emmener, même si je restais dans mon coin, même si je ne décrochais pas un mot, même si je disparaissais en cours de route. Notre amitié m'avait sauvé de la solitude absolue qui me guettait. Toutes ces années il m'avait offert un peu de son aisance, de son charme qui avaient rejailli sur moi. Au fond il en était toujours allé ainsi. Au collège Éric m'avait tendu la main et je l'avais suivi sans jamais la lâcher. Puis au lycée Sophie avait un peu pris le relais. À l'université c'était Tristan qui m'avait trouvé au fin fond d'un amphithéâtre à griffonner mes poèmes et m'avait emmené avec lui, fait entrer dans sa vie de grands immeubles bourgeois et de propriétés surplombant la Vézère, les champs de noyers et les châtaigneraies, son grand-père résistant et ses lectures de hussard, son goût pour les vieilles décapotables et la campagne éternelle, sa légèreté et son élégance, son souci de ne jamais peser, de ne jamais s'appesantir, son peu d'attrait pour l'épanchement et l'affliction, ses sourires de clown triste et sa passion pour Sagan. Au bureau ce fut Alex, qui savait bien que je n'étais là qu'en apparence ; penché sur mon ordinateur je bâclais mes rapports sur la politique culturelle de telle ou telle collectivité pour rédiger des romans dont il lisait avec bienveillance les manuscrits, quand bien même il était le directeur adjoint d'une boîte que je contribuais largement à faire couler, mécontentant les clients par mon manque de diplomatie et mon je-m'en-foutisme intello qu'on qualifiait d'arrogance, quand ils n'étaient constitués que de gêne, de sentiment d'imposture et de complexe de classe, vidant les caisses de l'entreprise depuis que le patron, un chauve à lunettes doté d'un cheveu sur la langue, ancien soixante-huitard occitan qui avait fini directeur d'un office de tourisme dans le Sud, inconscient de qui se trouvait en face de lui m'avait confié la gestion des achats de fournitures, dont le plus gros avait consisté sous mon règne en commandes de bouteilles de rhum, de whisky et de plaquettes de chocolat en tout genre, empêchant littéralement quiconque de travailler à force de blagues foireuses, de parties de tennis avec raquettes en plastique et boulettes de papier, d'apéritifs dès quinze heures, de musique au plus haut volume possible, de lecture à voix haute des plus mauvais romans que nous recevions chaque matin au titre du service de presse, de commentaires sans fin sur la presse dont la matinée ne suffisait pas à absorber la lecture, et de multiples provocations potaches et enfantines à l'endroit d'Alex, toujours impeccable, sérieux, diplomate, charmeur, professionnel, travailleur, que je tentais à tout prix de dérider, recevant le moindre plissement de ses paupières, la moindre inflexion de sa bouche comme une aumône, cherchant son attention comme un gamin affamé d'amitié, laissant au vestiaire mon invisibilité proverbiale pour une excentricité qu'aiguisait l'alcool, qu'attisaient la douleur et la folie qui montaient en moi, qu'autorisait mon statut d'écrivain en devenir, arguant du postulat houellebecquien selon lequel un poète mort n'écrivait plus, que pour écrire il fallait au moins rester vivant, coûte que coûte, et que pour rester vivant il fallait bien se nourrir et pour cela ne pas hésiter à parasiter la sphère productive. En guise de sphère productive je m'étais attaqué à une agence où l'on réfléchissait du matin au soir à la culture et aux moyens de la porter vers le public le plus large possible, c'était loin d'être l'usine, d'autant que les problématiques liées à la démocratisation culturelle m'intéressaient au plus haut point, mais j'avais dû me rendre à l'évidence, Tristan me le serinait à longueur de journée mais je faisais mine de ne pas l'entendre, travailler me rendait malade, me rongeait de l'intérieur. M'enfermer dans un bureau, me placer sous une autorité quelconque, avoir des horaires, des comptes à rendre, des tâches à exécuter, des clients à satisfaire, à ménager et à séduire, me rongeait de l'intérieur, laissait ressurgir la Maladie. J'avais beau boire et me bourrer de médicaments, j'avais beau refuser cette idée par égard pour mes parents, mes oncles, mes tantes, par respect pour le monde dont j'étais issu, monde du labeur, de la sueur véritable, monde où l'on ne se plaignait jamais, ni des tâches ingrates ni des salaires de misère ni des patrons ni des horaires ni des heures passées dans les transports, monde où l'on bossait avec sérieux et abnégation et où l'on fermait sa gueule en attendant les week-ends les vacances la retraite, dont on ne faisait rien parce que la fatigue était là, je n'étais pas fait pour le travail. Écrire ces mots encore aujourd'hui me dégoûte et m'indigne. Et les autres ? me disais-je. Tu crois que les autres sont faits pour le travail ? Oui, répondait inlassablement Tristan, et je voyais alors poindre en lui cette arrogance de fils de bourgeois grandi dans le seizième arrondissement qui m'agaçait parfois, que tempéraient son caractère iconoclaste, ses raisonnements tortueux, sa sensibilité à fleur de peau, poétique et perchée. Oui, beaucoup le sont et pas toi, toi tu es fait pour autre chose, comme moi. Tu es fait pour déserter, habiter poétiquement le monde et en rendre compte. Je l'écoutais et je songeais à mon père. Qu'aurait-il pensé de toutes ces conneries ? Qu'aurait-il pensé en me voyant me plaindre d'un travail si confortable et intellectuellement passionnant ? Qu'aurait-il pensé en me voyant ne rien branler de la journée au bureau, foutre le souk, partir quand bon me semblait au prétexte d'un rendez-vous que je passais allongé sur un banc du square Montholon à boire du whisky ?

Éric m'a proposé de monter boire un verre. Sans doute était-ce plus par politesse que par envie, là-haut sa femme et ses enfants devaient être sur le point de dormir, ou déjà au lit peut-être. Il m'a rassuré, exceptionnellement elles n'étaient pas là, les filles dormaient chez des copines et Cendrine était en déplacement, un de ces stages d'entreprise débiles qu'elle détestait, avec jeux de rôles et simulation, soirées collectives pour ressouder les troupes, interventions de spécialistes en management et autres joyeusetés du même tonneau.

— C'est dommage, ai-je tenté. Ça m'aurait fait plaisir de la revoir.

Il a haussé les épaules, sans que je puisse interpréter la signification de son geste, et je l'ai suivi jusqu'au sixième étage d'un immeuble moderne dominant la Seine. L'appartement était entièrement blanc et le sol en parquet flottant, des tableaux Ikea décoraient les murs éclairés par divers halogènes. De larges baies vitrées s'ouvraient sur le fleuve et les voitures en contre-bas, la voie ferrée se dessinait un peu à l'écart, partiellement camouflée par des blocs d'immeubles grisâtres. Les meubles étaient remplis de DVD. M'est revenu en mémoire le temps que nous passions à visionner les VHS qu'Éric louait au club vidéo du centre-ville. Nous consommions au kilomètre les blockbusters de l'époque. Je n'ai pas pu m'empêcher d'évoquer ce jour où je l'avais traîné voir le dernier Kusturica puis un film de Ken Loach, c'était la fête du cinéma, une place achetée toutes les autres gratuites, pour une fois tu choisis avait-il dit et pour une fois oui j'avais osé, osé entrer dans une salle pour visionner autre chose qu'un Spielberg ou un film avec Tom Hanks.

Habituellement nous n'y allions que par groupes de six ou sept, et ce n'était même pas la peine d'imaginer voir autre chose. Alors pour une fois j'avais osé. Chaque dimanche soir, je veillais tard pour regarder les films du *Cinéma de minuit*, les cycles Truffaut, Godard, Louis Malle, Pialat, Rohmer, Eustache, Kurozawa, Ozu, Rossellini, Ford, Fassbinder et les autres. Je n'en parlais à personne. Pas plus que des cassettes que j'écoutais alors, Manset Ferré Brel Dylan Cohen Barbara Lou Reed le Velvet ou les Smiths. Du plus loin qu'il m'en souvienne j'avais toujours écouté la musique en cachette. À dix ans déjà quand la maison était vide j'écoutais les disques de mon père. Des chansons qui n'étaient pas de mon âge. Avec le recul, je m'étonne de cette manière que j'avais de m'identifier jusqu'aux larmes à des chanteurs qui traitaient de problèmes d'adultes. J'écoutais *Le Petit Garçon* de Reggiani et c'était bien au père que je m'identifiais, seul avec son fils dans la maison froide, tentant en vain de recouvrir le gouffre laissé par l'absence de la mère. J'écoutais Brel et moi non plus je n'avais jamais tué de chat, j'écoutais Ferrat et moi aussi je me demandais que serais-je sans toi, sinon cette heure arrêtée au cadran de la montre. Et comme Dassin, elle et moi on s'était aimés comme on se quitte, sans jamais penser à demain qui venait toujours un peu trop vite.

En sortant de la salle, Éric m'avait regardé un peu interrogatif. « Vraiment t'as aimé ça ? » m'avait-il demandé. J'avais répondu par l'affirmative et il avait conclu que décidément j'étais un gars très bizarre, avant de m'entraîner dans un McDo où je l'avais regardé manger, au bord de vomir. Puis il avait repris les choses en main, et nous avions vu un film de Luc Besson dont je venais de repérer la cassette au milieu des rayonnages.

— T'aimes toujours autant le cinéma ?

— Ben ouais. Mais bon, pas le même que toi. Quand je rentre du boulot, j'ai besoin de me détendre. Je sais que tu dois trouver ça vulgaire, mais c'est comme ça, tout le monde n'a pas envie de passer sa vie à se prendre la tête. Et puis je peux te dire qu'au boulot j'ai ma dose. Ouais j'ai ma dose de douleur de folie de détresse. Tu sais, moi, le monde, j'ai pas besoin de lire des romans, de regarder des films pour savoir à quoi il ressemble. Moi, le monde, j'ai les deux pieds dedans, et je peux te dire qu'il a bien l'odeur de merde que tu décris dans tes bouquins. Seulement, toi tu écris ça tranquille les pieds dans le sable, sans mettre les mains dans le cambouis, sans te les salir même, ah je t'imagine bien sur ton transat avec ta clope et ton ordinateur à gloser sur les malheurs du monde, la violence de notre société, la dure vie des laissés-pour-compte, des fragiles, des sans-grade. Je te vois bien faire ta pause en allant nager un coup au bout de ta rue qui s'échoue dans la mer comme je t'ai entendu le dire l'autre matin chez Pascale Clark. Oh tu sais faut pas croire, j'en connais un rayon sur toi. Évidemment si tu n'étais pas qui tu es je ne saurais rien, je ne saurais même pas que tu existes, je lis presque rien et puis franchement c'est toujours pareil, quand on tape ton nom dans Google on voit bien que dans ton milieu on te connaît un peu, mais dès qu'on en sort tu sais, dès qu'on retourne dans la vraie vie chez les vrais gens ton nom ne dit rien à personne. De toute façon les écrivains personne les connaît, à part l'autre avec ses chapeaux et celui qui ressemble à une vieille tortue malade, tout le monde s'en tape. Enfin moi j'ai suivi tout ça par curiosité, pour savoir ce que tu devenais. J'ai lu une bonne partie de tes bouquins, j'ai reconnu plein de trucs, bien sûr t'en rajoutes, t'en fais des caisses, tu inventes, tu refais tout à ta sauce mais bon c'est la règle... Souvent je tape ton nom sur l'ordi et je lis tes interviews, tous ces trucs que tu racontes sur l'endroit d'où tu viens, ton côté écrivain social en prise avec la réalité du monde, ça me fait un peu marrer, vraiment ça me fait marrer. Je me dis putain ce mec il a jamais vraiment bossé, il a jamais mis les pieds là où ça se passe et il serait en prise avec la réalité de ce monde. En prise avec la réalité de ce monde, moi je vais te dire, j'y suis. Sacrément en prise, même. Et pour le coup j'en prends ma part, la douleur je ne me contente pas de la décrire, moi, je me la prends. Et j'essaie de la soulager comme je peux. En tout cas je m'y confronte à longueur d'année. Moi les gens broyés je sais ce que c'est. Toi tu en as juste l'intuition et je ne nie pas, il y a pas mal de tes intuitions qui sont justes, et je comprends qu'on puisse lire ça, mais bon, tu restes le cul dans ton fauteuil et point barre. Vous êtes tous pareils toi et tes potes de Saint-Germain-des-Prés.

— Quels potes ? l'ai-je interrompu, mais ça ne servait à rien, j'imaginais très bien la manière dont il pouvait me voir, la vie qu'il pouvait me prêter et ça n'avait aucune importance.

Je voyais bien qu'il m'en voulait, je voyais bien qu'il était en colère contre moi et cette colère n'avait sans doute rien à voir avec ce que j'écrivais ni avec la manière dont je vivais et dont il ne savait rien au fond. Il était trop intelligent pour croire savoir quelque chose de moi à travers les quatre interviews et les trois portraits qu'il avait lus de moi dans la presse. Moi-même quand il m'arrivait de les lire je ne reconnaissais rien de ma vie ni de moi. La plupart des journalistes venaient à ma rencontre avec une idée déjà figée de qui j'étais et de ce que j'avais à dire, peu importe ce qui se nouait pendant nos conversations, ce temps que je leur concédais, au final l'article était exactement celui qu'ils avaient en tête avant de me rencontrer et dessinait un portrait auquel j'avais fini par adhérer, tant il me protégeait de toute intrusion véritable : un ours, retranché dans sa maison balayée par les vents, passant le plus clair de son temps à marcher solitaire et pénétré sur les sentiers douaniers, sauvage et bourru, un type pas commode, grandi dans un milieu modeste, poussé dans le béton des banlieues tristes jusqu'à son départ pour les finistères, rustre en apparence mais tendre sous l'écorce, cachant sous ses airs bretons et sa carrure de rugbyman à la retraite une sensibilité extrême... Tout ça était un pur tissu de conneries que j'alimentais à la demande, comme la plupart des écrivains et des artistes qu'on prétendait peindre en les croisant pendant une ou deux heures. Non, il était en colère contre moi parce que toutes ces années, au collège, au lycée, il m'avait porté à bout de bras et je l'avais laissé tomber dès que Sarah avait fait irruption dans ma vie. Je l'avais abandonné sans gratitude, alors que ma dette envers lui était immense. Comment aurais-je pu le lui reprocher ? Après ça, Éric a fouillé les placards de la cuisine pour me trouver un fond de whisky. Lui ne buvait pas ou presque. Ils avaient juste quelques bouteilles pour leurs invités. Même si des invités ils n'en recevaient pas beaucoup. Le soir et le week-end il était tellement claqué qu'il avait juste envie d'être tranquille avec Cendrine et les filles. Le samedi de toute façon il fallait faire tout ce qu'on n'avait pas le temps d'expédier pendant la semaine, les papiers les courses l'entretien de la maison, une sieste un DVD, un petit tour en forêt le dimanche matin, un ciné en fin d'après-midi et c'était déjà lundi matin. La conversation a dévié sur les enfants. Ils avaient eu un mal fou à en avoir. Il se rappelait les années passées à tout tenter comme d'un cauchemar. Les cliniques, les piqûres hors de prix et chaque mois la déception qui semblait déchirer Cendrine, la ronger peu à peu. Et puis le miracle avait fini par avoir lieu au moment même où ils envisageaient d'abandonner, parce que ce n'était plus possible, parce que la vie ne tournait plus qu'autour de cela, une vie sous assistance médicale et rongée d'angoisse et d'espoirs déçus. Cendrine avait failli devenir dingue, une terre sèche et stérile, incapable de donner la vie c'était comme ça qu'elle se voyait, et cette perspective la plongeait dans des abîmes glacés que lui-même entrevoyait certains jours, mais certains jours seulement, tant il lui paraissait possible d'envisager une vie sans enfants. Bien sûr il aurait préféré en avoir, mais tout de même, ça lui semblait possible tandis qu'à elle, non.

— Ça foutait le bordel entre nous, ça aussi. Je la voyais dépérir, s'enfoncer dans la dépression et je me disais, quoi, merde, c'est d'envisager de passer sa vie juste avec moi qui l'angoisse à ce point. C'est si horrible que ça ? À un moment on s'engueulait tous les soirs, on s'envoyait des saloperies. Elle m'en voulait de ne pas être aussi tenaillé par l'envie d'être père qu'elle d'être mère. Moi je me disais il y a plein de choses à faire dans le monde, plein de gens dont il faut s'occuper, et elle m'en voulait de ça et ça me foutait sur les nerfs alors je lui disais de toute façon c'est toi qui peux pas en avoir, pas moi, merde, si quelqu'un doit en vouloir à l'autre c'est plutôt moi, non ? Enfin, tu vois. Tous ces trucs affreux qu'on balance quand on est colère contre personne et contre tout le monde, contre la vie qui est mal foutue. Et puis un jour, hop, elle est tombée enceinte. Et Justine est née. Et là. Rien ne s'est passé comme prévu. Je veux dire, on en avait tellement bavé, ça aurait dû être le bonheur total. Mais non. Cendrine n'y arrivait pas. Cette gosse qu'elle avait tant attendue, tant désirée, je ne sais pas, c'est comme si elle ne parvenait pas à faire le lien, comme si elle ne la reconnaissait pas, tout était compliqué. La nourrir, la changer, l'endormir, répondre à ses besoins, comprendre pourquoi elle pleurait. Évidemment je me chargeais de tout ça, je m'en serais chargé de toute manière, je me disais il n'y a pas de raison que ce soit elle plus que moi qui fasse tout ça, elle lui apporte autre chose, autrement, je me disais ça sauf que c'était faux. Jamais elle ne la prenait dans ses bras, jamais elle ne la câlinait, jamais elle ne lui parlait. Elle passait des heures enfermée dans la chambre à chialer. À se pourrir. À répéter qu'elle était nulle, incapable, inapte de A à Z. Elle a fini par se faire aider. Dans un centre spécialisé dans ce genre de chose que le patron de mon service m'avait recommandé. Ça a été long mais ça a marché. Petit à petit elle a appris. Et puis Clara est arrivée. Comme ça. Parce qu'on a fait l'amour. Ça faisait des mois qu'on le faisait plus. D'après les médecins c'était impossible. Cliniquement impossible. Et puis si. Clara. Notre petit miracle. Avec elle, tout a été facile. Tu les verrais. Elles sont grandes maintenant, toutes les deux. L'aînée a douze ans, Clara en a neuf. Elles font de la danse, la grande fait aussi de l'athlétisme, la petite vient de se mettre au violon, je sais pas d'où ça lui est venu, on écoute jamais de violon. Je te dis pas comme on en bave, ça fait des crin-crins atroces. Mais c'est bien. On est bien. Le plus dur est derrière. Tous les quatre on est comme les doigts de la main. C'est vrai que Cendrine est un peu dure avec Justine parfois. Je veux dire. Plus exigeante. Des fois je me dis qu'elle ne peut pas s'empêcher de lui en vouloir pour ce qu'elle lui a fait subir. Des fois je me dis que c'est le cas pour tous les aînés. C'était le cas pour moi. Au début les parents ont plein de principes, de règles, pour les repas, le sommeil, l'éducation, et puis pour ceux d'après on lâche un peu la bride. J'imagine que t'as connu ça.

— Oui. Plus ou moins. Enfin chez nous on a jamais desserré grand-chose. Tu te souviens, à la maison, c'était pas la grosse rigolade. Alors voilà, j'essaie de ne pas reproduire. On en est tous là. Reproduire. Ne pas reproduire.

Il s'est levé pour changer de disque. Par les vitres on ne voyait plus que des masses noires et des points de lumière. La Seine brillait, épaisse et satinée.

— J'aime bien la vue d'ici, la nuit. Le jour moins.

— T'as jamais pensé à vivre ailleurs ?

— Non. Comme ça dans l'abstrait, je ne dis pas, mais non. Tu sais mes parents sont toujours ici. Et ils sont plus tout jeunes. Faudra bien qu'on soit là quand ils auront besoin qu'on s'occupe d'eux. Et Cendrine c'est pareil. Et puis on ne veut pas les priver de leurs petits-enfants. Ils nous aident bien d'ailleurs.

— Ta mère s'est remise avec quelqu'un ?

— Non. Jamais. Elle l'a toujours aimé. Même après qu'il s'est barré. Je vois bien comment elle le regarde quand elle le croise. À une époque je le voyais avec cette fille de quinze ans plus jeune que lui, je me disais ça lui passera, il reviendra avec maman mais ça ne s'est jamais produit. Par contre, au bout de deux trois ans avec la nouvelle il s'en est trouvé une autre, et ainsi de suite. Il a soixante-dix balais et il trouve encore le moyen de séduire des femmes de cinquante-cinq, soixante ans et de vivre avec elles des aventures, comme il dit. Il est comme ça. Enfin, je ne sais pas pourquoi je te raconte ma vie comme ça. Surtout que ça va finir dans un de tes livres.

Il ne se marrait qu'à moitié, me fixait d'un air suspicieux et moqueur. J'ai haussé les épaules. Je ne lui ai pas répondu qu'il me racontait sa vie parce que c'était ce que les gens faisaient en général, sans que j'aie jamais compris pourquoi. De temps en temps, je me disais que c'était parce qu'en me confiant leurs histoires les gens se figuraient qu'ils allaient justement entrer dans un livre, un film, mais ce n'était pas ça, les gens me racontaient leurs vies même quand ils ignoraient que j'écrivais des bouquins. Ça arrivait tout le temps, n'importe où. Éric s'est levé et m'a dit qu'il

n'allait pas tarder à se coucher, demain il commençait tôt et la journée avait été dure.

— Tu devrais venir un de ces jours. Passer
quelques jours dans mon service.

— Pourquoi ? Tu penses que je suis dingue ?

— Mais non, je veux dire, tu devrais venir voir.
Rencontrer des patients, des médecins. Écrire là-
dessus. Là au moins ce serait vraiment utile.

— Parce que c'est pas utile d'écrire sur les gens
qui sont dehors ?

— Je sais pas. Moins, en tout cas.

J'ai pris bonne note de ses conseils et je suis
sorti dans la nuit calme, à peine troublée par la
rumeur ferroviaire, le défilé des voitures le long
des berges. Nous n'avons pas joué la comédie.
Nous ne nous sommes pas promis de nous revoir.
Nous avions été trop proches pour imaginer
renouer après vingt ans d'un silence aussi radical.

Quand je suis rentré, comme chaque soir, mon
père dormait devant le téléviseur allumé. Dans le
micro-ondes, le plat thaïlandais que j'avais acheté
chez Picard était intact. Sur la table du salon traînaient les quatre photos de mon cousin dans sa
couveuse, au milieu des restes d'un dîner composé
d'une tranche de jambon et d'un paquet de chips.
Je les ai regardées de nouveau. Le nourrisson était
vraiment minuscule, son visage entièrement couvert d'un masque et des tubes fixés à ses poignets
par du scotch. J'avais chez moi la même photo
exactement. Celle de Manon à la naissance. Elle
était bien moins chétive mais pareillement reliée
à la vie par un respirateur et nourrie par une intra-
veineuse où l'on déversait des doses massives
d'antibiotiques. D'avoir failli la perdre à la naissance n'était pas étranger à la nature fusionnelle

de notre relation, notre amour immodéré, notre tendresse assoiffée, qui nous faisait à longueur de journée nous répéter combien nous nous aimions, combien nous étions précieux l'un pour l'autre. Au vrai j'avais tellement peur pour elle tout le temps, la savoir triste ou déçue ou insatisfaite me déchirait au-delà du raisonnable. La voir malade me rendait physiquement patraque, et il m'était impossible d'imaginer qu'un jour elle serait en proie aux tourments de l'adolescence, qu'elle souffrirait d'être mal aimée ou de ne pas l'être, qu'elle connaîtrait ces gouffres que je fréquentais depuis toujours, et contre lesquels j'essayais en vain de me prémunir, je m'en rendais compte à présent, depuis une douzaine d'années je n'avais fait que ça, fuir la douleur et la dépression, tenter de la semer en m'éloignant, tenter de la noyer dans l'eau de mer, tenter de l'ensevelir sous des tonnes d'amour et l'obligation de tenir et d'être debout que vous intimait le fait d'être père. Qu'elle puisse un jour vouloir mourir, comme j'avais tant de fois voulu mourir depuis l'année de mes dix ans, m'était proprement intolérable. Et je préférais ne pas penser au moment où elle quitterait le domicile pour voler de ses propres ailes. Et je préférais ne pas penser au mal que nous lui avions fait en nous séparant sa mère et moi. Si j'avais pu remonter le cours du temps et faire ce qu'il fallait pour éviter ça, quel qu'en soit le prix, je l'aurais fait. Non pas pour retrouver le sens que Sarah donnait à ma vie, non pas pour la resserrer dans mes bras, non pas pour renouer avec ces années où dans sa présence, dans son sillage je savais toujours ce qu'il fallait faire, ce que je faisais là, où dès qu'elle s'éloignait plus rien ne se tenait, les jours perdaient leur forme et leur consistance, et le monde redevenait cet endroit froid et inhabitable dont j'avais voulu m'effacer durant toute mon adolescence, non pas pour moi mais bien pour Manon, et pour Clément aussi bien sûr, même si d'une manière inexplicable j'avais toujours eu moins peur pour lui que pour sa sœur, pas parce qu'il était un garçon mais parce que je le sentais moins friable, moins accessible à la mélancolie, moins anxieux, moins soucieux de ne jamais décevoir, moins inquiet de chaque mot, chaque geste. J'aurais tout donné pour reprendre les choses au bon endroit et épargner à mes enfants la souffrance que je leur infligeais en ayant été infoutu de garder leur mère auprès de moi, ou plutôt de me garder auprès d'elle, de la ménager un peu, de ne pas tant me reposer sur elle, qui gouvernait chacun de nos jours, qui savait toujours quoi faire en n'importe quelle circonstance, sans qui nous n'aurions rien connu de cette vie, sans qui je me serais effacé, sans qui je n'aurais jamais mis tant d'énergie à me sauver par l'écriture, sans qui nous n'aurions jamais quitté Paris qui m'engloutissait, sans qui nous n'aurions jamais gagné ces terres qui me lavaient, me rédimaient, sans qui je n'aurais gardé aucun ami auprès de moi, sans qui nous n'aurions jamais posé nos valises au Japon, sans qui nous n'aurions jamais rien fait puisque sans elle j'étais tout juste bon à m'enfermer dans un placard, tremblant d'une peur indéchiffrable, rongé par un mal que rien n'étouffait, ni l'alcool ni les médicaments, un mal qui était une maladie incurable qui allait finir par m'emporter, c'était si clair pour moi, il était si évident que sans elle j'aurais fini mes jours dans un de ces départements psychiatriques où Éric travaillait et prenait soin des souffrants, oui c'est là que j'aurais fini j'en suis certain, chaque fois que j'avais pénétré dans un de ces endroits j'en avais eu la certitude, dans chaque patient qui venait m'écouter lire mes textes je reconnaissais un semblable, et me sautait à la gueule combien ce qui séparait le dedans du dehors était mince, fragile, et ne tenait qu'à un fil.

J'ai regardé encore un peu ces clichés, quelque chose dans ce nourrisson m'était incroyablement familier, au-delà même de la circonstance dans laquelle il était présenté et qui me ramenait à Manon. Ses cheveux noirs, ses yeux aux cils immenses, c'était pourtant d'une clarté aveuglante : on aurait dit une version miniature de Clément à la naissance, qui ressemblait beaucoup à sa sœur mais surtout à moi, ma mère n'arrêtait pas de le dire, comme toutes les grands-mères paternelles bien sûr mais c'était si peu son genre de prononcer ce type de phrases que j'avais fini par la croire, et de toute façon les photos qu'elle avait sorties de ses boîtes à chaussures à l'époque en fournissaient la preuve irréfutable, à tel point que même les parents de Sarah avaient dû se rendre à l'évidence : Clément était mon portrait craché. J'ai attrapé les boîtes à chaussures sous le lit de mes parents. Affalé sur le canapé, à quelques centimètres à peine, mon père ronflait. À la télévision, des jeunes chanteurs tentaient de convaincre un jury de « professionnels » qu'ils avaient du talent et méritaient de sortir un disque, bien qu'ils n'aient jamais chanté autre chose que les chansons des autres qu'ils entendaient à la radio, et jamais autre part que sous la douche ou dans leur chambre, une bombe de déodorant en guise de micro. J'ai fouillé un moment, jusqu'à remettre la main sur mes photos de naissance. J'en ai posé quelques-unes sur le lit. Pourquoi étais-je à ce point fasciné par notre ressemblance en dépit des kilos et des centimètres qui nous séparaient, et alors que justement cousins il n'était pas si étonnant que nous nous ressemblions ? Quelque chose me chiffonnait. J'étais moi-même, on me le disait depuis toujours, le portrait de ma mère. Et plus encore de ma grand-mère maternelle, celle dont la mort constitue mon premier souvenir en ce monde. Or Sébastien était mon cousin du côté de mon père. J'ai rangé les photos dans les boîtes, et les boîtes sous le lit de mes parents qui occupait maintenant le centre du salon. J'ai repensé à ce que m'avait raconté ma mère, qui avait reçu un jour un appel de sa tante, encore sous le coup d'une vision qui l'avait tellement choquée qu'elle n'arrivait pas à s'en remettre. Regardant William Leymergie comme chaque matin, elle avait suivi l'émission jusqu'à son terme, puis était allée vaquer à ses occupations sans éteindre le téléviseur. Quand elle était revenue dans le salon, munie d'un plat qu'elle comptait ranger dans le vaisselier, son regard avait balayé l'écran où l'on diffusait maintenant l'émission littéraire quotidienne baptisée *Dans quelle étagère*, et son cœur avait fait un tel bond dans sa poitrine que le saladier en porcelaine qu'elle bichonnait depuis son mariage lui avait glissé des mains et s'était brisé en mille morceaux sur les tomettes de la petite maison corrézienne où elle vivait depuis aussi longtemps que lui. Sur l'écran, et sous les traits d'un homme, venait de réapparaître sa sœur, ma grand-mère donc.

Certes, il y avait la barbe et la masculinité des traits mais c'était bien elle qu'elle voyait soudain sur l'écran de télévision, les mêmes yeux, les mêmes pommettes, le même front, ma grand-mère exactement, telle qu'elle m'apparaissait quelques semaines avant sa mort, alors qu'elle mourait à petit feu d'un cancer dont elle ignorait tout, ou du moins nous faisait-elle croire qu'elle en ignorait tout, et qu'elle pensait vraiment que le printemps la trouverait remise et jouant avec nous au ballon dans le parc, comme avant, un avant dont je ne sais plus rien puisque ma mémoire s'ouvre sur ces jours-là, penché sur son lit et lui tenant la main, la sachant condamnée et l'écoutant parler de sa guérison prochaine, puisque tout le reste a été emporté dans un puits sans fond, un trou noir dont j'ai toujours cru qu'il m'avait privé de socle, de fondation, de base où m'arrimer, à quoi me tenir. Sur l'écran c'était donc elle, ressuscitée d'entre les morts ou réincarnée, ma grand-tante la contemplait bouche bée au milieu des éclats de porcelaine, dans son salon déjà écrasé de chaleur en cet été s'achevant dans la région de Tulle, où les mouches bourdonnaient tant qu'on finissait par en ignorer l'existence. Puis une incrustation était apparue, avec mon plus récent roman et mon nom, et soudain elle avait compris : il devait s'agir d'un des petits-fils de sa sœur, et elle avait immédiatement saisi le téléphone pour appeler ma mère, à qui elle parlait une ou deux fois par an, laquelle l'avait rassurée, non elle n'avait pas rêvé, il s'agissait bien de son fils, qui écrivait des livres, ah bon je ne t'en avais jamais parlé, non tu m'avais juste dit qu'il travaillait dans la culture, pas qu'il était un écrivain qui passe à la télé. En général ma mère demeurait discrète sur le sujet. À tous elle ne parlait que de mon frère, vétérinaire dans cette ville de banlieue bourgeoise qui me filait un cafard monstre chaque fois que j'étais contraint de m'y rendre pour parler d'un de mes livres, lors d'une rencontre en librairie où je m'attendais toujours à le voir surgir – mais il ne m'a jamais fait cet honneur, bourrer de vermifuges le petit chien de Mme Lombard lui semblant sans doute plus urgent et utile que venir m'écouter *faire le malin*, puisque à ses yeux écrire des livres et plus encore en parler ne revenait qu'à cela : faire le malin. Je crois au fond que ma mère avait un peu honte, qu'écrivain ne lui paraissait pas un métier sérieux, une occupation avouable. Je crois que pour elle il résidait là-dedans quelque chose de vaguement malsain, une manière impudique, inconvenante de s'épancher, une forme de prétention qui poussait à prendre la parole et à considérer que ce qu'on avait à dire valait d'être entendu, une façon de vouloir se distinguer, sortir du rang. Comment lui expliquer qu'écrivant je ne cherchais qu'à me sauver et rien d'autre, comment éviter la grandiloquence en évoquant là une question de vie ou de mort ? Et ce alors qu'en bonne mère elle se sentait immédiatement responsable de la douleur à laquelle tentait d'échapper son fils par l'écriture et en menant la vie de déserteur qui va avec, comme je me sentais d'avance responsable pour toutes les cicatrices, les déceptions, les accablements qui ne manqueraient pas de frapper mes enfants ?

J'ai fourré les photos dans ma poche. À la télé, une fille un peu forte et coiffée de manière grotesque massacrait une chanson de Nino Ferrer. Aucun châtiment ne me semblait assez sévère pour réparer ce sacrilège. Le jury avait l'air d'accord avec moi, mais il s'est contenté de lui coller quatre rouges et moi d'éteindre le téléviseur. Mon père a grogné quand j'ai étendu ses jambes sur le canapé. Le silence était si profond qu'il bourdonnait. J'ai regardé l'heure. Il était trop tard pour passer un coup de fil. Mieux valait monter se coucher. Je ne sais pas si j'ai dormi cette nuit-là. Quelque chose me hantait, troublait un sommeil qui, lorsqu'il venait enfin, s'avérait d'un blanc insoutenable. J'ai attendu que le jour se lève pour appeler mon oncle. Le chef des ventes en extincteurs. C'est peu dire qu'il fut étonné de m'avoir au téléphone. Mais il n'a pas paru me tenir rigueur pour ces vingt-cinq ans de silence absolu. Tout juste a-t-il laissé échapper quelque chose comme « de toute façon toi tu as toujours été bizarre », qui incluait le fait que je sois devenu écrivain et que j'aie dès mes quinze ans rompu tout lien avec mes oncles, tantes, cousins et cousines dont j'avais été si proche jusqu'alors. J'ai prétexté des recherches familiales pour le compte de mon prochain livre, ce qui en revanche a semblé le surprendre au plus haut point : pourquoi un type qui depuis vingt-cinq ans n'avait jamais pris de nouvelles de quiconque dans le cercle familial à part de ses propres parents voulait-il écrire un livre sur cette même famille ? Le ton de sa voix est devenu un peu méfiant, il espérait que je n'étais pas un de ces écrivains qui ne cessent de régler leurs comptes à longueur de livres geignards qui n'intéressent qu'eux-mêmes. J'ai préféré ne pas entrer dans ce type de discussion, pourtant j'avais dans mes tiroirs une défense toute prête que je sortais à chaque fois que dans un débat, une librairie, quelqu'un prenait la parole pour s'en prendre à la littérature française soi-disant nombriliste et égocentrique, mais j'ai préféré me taire et nier, non il ne s'agissait pas de cela, simplement de dresser un tableau factuel de la famille dont j'étais issu, afin de mieux comprendre d'où je venais et, partant, où j'allais. Après quoi il m'a demandé des nouvelles de ma propre famille. Que je sois désormais séparé de Sarah a eu l'air de le peiner, ou bien de le révolter, j'avais du mal à me prononcer, dans la famille à ce qu'il savait j'étais le premier à divorcer ainsi, ce n'était pas le genre de la maison a-t-il pris soin de préciser, avant d'ajouter que nous autres les artistes, nous n'étions pas des gens très stables et étions plus fortiches pour écrire sur la vie que pour la vivre vraiment. Sur ces paroles pleines de sagesse nous nous sommes séparés, mais je ne l'entendais plus depuis longtemps déjà, il y avait déjà de nombreuses minutes que sa voix ne parvenait plus à mon cerveau, depuis qu'il m'avait répondu après un long silence embarrassé que non, son fils n'avait jamais eu besoin d'être placé en couveuse, qu'il était né à terme en pleine santé, n'était un léger strabisme, pesant trois kilos huit et mesurant quarante-neuf centimètres, d'ailleurs si j'avais un moment je devrais l'appeler ça lui ferait sûrement plaisir d'avoir de mes nouvelles.

La maison se dressait parmi d'autres semblables, au milieu d'un lotissement récent
construit à l'orée de la forêt. J'ai souri en pensant
qu'elle avait toujours été notre refuge, la seule raison valable de ne pas détester tout à fait cette ville.
Les pavillons s'alignaient crépis de rose et parés
de volets verts, collés les uns aux autres. Les rues
traçaient des courbes compliquées qui finissaient
dans des impasses, des placettes, des culs-de-sac.
Une barrière à l'entrée signifiait qu'ici le standing
était un peu plus élevé qu'ailleurs, même si, à part
la porte qui ouvrait sur les sous-bois à l'arrière de
la résidence, rien dans le paysage n'indiquait
qu'on y soit mieux loti qu'ailleurs. J'étais un peu
en avance. J'ai marché un moment dans ces rues
identiques et déprimantes, il fallait une clé pour
s'enfuir sous les arbres, les parents devaient la
garder bien cachée, ils savaient trop que la laisser
ouverte c'était courir le risque de voir les enfants
quitter la maison en douce, s'évaporer dans la
forêt et ne jamais revenir.

J'ai fini par sonner à sa porte. Que dire ? Elle
avait pris vingt ans, bien sûr, comme moi, mais

ce n'était pas tant l'usure de ses traits que sa manière de se tenir, de s'habiller, de se coiffer, qui trahissait ces années. Quelque chose en elle s'était fondu dans la masse, sa beauté était devenue discrète, ses vêtements s'effaçaient tant ils étaient d'un goût à la fois commun et fade. Même sa voix avait imperceptiblement changé. Son débit, son volume. Oui c'est à ça que j'ai pensé en la découvrant dans l'encadrement de la porte : c'était la même mais on l'avait domestiquée. Elle était légèrement maquillée, impeccablement coiffée, vêtue d'une jupe droite et d'un petit haut noir, parée de bijoux sobres. Elle ressemblait à des centaines de milliers de femmes, pareillement vêtues, pareillement coiffées, pareillement minces, cheveux châtains mi-longs yeux marron, quand il m'avait toujours semblé qu'adolescente elle ne ressemblait à personne. Elle m'a fait entrer dans son salon carrelé de beige, aux murs blancs, aux meubles acajou. Des jouets traînaient ici et là mais les enfants étaient à l'école, elle en avait deux, un garçon une fille, dans le même ordre et sensiblement du même âge que les miens. Tandis que je regardais autour de moi elle m'a demandé des nouvelles de ma mère, je n'avais pas grand-chose de plus à lui dire que ce que je lui avais appris au téléphone, si ce n'est qu'aujourd'hui ma mère n'avait qu'à peine ouvert l'œil et avait paru effarée quand mon père lui avait donné le chiffre de l'estimation effectuée le matin même par un jeune type de l'agence immobilière du coin.

— C'est quand même dingue le prix de ces baraques, ai-je ajouté. Quand on était gamins personne ne voulait habiter là et maintenant c'est plus cher qu'un bord de mer dans une station chic. Qu'est-ce qu'ils ont tous à se battre pour habiter dans cette ville pourrie ?

J'ai senti son visage se crisper légèrement. Je l'avais vexée sans le vouloir. La retrouvant je croyais pouvoir reprendre la conversation là où nous l'avions laissée. Nous venions d'avoir notre bac et parlions à longueur de journée de nous tirer de là, d'aller vivre ailleurs, loin ou à Paris, ailleurs en tout cas, de ne pas reproduire, de ne pas mener la vie de merde de nos parents, elle ne ferait jamais comme sa mère qui avait arrêté de travailler pour élever ses enfants et déprimait dans son pavillon la télé allumée du matin jusqu'au soir, à faire et refaire le ménage, repasser, feuilleter des revues à la con, écouter RTL, remplir de gestes mécaniques, utiles et concrets le temps qui séparait le départ pour le boulot et l'école du mari et des enfants de leurs retours, déambulant le cerveau vide dans la maison nette, sortant huit fois par jour au moindre prétexte, dans des rues connues par cœur, le maigre centre-ville, l'Intermarché, la pharmacie, les allers-retours pour accompagner les gosses à l'école, à la piscine, à leurs cours de judo, tout sauf rester seule dans la maison trop silencieuse, et si nette qu'on aurait dit que personne n'y vivait, la maison si froide et silencieuse qu'on l'aurait dite remplie du bourdon des appareils électriques, la vibration du réfrigérateur, les émissions du matin à la télé, la table à repasser dépliée dans le salon devant *Amour, Gloire et Beauté*, *Matin Bonheur*, *Tournez manège*, *Motus*, *Les Z'amours*, les vieilles séries, les vieux télé-films aux couleurs fanées, aux intrigues lentes, aux musiques surannées, *L'Amour en héritage* pour la millième fois, *Madame est servie* en mangeant ou *La Petite Maison dans la prairie*. À côté de ça n'importe quel job semblait plus enviable, même caissière ou femme de ménage, du moment qu'elle sortait de là mais c'était trop tard, elle n'était jamais sortie, son mari disait « tu as déjà un job, le plus beau du monde, le plus difficile : tu élèves tes enfants ». « Tu parles, répondait-elle, tu parles, Sophie n'est jamais là, toujours à la piscine à s'entraîner ou avec son mec de dix ans plus vieux qu'elle ou avec les copains du lycée, tu parles, son petit frère déconne à plein tube, sèche les cours et passe ses journées à fumer des joints avec ses potes, m'adresse à peine la parole, s'enferme dans sa chambre à double tour quand il rentre. Tu parles d'un job, hein. »

Sophie m'a raconté comment elle en était arrivée à vivre la vie qu'elle redoutait : les deux enfants, la maison, le mari au travail, le concret, le quotidien, les courses, le ménage, les sorties d'école, le club d'équitation de la grande et la danse, le basket et la guitare pour le petit. Au milieu de ses études elle avait rencontré Alain, il était plus vieux qu'elle, il travaillait déjà et elle s'emmerdait à la fac. Il lui avait dit : « Tu peux arrêter un an tu sais, tu arrêtes un an histoire de faire le point, de savoir ce que tu veux vraiment, et après tu reprends dans une autre voie. » Ça semblait une bonne idée. Elle l'avait écouté et c'était bon ces journées dans Paris sans rien à faire, ces journées à déambuler dans la ville. Les séances de cinéma, les jardins avec un livre à la main, les musées, les cafés avec les amis. Évidemment elle n'avait jamais repris ses études, elle était tombée enceinte et s'était dit : à quoi bon avoir des enfants si c'est pour ne pas s'occuper d'eux, travailler toute la journée, les confier à des garderies, des nourrices, rentrer à dix-neuf heures leur donner le bain les border et c'est tout, à quoi bon faire des enfants si c'est pour les confier aux autres et ne les voir qu'une heure par jour la semaine et les refiler aux grands-parents, aux oncles, aux tantes le week-end, parce qu'on est tellement crevés qu'on passe deux jours au lit ou à traîner sur le canapé ? Et les enfants bien sûr, à Paris, comment on fait ? Les loyers trop chers et le béton, les pots d'échappement, la pollution, le prix des choses. Quand même c'était bien mieux ici, avec le jardin, une grande chambre pour chacun, la forêt juste à côté pour les balades à vélo. Même elle, à la fin, Paris elle ne supportait plus. La nature lui manquait. Comme retour à la nature, revenir à V., banlieue sud de Paris, me semblait un peu maigre mais je n'ai rien dit, je l'écoutais dérouler son argumentaire en détaillant la bibliothèque du salon, depuis quand avais-je contracté cette manie en entrant chez les gens de d'abord regarder leur bibliothèque, leurs livres, leurs DVD, les revues dans le porte-revue et de les juger immédiatement sur ces critères, de les ranger dans des cases, d'en mépriser certains, d'être agréablement surpris par d'autres, de les jauger ainsi et de mesurer alors les chances que nous avions d'établir une relation ? On aurait dit qu'elle avait répété son discours, qu'elle l'avait préparé, tandis que mes yeux glissaient de *Surprise et Tressaillement* à *La Classe des escargots*, en passant par *Les hamsters dépriment à Kaboul*, *L'amour dure trois minutes* et *Elle s'appelait Raymond*, tout Marc Musso et Guillaume Levy, Anna Pancol et

Katherine Gavalda, deux ou trois prix Gonaudot ou Renoncourt à peine ouverts, puis s'attardaient sur *Les Gros Kleenex, Amélie Cheval, Bienvenue au camping, La Môme si je mens,* tout Cédric Thompson et Danielle Klapish, une flopée de comédies romantiques avec Julia Aniston ou Jennifer Roberts, quelques films à gros budget avec Brad Cruise ou Tom Pitt, jusqu'à s'échouer au rayon disques où Grégoire Obispo s'accoudait à Florent Boulay en passant par Calimero et Zazou *via* James Williams et Robbie Blunt... Elle a surpris mon regard, mes livres n'y étaient pas mais elle les avait lus, ils étaient rangés quelque part parce que Alain n'aimait pas trop les voir dans la bibliothèque. Bizarrement il était un peu jaloux.

— Il n'y a pas de raison, pourtant. Il ne s'est jamais rien passé entre nous, que je sache ?

Elle a semblé un peu gênée, a fait ce geste de ramener ses cheveux derrière les oreilles qui nous faisait toujours rire au lycée, le geste des jolies filles bien élevées, bonnes élèves sérieuses et un peu niaises, inscrites à la danse à l'équitation au conservatoire, ainsi que l'était sa propre fille aujourd'hui. Nous nous sommes installés face à face, elle sur le canapé et moi dans le grand fauteuil. Je l'ai écoutée me parler un peu de ses enfants, de son mari Alain qui bossait dans les assurances, c'était un moment un peu étrange, la femme qui se tenait face à moi était à la fois une inconnue et une personne incroyablement familière, que j'aurais pu étreindre, comme si le passé, même enfoui sous des couches entières d'années et de chemins séparés, opposés même, était toujours là, ciment inaltérable nous liant à jamais et créant entre nous cette évidence indiscutable qui rendait les mots accessoires, superflus. Sarah, qui contrairement à moi était restée fidèle à ses amis d'enfance, à ses cousins, ses cousines, aurait sans doute bien ri en m'entendant ainsi penser. « Eh bien oui, tu découvres l'eau tiède, mon amour, aurait-elle dit, ça s'appelle avoir de vieux amis. Évidemment toi, dès que quelqu'un n'écoute pas les mêmes disques que toi, ne vote pas comme toi, ne va pas voir les mêmes films, ne lit pas les mêmes livres, voire pire ne lit pas du tout, tu juges la relation obsolète, impossible, non avenue. Tu dis : on n'a rien en commun. Combien de fois t'ai-je entendu dire ça ; à propos de ton frère, de tes parents, de la famille ? Pourquoi rester liés alors qu'on n'a rien en commun, alors que se croisant dans la rue on s'ignorerait, se mépriserait mutuellement ? On n'a rien en commun, disais-tu. Mais si, bien sûr, on a en commun ce qu'on a vécu, ce qui nous a liés et qui ne meurt jamais. Et tes enfants ? aurait-elle ajouté, portant le coup de grâce. S'ils votent à droite, s'ils deviennent financiers, s'ils méprisent le cinéma, la littérature, les arts en général, tes enfants, qu'est-ce que tu feras ? Tu couperas les ponts avec eux aussi ? Tu diras, comme tu l'as dit pour ton frère, tes copains de collège, de lycée, de fac, tes cousins, tes cousines, tu diras : voilà, nos chemins se sont séparés, nos choix nous ont séparés, la vie nous a séparés, nous n'avons plus rien en commun, à quoi bon faire semblant ? » Je l'entendais distinctement tandis que Sophie disparaissait dans la cuisine pour préparer le thé, poursuivant une discussion où il était question de sa mère, toujours aussi dépressive et rongée par l'ennui, et de son père qui s'ennuyait comme un rat mort depuis la retraite.

— Et en plus ils s'engueulent tout le temps. Tu te rends compte, au bout de quarante années passées ensemble, avec le travail toute la semaine, les tâches du quotidien, les enfants et tout ça, se retrouver vingt-quatre heures sur vingt-quatre ensemble, face à face, et sans rien de particulier à faire ?

— Et toi ? Ça va ? Tu ne t'ennuies pas trop ?

— Pourquoi veux-tu que je m'ennuie ? Toi tu t'ennuies ? Toi aussi tu es chez toi toute la journée, non ?

— Oui, mais moi j'ai mes livres.

— Ben moi aussi j'ai mes occupations. J'ai plein de choses à faire. Je n'ai pas le temps de m'ennuyer, tu penses.

— Quel genre d'occupations ?

— Je lis, je m'occupe du jardin, je cours, je me promène en forêt, je vais au cinéma, je vois des copines, je vais à Paris une fois par semaine. Je suis libre. Je vis à mon rythme. Je goûte chaque chose. Les fleurs qui poussent. Le café de dix heures quand le soleil entre dans la maison. L'odeur de terre des sous-bois, le rire des enfants.

Je l'écoutais et j'hésitais entre la plaindre et me plaindre moi-même. Après tout, qu'est-ce qui me prouvait qu'elle ne pensait pas réellement ce qu'elle disait là, que ça n'existait pas ? Qu'est-ce qui me poussait à toujours imaginer les gens rongés par l'ennui, usés par le quotidien, blessés d'être ainsi réduits, leurs vies tenant dans des boîtes à gants ? Pourquoi voulais-je donc toujours que tout le monde soit malheureux, dépressif, usé, à contresens de son être profond ? Moi qui au fond n'avais jamais été apte à quoi que ce soit. Qui avais tout déserté. Qui me réfugiais dans l'écriture pour vivre, sentir, *goûter chaque chose*, chaque heure comme elle disait. Moi qui étais incapable de saisir la vie dans sa plus simple expression, d'en prendre possession, d'y être présent. Moi qui même avec mes enfants n'étais jamais vraiment là, me lamentais de n'être jamais vraiment là, auprès d'eux, avec eux, toujours en fuite, toujours à m'esquiver, dans un livre, dans mes rêveries, dans mon bureau au prétexte que je tenais une idée, dans mon kayak, absorbé dans la contemplation de la mer.

— Tu sais, il y a des gens à qui la vie, telle qu'elle est, suffit. J'ai mis longtemps à le comprendre. Quel mal y a-t-il à mener une vie normale ? Et puis qu'est-ce qu'une vie « anormale », spéciale ? Je veux dire : tu écris des livres, c'est ton boulot. Tu as une maison, une voiture, une femme, des enfants. Tu pars un peu en vacances. Tu fais les courses. Tu manges. Tu dors. Où est la différence ?

Elle avait prononcé ces mots d'un ton très calme et très tendre, revenant au salon avec une théière et deux tasses. Le soleil cognait sur les vitres, peignait le jardin d'un fin trait d'or. Les lilas fleurissaient aux quatre coins, les tulipes s'ouvraient comme des pivoines.

— Tu veux que je te montre où je cache tes livres ?

Je l'ai suivie dans les escaliers. Un instant j'ai eu envie de la toucher, un instant m'est revenue cette sensation douloureuse qui m'avait toujours saisi auprès d'elle. Pendant les trois années du lycée nous ne nous étions pas quittés et j'étais amoureux d'elle, et même quand elle avait quitté son amant de dix ans plus âgé qu'elle, je n'avais rien tenté. Elle m'observait parfois d'un air étrange où je croyais lire quelque chose, mais rien ne se produisait. Longtemps j'avais repensé à cette époque en me demandant comment les choses avaient pu en rester là, comment notre amitié avait pu ne jamais dériver vers autre chose. Nous sommes entrés dans sa chambre et elle s'est penchée sur son lit. Je l'ai regardée soulever le matelas et j'ai entrevu certains de mes romans, en édition de poche, coincés entre le matelas et le sommier.

— Je dors sur tes livres...

— Je ne comprends pas. Pourquoi tu les caches ?

— Je t'ai dit. Parce que Alain n'aime pas les voir dans la bibliothèque. Il est jaloux. Je lui ai raconté, nous deux.

— Nous deux quoi ?

Elle a haussé les épaules et nous sommes ressortis. Elle voulait aller faire un tour. Nous avons quitté la maison puis la résidence. Elle a sorti la clé de sa poche et le portillon noir s'est ouvert sur la forêt.

— Tu sais, tes livres, si je dois être sincère, je ne les aime pas trop. Tu es trop noir. Mais tu as toujours été comme ça. À tout voir en noir. À te plaindre. À te morfondre. Mais bon, vous êtes tous pareils les artistes. À vous torturer. À vous prendre la tête. On dirait des adolescents mal grandis. Je parie que tu écoutes toujours tes trucs de poète maudit, là : Murat, Manset, Leonard Cohen...

Nous nous sommes enfoncés dans les bois. Le soleil projetait des flaques de lumière sur la terre ocre, ciselait les feuilles, les transperçait jusqu'à les rendre translucides. Nous ne marchions pas

très droit, et parfois nous nous effleurions.
Comme avant, ai-je pensé. Comme avant quand
le moindre contact avec elle me faisait battre le
cœur, tandis qu'elle me racontait sa vie avec son
amant de dix ans plus âgé qu'elle, qu'on discutait
du lycée, des cours, des autres qu'elle avait perdus
de vue elle aussi après la fac, à sa connaissance
ils vivaient toujours dans le coin pour la plupart,
les jumeaux bossaient dans le secteur automobile,
l'un était vendeur l'autre travaillait en atelier de
carrosserie, Cédric était dans la communication,
ce qui bien sûr ne voulait rien dire, pouvait recouvrir à peu près tout et surtout n'importe quoi, Fred
était steward sur long courrier et Nadège vivait en
Chine depuis dix-sept ans.

— C'est dingue, quand même, vivre si loin. Ou
passer sa vie dans les avions d'un bout à l'autre
du monde.

Je n'ai pas répondu. Ça ne m'étonnait pas. Au
contraire ça me semblait même logique. Grandis-
sant par ici on était de nulle part et de partout à
la fois, on était pour toujours excentrés, à l'intérieur et à l'extérieur, dans le ciel, d'un bout à
l'autre du monde, en Chine ou en Amérique du
Sud, on demeurait sans racines, sans attaches.
Non, ce qui m'étonnait, c'était qu'on puisse vouloir rester ici.

— Tu sais, en général, c'est plus simple que tu
crois. Il faut bien vivre quelque part. On a grandi
là. C'est ni mieux ni moins bien qu'ailleurs. Les
parents sont là. Ils s'occupent un peu des gosses.
Puis ils vieillissent et il faut s'occuper d'eux. Pourquoi aller ailleurs, si on n'a pas un boulot qui nous
y oblige ?

— Oui, mais toi, par exemple : tu es partie, et tu es revenue. Ne pas partir d'ici, OK. Mais y revenir… Je veux dire, je connais plein de gens qui ont grandi en Bretagne, en Provence, dans les Alpes, qui se sont barrés un temps et qui ont fini par revenir, par rentrer au pays, parce qu'ils estiment qu'ils sont de là-bas, qu'ils ont des racines. Mais ici. Comment se sentir enraciné ici, dans cette terre meuble, ces rues anonymes ? Ici il n'y a rien.

— Tu ne t'es jamais dit que ce n'était peut-être pas l'endroit, le problème, mais toi ? Que si tu ne te sentais de racines nulle part, ça venait de toi ? Pour être enraciné, lié, il faut être un peu là. Toi, tu n'as jamais été là. Regarde. Quand on était au lycée, t'étais tellement ailleurs que tu ne t'es jamais rendu compte que j'étais folle amoureuse de toi. Même quand j'étais avec l'autre. Je te lançais des perches mais toi tu ne voyais rien, tu étais dans tes livres, ta musique, tes délires de transparence, tu ne bouffais rien, tu maigrissais à vue d'œil, tu ne décrochais jamais trois mots, on passait notre temps à marcher dans la forêt, un écouteur chacun, tu me lisais des poèmes, tu n'avalais rien de la journée, tu te souviens quand je te faisais venir chez mes parents le week-end pour t'obliger à manger ? Je me disais que tu n'oserais pas refuser ce que ma mère te préparerait, je me disais qu'au moins tu mangerais une fois dans la semaine, et aussi que tu n'oserais pas vomir chez nous.

Je m'en souvenais parfaitement, de ça et de toutes les fois où Sophie avait tenté de m'amener chez le médecin, de ses menaces de parler à mes parents qui ne voyaient rien ou faisaient mine de ne rien voir, parce que parler de ça c'était parler de choses intimes et obscures et profondes, et que ça, ils ne savaient pas faire.

Sans même y réfléchir, nos pas nous ont menés vers notre clairière. J'ai essayé de ne pas penser à ce qu'elle venait de m'avouer, l'amour qu'elle me portait à l'époque. J'ai essayé de ne pas laisser s'emballer mon cœur stupide. Sous les arbres immenses, des châtaigniers pour la plupart, les fougères commençaient à dérouler leurs crosses. Le soleil les peignait d'un vert très tendre.

— Tu vois, à Paris, c'est la forêt qui me manquait. Tu me demandais à quoi on peut se sentir appartenir ici ? Eh bien moi, c'est la forêt. Je suis tellement bien au milieu des arbres, je me sens protégée. Tu sais je ne suis pas comme toi. Moi j'ai peur des étendues. Je viens tout le temps ici. Quand on lève la tête, le ciel n'est plus si impressionnant, éclaté en mille morceaux. On se sent enveloppé par le vert, les odeurs. Même l'hiver, les lignes des branchages, les troncs, l'écorce, je ne peux pas m'empêcher de les toucher. Alain trouve que je passe trop de temps là-dedans. Il trouve ça louche.

— Louche ?

— Oui. Des fois je crois qu'il me trouve bizarre. Ou qu'il a peur que je le sois. Il a peur de ne pas vraiment me connaître. Je sens ça. Surtout depuis qu'il a lu tes livres. Quand il croit me reconnaître. Il se dit qu'à l'époque j'étais quelqu'un d'autre. Et il se demande où ce quelqu'un d'autre se cache.

— Et où se cache-t-il ?

— Ici. Justement. Mais ça me suffit tu sais. On est tous tellement de gens à la fois. On en laisse certains au placard. On en planque d'autres qu'on vient retrouver de temps en temps. Celle que j'étais quand on était au lycée je l'ai laissée là et je lui rends visite presque tous les jours, et ça me suffit. Oh je sais ce que tu penserais d'Alain si tu le rencontrais. Tu penserais que c'est un beauf, un type d'un conformisme affligeant. Mais c'est un homme bien, tu sais. Un bon père. Un mari tendre et attentionné. Simple. Sans détour. Sans secret. Et puis il est drôle. Toujours de bonne humeur. Toujours partant. Des fois je me demande ce qui me serait arrivé si je t'avais embrassé au lycée, si on avait couché ensemble. Et je me dis que tu étais déjà trop lourd à porter, que tu m'aurais entraînée avec toi, que je n'étais pas assez solide pour nous maintenir à la surface. Il te fallait quelqu'un de plus fort. Et moi aussi. Je l'ai trouvé et toi aussi. Non ?

— Oui. Enfin. Elle a fini par laisser tomber. J'ai fini par l'user… Alors, tu vois, tu as sûrement raison. Je suis un poids mort. J'entraîne les autres dans la noyade. Ils résistent un temps et ils finissent par s'enfuir. Parce qu'il faut bien sauver sa peau.

— Attends. C'est toi qui t'es enfui. C'est toi qui n'as plus donné de nouvelles du jour au lendemain.

Elle s'est assise le dos calé contre un arbre et je me suis installé à côté d'elle. Nos mains se touchaient. Elle a fermé les yeux et m'a demandé de l'embrasser. J'ai hésité un instant, à quoi tout ça pouvait bien rimer, elle n'en savait rien elle non plus, tout ne devait pas toujours rimer à quelque chose, elle avait envie que je l'embrasse voilà tout, ici dans notre clairière, dans la lumière morcelée par les arbres inondant les fougères, au beau milieu de ce jeu de verts changeants, tendres et profonds, pomme et bouteille, dans ces odeurs de mousse et de feuilles écrasées elle avait envie qu'on s'embrasse alors nous nous sommes embrassés et sa bouche était fraîche et d'une douceur insensée, et ses mains sous mon tee-shirt idem. J'ai fait glisser les miennes sur son ventre, j'ai écarté son soutien-gorge pour sentir ses seins sous mes doigts, je bandais à m'en faire mal, sa main est venue saisir ma queue et j'ai plongé ma langue entre ses dents. J'ai envie de te sucer, l'ai-je entendue me murmurer à l'oreille, elle a déboutonné mon pantalon et sa bouche m'a englouti dans sa tiédeur, tandis que mes doigts effleuraient sa chatte, entraient à l'intérieur sans résistance, se perdaient dans le satin humide et chaud. Elle est venue s'asseoir sur moi. Autour de nous tout bruissait tendrement, l'air était doux et j'ai eu l'impression que tout vibrait à notre rythme, que tout s'imbriquait, nous, les arbres, le vent dans les branches, la lumière dans les feuilles, nos bouches, nos mains, nos sexes, son cul, ses seins, tout coulait de source, tout glissait, tout s'abandonnait avec une évidence gracieuse, bouleversante.

Nous sommes rentrés parmi les arbres en nous tenant par le bras. Tout frémissait dans la lumière transparente. J'avais le cerveau léger jusqu'à l'absence. Je flottais parmi les feuilles et les parcelles de ciel. Quand nous avons rejoint le portillon, qu'elle a sorti la clé pour nous enfermer de nouveau dans ce dédale de maisons collées crépies de rose, j'ai dessaoulé en un éclair. Malgré les grands arbres se dressant depuis les petites étendues de pelouses ici et là, malgré les parterres soignés et les lampadaires choisis. Nous sommes entrés dans la maison trop neuve et trop nue aux meubles froids au carrelage beige, la maison trop claire et sans charme où bruissaient les appareils électroniques. Partout s'étalaient les traces de sa vie, les jouets d'enfant en plastique bariolé, les magazines d'Alain, revues automobiles et journaux sportifs, ses chemises bleu pâle de banquier. J'ai senti mes poumons comme pressés dans un étau. Qu'est-ce que je foutais là, dans cette vie qui n'était pas la mienne, cette vie que j'avais fuie de toutes mes forces, les courses au Leclerc le samedi après-midi, le déjeuner avec les parents le dimanche, le Buffalo Grill une semaine sur deux, les blockbusters au multiplex, le bowling du vendredi soir, Christophe Maé Franck Dubosc Arthur Conforama Auto Plus, tout ça me faisait horreur, je sentais la Maladie rôder, je la sentais comme chez elle, prête à ressurgir. J'ai regardé Sophie. Que j'aie pu l'embrasser, que j'aie pu baiser avec elle une heure plus tôt m'a semblé tout à coup inexplicable. Elle me regardait avec un sourire tellement lumineux et plein d'attente, ce regard inquiet et solaire à la fois que je lui avais toujours connu, qui me faisait penser à celui d'Isabelle Carré dans certains films, si plein d'intensité et d'espoir qu'il en devenait à la fois fascinant et inquiétant, comme laissant à nu les fissures, les gouffres et la quête d'autre chose, un signe, de la lumière, une issue, une délivrance. Je me suis senti dégueulasse. Dans un soupir déçu, elle m'a annoncé qu'il allait falloir que je parte, les enfants n'allaient pas tarder, heureusement Alain ne rentrait que dans trois jours, on pourrait se revoir. Elle m'a embrassé et j'avais comme un mauvais goût dans la bouche, un goût froid et un peu mort. J'ai demandé si je pouvais utiliser la salle de bains. J'ai ouvert le robinet et j'ai laissé couler l'eau sur mes poignets, mes avant-bras. J'en ai recueilli un peu dans le creux de mes mains et j'y ai plongé mon visage. Soudain la mer me manquait. Et Sarah et les enfants, ma vie dont j'avais été expulsé, la seule qui m'ait jamais valu quelque chose, ma vie de déserteur fuyant la Maladie, fuyant les attaches, les contraintes, l'enfance, ma vie de bord de mer, fuyant parfois à l'autre bout du monde, dans les rues de Kyoto encore intactes, loin de Fukushima loin de Sendai, ces rues parfaitement accordées aux battements de mon cœur, tout ça me manquait depuis trop longtemps maintenant. J'ai ouvert l'armoire à pharmacie et j'en aurais mis ma main à couper, j'avais connu Sophie adolescente, je savais ce qu'elle avait dans le ventre et elle menait cette vie-là qu'elle avait toujours crainte, cette vie où sa mère s'était peu à peu emmurée, réduite au silence, aux cigarettes les yeux dans le vide, aux médicaments, à l'ennui, au chagrin qui étouffe le cœur et les poumons, la télévision débile et les jours sans début ni fin, les semaines se répétant à l'infini, réduite et sans horizon. Voilà, Sophie et son gentil mari, sa maison moderne ses enfants son jardin, Sophie se bourrait d'anxiolytiques et d'antidépresseurs, comme tout le monde, et se réfugiait dans la forêt chaque jour pour noyer la douleur, la colère, faire taire ce qui en elle aurait voulu bouillir, vivre, s'étendre, agrandir, tout dévaster. J'ai chopé deux Temesta et je les ai avalés, quand je suis ressorti Sophie m'a demandé si ça allait, je l'ai regardée et j'avais pitié d'elle, et je me suis méprisé pour ça, d'être devenu ce sale con méprisant, arrogant, capable de la plaindre sans rien savoir de sa vie, ne se fiant qu'aux apparences, au vernis, à la surface.

J'ai quitté la résidence comme on s'échappe de prison. Maintenant j'en étais sûr : ces barrières ne servaient à se protéger de rien, d'aucun voleur, d'aucune agression. Elles étaient juste psychologiques, des symboles destinés à éviter que tout le monde se barre en courant.

— Ta mère sort après-demain. Tu vas pouvoir rentrer chez toi.

J'ai pensé que je n'avais plus vraiment de chez-moi mais j'ai gardé ça pour moi. Mon père avait toujours trouvé que j'avais trop tendance à me plaindre, à gémir, à geindre, comme il disait. Et à ses yeux mes livres n'avaient fait que confirmer ce jugement. J'ai répondu que je resterais encore un jour ou deux, le temps qu'il s'organise avec maman en fauteuil, les allers-retours pour la rééducation, mais il a haussé les épaules.

— Écoute, tout est prévu. Il y a des ambulanciers pour ça. Et puis tu ne vas pas continuer à t'emmerder ici avec nous alors que ça ne sert à rien. Ta mère a été contente de te voir à l'hôpital, ça lui a changé les idées mais maintenant ça va. On n'est pas encore des petits vieux qu'il faut faire manger à la petite cuiller et qu'on doit laver en leur levant les bras et en leur écartant les jambes. De toute façon, ça n'arrivera jamais. Il y a des établissements pour ça. Et si ta mère part avant moi je te prie de croire que je n'y foutrai jamais les pieds. Pas question de finir comme un légume.

Tant que je peux m'occuper d'elle, ça va. Tiens, l'agent est venu avec un petit couple tout à l'heure. Ils avaient l'air intéressés. Il dit que ce sera vendu avant lundi. Tu pourras revenir donner un coup de main pour vider la maison. Ton frère viendra aussi. Vous prendrez ce que vous voudrez comme ça. J'ai tout réglé avec la directrice de la résidence. On emménage dans un mois…

Après ça mon père s'est tu, comme épuisé, ou lassé, de m'avoir adressé tant de mots d'affilée. À la télévision, on parlait de Fukushima où la situation n'en finissait plus d'échapper aux autorités, aux spécialistes, aux ingénieurs, au pouvoir, au monde entier. Les réacteurs entraient en fusion les uns après les autres. On craignait que tout n'explose à tout moment. Personne n'était en mesure d'anticiper les conséquences d'une telle catastrophe. En attendant, on se contentait de louer la dignité fataliste des Japonais, on s'étonnait à longueur de colonne qu'un pays à ce point meurtri par l'atome ait pu se jeter avec tant de dévotion dans la gueule du loup, et on arrosait la centrale à l'aide d'hélicoptères. Des villes entières étaient évacuées, toujours plus éloignées de la centrale, soumises aux radiations qui semblaient se répandre comme une flaque d'huile. Sur l'écran se succédaient des provinces noyées, des vallées anéanties, toujours ces mêmes images d'écoles et de gymnases changés en dortoirs gigantesques, de familles dépecées, de recherches au cœur des décombres, de morts si nombreux qu'on n'arrivait plus à les incinérer : les religieux, les centres de crémation, les morgues, partout on était débordés. Toujours les mêmes photos d'hommes et de femmes à la fois calmes et désemparés, dignes et dévastés, hagards et accaparés à survivre, à attendre, à espérer. J'ai songé à Manon, à ce qu'elle devait penser en voyant tout ça. Depuis nos trois voyages au Japon elle avait décrété qu'adulte elle irait vivre là-bas. Juste avant qu'on se quitte, Sarah et moi avions projeté d'aller y vivre un an ou plus, d'y scolariser les enfants. Elle prendrait une année sabbatique et nous dériverions sans fin, heureux et délivrés, dans les rues de Kyoto, les villages du Kansai, tous les quatre loin de tout. De tout quoi ? me suis-je demandé. Elle, encore, passait ses journées à l'hôpital, mais moi ? Qu'est-ce qui me reliait encore au monde, épuisant mes journées à passer de mon bureau à la Côte sauvage, à fendre les eaux dans mon kayak, à nager chaque jour dans des eaux gelées la plupart du temps, selon un rituel de purification qui me lavait mais dont je ne saisissais pas très bien le sens ? Il n'était pas vingt heures mais comme toujours, la pièce était plongée dans l'obscurité des volets clos et rideaux tirés. Aux infos, on faisait état des derniers sondages pour les élections cantonales et pour la présidentielle qui se tiendrait un an plus tard. Dans les deux cas l'information majeure demeurait la poussée de la Blonde. On donnait le FN présent au second tour dans de nombreux cantons. J'ai jeté un œil à mon père et il souriait légèrement. Un sourire moqueur qui paraissait s'adresser aux journalistes, aux chaînes de télévision, et à tout ce qu'elles devaient représenter pour lui, et dont je ne doutais pas un instant de faire partie.

— Allez, ai-je fait. On sort. Je t'emmène dîner.

— Quoi ?

— Je t'emmène dîner. Un resto. Histoire de sortir. De voir autre chose que l'hôpital.

— Un resto, ici ? Tu te crois à Paris ? Y a rien. C'est toi-même qui me l'as répété pendant des années.

— J'ai vu un japonais sur la place.

— Un japonais ? Tu plaisantes ?

Les rues étaient désertes comme toujours après dix-neuf heures. Soudain je me suis demandé ce qui m'avait pris. Passer une nouvelle soirée devant la télévision, dans le salon rempli de meubles et l'obscurité des volets clos était au-dessus de mes forces. Mais dîner en face de lui, dans cette ville fantôme, seulement conçue pour le dîner familial, la soirée télévisuelle, le coucher de onze heures et le sommeil des travailleurs, entre le RER du soir et celui du matin, n'avait rien de très engageant. Le restaurant était vide, à l'exception de deux types mangeant seuls, sans doute coincés ici pour d'obscures raisons professionnelles. Les trois quarts de la décoration était chinoise, le cuisinier et le serveur aussi, le menu réduit à quelques sushis et cinq ou six formules de brochettes assorties d'une soupe miso et d'une salade. Mon père a parcouru ça d'un œil atterré, quinze euros pour huit boulettes de riz couvertes d'un minuscule morceau de poisson même pas cuit il n'en revenait pas, qui pouvait être assez con pour se faire avoir par un truc pareil, à part des bobos dans mon genre.

— Ah toi aussi tu t'y es mis ?

— À quoi ?

— À voir des bobos partout. Qu'est-ce que tu leur reproches exactement, aux bobos ? De manger des

sushis ? De voter à gauche ? D'être écolos ?
D'avoir assez de fric pour se payer un voyage par
an ? De lire *Télérama* ? De trier leurs déchets ?
D'aller voir des films en VO ? De s'en battre les
couilles de l'identité française ? De pas avoir peur
des Noirs et des Arabes ? C'est quoi le problème ?

J'avais haussé la voix. Depuis toujours ces
conneries sur les bobos, la soi-disant bien-
pensance de gauche, qualifiée aussi de pensée
unique, alors que la droite gouvernait le pays et
diffusait ses idées dans la plupart des journaux
et des médias de ce pays, alors qu'un type comme
Zemmour passait son temps à dire tout haut ce
que tout le monde pensait tout bas, à proférer les
jugements, idées, discours les plus répandus, ceux
qu'on entendait à chaque coin de rue, dans le
moindre café, la moindre discussion de famille, et
qu'il se faisait passer pour un type minoritaire,
tout ça me foutait hors de moi. Depuis toujours
ma génération et ses façons de faire et de penser
avaient été méprisées, génération bof, génération
molle, nous étions maintenant devenus des bobos,
il suffisait de lire des livres, d'avoir trente ou quarante ans et de voter à gauche, de lire *Libé*, d'avoir
déjà mis les pieds dans un pays étranger, d'écouter
autre chose qu'Obispo Pagny Halliday Grégoire,
d'aller voir des films asiatiques pour être qualifié
de bobo. Et ce qualificatif était bien sûr censé être
insultant.

Mon père a écouté mon laïus sans broncher. Il
ne savait vraiment pas quoi commander. Mais
une chose était sûre : jamais on ne lui ferait avaler de poisson cru. Le dîner s'est poursuivi en
silence. Qu'est-ce qui m'avait pris de m'emballer
comme ça ? Qu'est-ce que j'en avais à foutre des

bobos ? D'ailleurs, je ne me privais pas moins qu'un autre de les brocarder quand j'en avais l'occasion, de moquer leur conformisme, leur fausse insolence, leurs goûts tièdes, que je partageais parfois il fallait bien l'avouer, Bénabar, Benjamin Doré Julien Dutronc Thomas Chedid Mathieu Biolay, Guillaume Duris et Romain Canet, Mélanie Tautou Audrey Laurent, *Le Grand Journal*, Habitat, *L'Auberge russe* et *Les Poupées espagnoles*, François Beigbeder Frédéric Begaudeau, Ali Barthès Yann Baddou, Vanessa Gainsbourg Charlotte Paradis, Moldplay et Cuse, Sofia Johansson Scarlett Coppola, Louis Honoré Christophe Garrel, Beist et Fjörk, *La Nouvelle Star* Apple les légumes bio, le commerce équitable la bouffe thaï les vêtements de créateur, leur certitude absolue d'être au-dessus du lot, plus ouverts plus tolérants plus cultivés plus de bon goût de bonne compagnie, les bonnes écoles les bons quartiers les bons plans les bonnes manières, la facilité avec laquelle tout ce beau monde s'accommodait des « excès » de la mondialisation, des « dérives » de la société de consommation, des « inégalités », la mollesse pragmatique avec laquelle ma génération avait depuis longtemps renoncé à tout foutre en l'air, tout ça me débectait, mais au moins tous ces gens avaient le bon goût de n'être ni racistes ni misogynes ni homophobes, tous ces gens payaient leurs impôts sans trop broncher, avaient une certaine idée de l'égalité, de la fraternité, de la tolérance, de la solidarité et ce n'était déjà pas si mal. J'ai pensé à Sarah, à la conversation que nous aurions pu avoir à leur sujet. « Mais de qui parles-tu ? m'aurait-elle dit. Arrête de ranger les gens dans des cases. Arrête avec ces archétypes. Toi qui détestes quand on te demande : Alors, comment sont les Chinois ? Comment sont les Japonais ? Toi qui dis détester les généralités, arrête... »

Mon père n'a voulu goûter à aucun de mes sushis. Même les deux pièces au saumon fumé lui ont paru suspectes.

— Du riz froid ? Ça n'a pas de sens.

Il mâchait ses brochettes d'un air circonspect. Ce n'était pas mauvais mais enfin ça n'avait rien d'original et pour le prix, on n'avait pas grand-chose à se mettre sous la dent. Avant de passer au dessert, j'ai sorti de ma poche la photo du nourrisson dans sa couveuse. Depuis que je l'avais découverte elle ne me sortait pas de l'esprit. Et quelque chose me disait qu'elle n'était pas étrangère à cet état bizarre dans lequel je flottais. Bien sûr j'étais chez mes parents, bien sûr ma mère était à l'hôpital, bien sûr j'étais coincé dans cette ville que je n'aimais pas, dont j'avais bien conscience qu'elle m'avait fondé, qu'elle avait dessiné chaque recoin de mon cerveau mais à laquelle plus rien ne m'attachait vraiment, bien sûr tout me ramenait en permanence à une enfance et une adolescence qui n'avaient rien de martyres mais dont la simple évocation me fichait toujours un morceau de verre en plein cœur, bien sûr depuis mon arrivée pas un instant ma gorge ne s'était desserrée, bien sûr Sarah et les enfants me manquaient atrocement, bien sûr ici je sentais la Maladie revenir, bien sûr j'avais baisé Sophie, bien sûr revoir mes camarades du collège, leurs parents, leurs enfants, les écouter me raconter leur vie me plongeait dans une mélancolie poisseuse, une nostalgie douloureuse, typiquement le genre d'état que je détestais, qui me fragilisait, me rendait sentimental et me renvoyait une image de moi-même que je vomissais, mais ce cliché trouvé dans un carton ne cessait de me hanter. Je ne cessais d'ausculter ce visage de bébé qui ressemblait tant au mien, et plus encore à ceux de mes enfants.

— Ce n'est pas Sébastien, ai-je dit.

— Comment ça.

— J'ai appelé Bernard.

— Tu as appelé Bernard ?

— Oui.

Le visage de mon père s'est légèrement crispé. Mais ça ne voulait rien dire. Il l'était toujours. Depuis le début du dîner je le sentais contrarié. Sur le point d'exploser il tentait de se contenir.

— Alors ça doit être un autre de tes cousins... Je sais plus, moi. Qu'est-ce que ça peut faire ?

— Quel cousin ?

— Eh bien, Vincent. Il est né la même année que toi, lui aussi.

— Vincent ? Mais il était énorme, même moi je sais ça. Tout le monde disait qu'il finirait haltérophile ou déménageur. Et il est devenu déménageur...

Mon père a péniblement fini son bol. Il ne s'en sortait pas avec les baguettes, qu'il tenait pour un genre d'archaïsme rudimentaire.

— Bon Dieu. C'est pas parce qu'ils ont été trop cons pour inventer la fourchette qu'ils doivent s'en passer aujourd'hui encore...

À plusieurs reprises aussi, il m'a demandé si je ne pouvais pas demander au serveur quelque chose pour assaisonner son riz mais je lui ai répondu que ça se mangeait comme ça.

— Ça n'a pas de goût, a-t-il pesté, vraiment, on aurait été aussi bien au chaud à la maison.

— Parce qu'il fait froid ?

— Non. C'est une façon de parler.

De nouveau je lui ai demandé s'il avait une idée de qui ça pouvait être et il a éludé pour passer au cyclisme. Pendant des années j'avais essayé de me tenir au courant pour lui faire plaisir, histoire de nourrir nos coups de fil trimestriels, et le repas que nous prenions ensemble une fois par an. Mais depuis qu'Armstrong et Ulrich avaient pris leur retraite j'avais complètement décroché. Ils étaient loin les étés brûlants, assis sur le canapé à suivre les étapes de montagne, Hinault, Lemond, Fignon, Delgado, Indurain, Chiappuchi, Virenque, Pantani et les autres. Les montées insensées au milieu des spectateurs massés frôlant les roues, courant après les coureurs maillot ouvert, les aspergeant d'eau et leur beuglant leurs encouragements à l'oreille, bob vissé sur le crâne. Mon père et mon frère ne juraient que par Hinault, ma mère admirait Fignon-parce-qu'il-avait-l'air-intelligent-avec-ses-lunettes, le débat faisait rage dans la France entière. Chacun était sommé de prendre position. Et tout le monde le faisait. Tout le monde sauf moi, qui étais déjà un traître à la patrie et n'aimais que Greg Lemond, sa classe, sa décontraction tout américaine, et son sourire. Et quand vint le règne des Espagnols, Delgado puis Indurain, nous étions tous d'accord pour soutenir les purs grimpeurs, les attaquants au grand cœur, les seigneurs de l'Alpe-d'Huez, ceux qui prenaient tous les risques et se ramassaient au contre-la-montre.

Puis mes parents s'étaient pris de passion pour Richard Virenque. Ils lui trouvaient du panache et puis c'était un bon petit gars disait mon père, ce qui dans sa bouche signifiait « un gars du peuple ». Il n'en a jamais démordu. Même quand a éclaté l'affaire Festina et qu'on a découvert son coureur favori chargé comme une mule, *à l'insu de son plein gré*. Mon père n'a jamais supporté les moqueries dont on a couvert alors le grimpeur. Et il me fusillait du regard quand, ainsi que c'était la mode à cette époque, je l'imitais en multipliant les fautes de français. Un jour que nous regardions les Guignols il avait explosé :

— Ils me font gerber, ces petits Parisiens bourgeois prétentieux méprisants de mes deux. Tous les mêmes. Suintant de condescendance pour les petites gens, bouffés jusqu'à la moelle par la haine des petits.

— De quoi tu parles, papa ? Ce type se dope, c'est un vrai labo à pédales.

— Mais tu ne comprends pas ? Tu ne vois pas ? Ils en ont rien à foutre qu'il se dope. De toute façon ils se dopent tous. Même moi, quand j'ai roulé en compétition on m'a proposé des produits. C'est comme ça depuis toujours. Ils s'en foutent de ça. Tu vois bien. Tout ce qui les intéresse c'est de se foutre de sa gueule parce que c'est un petit gars du peuple, qu'il n'a pas fait d'études et qu'il parle pas bien le français. C'est à gerber, de se moquer de quelqu'un pour ça. Tu vois, mes grands-parents à moi, ils étaient paysans. Et ma mère, elle parlait encore patois en arrivant à Maisons-Alfort. Mon père faisait des fautes à chaque phrase ou presque. C'étaient pas des cons pour autant. C'étaient des gens bien. Courageux. Droits. Ils parlaient encore moins bien que lui.

Que je n'aie jamais pensé à ça, que je ne sois pas arrivé moi-même à cette conclusion le peinait, je le voyais bien. Pour lui les choses étaient claires. Avec mes bouquins, mes études, mes fréquentations, j'étais déjà passé de l'autre côté. Je n'étais plus des leurs.

Nous sommes rentrés et tout était absolument désert. Plus aucune voiture ne circulait. Au front des maisons, derrière les rideaux, se mouvaient des ombres bleutées, trahissant partout des soirées télévisuelles. Nous sommes passés devant l'école maternelle et l'école primaire que mon frère et moi avions fréquentées, je n'en gardais pas le moindre souvenir, pas avant le CM2 et ce jour où j'avais voulu mourir dans les Alpes, l'année du décès de ma grand-mère. Pendant quelque temps je m'y étais rendu pour voter. Le bureau se trouvait dans le petit gymnase, une pièce rectangulaire sous une verrière tellement sale et couverte de feuilles qu'elle diffusait une lumière jaunâtre sur le sol de béton. D'année en année rien ne changeait : les espaliers accrochés aux murs peints de blanc, les tapis de sol entreposés dans un coin, les paniers de basket qui m'arrivaient au menton, les cerceaux, les ballons entreposés près des barres parallèles et du petit trampoline... Pendant des années alors que je vivais à Paris j'étais venu voter ici. Parce qu'il me semblait que c'était bien de là que je venais. Parce que je n'étais parisien que de passage, un touriste en transit dans la ville même où je vivais. Sans doute aussi pour avoir l'occasion, une fois par an ou presque, de pénétrer dans cette école, de m'attarder dans la cour, au milieu des bâtiments aux murs de meulière, coiffés de tuiles orange, de traquer des odeurs de craie, de ciment, de papier qui m'auraient dit quelque chose, auraient réveillé en moi un souvenir, une image, mais rien jamais n'était survenu. Ma vie s'ouvrait sur un trou noir et le plus étrange était certainement cette nostalgie douloureuse qui m'étreignait depuis toujours me semblait-il, cette nostalgie de l'enfance étais-je bien obligé de considérer puisque ce pincement de cœur avait nécessairement à voir avec le passé, cette nostalgie sans objet donc puisqu'elle s'ouvrait sur du vide, un océan d'oubli. Peut-on être nostalgique de ce qu'on a oublié ? Peut-on regretter de ce qu'on a perdu, en souffrir si on n'en a pas gardé la moindre trace, le moindre souvenir ? J'ai pensé à ça en longeant les murs de l'école, marchant trois pas derrière mon père, frôlant les panneaux électoraux où la plupart des visages avaient été affublés de moustaches, de cicatrices, de cheveux hirsutes, de bandeaux corsaires, ainsi que je le faisais à onze ou douze ans sur les programmes de télé de ma grand-mère paternelle, le dimanche soir, quand il fallait se rendre dans son petit appartement pour la visite hebdomadaire obligatoire, à laquelle ma mère se soustrayait la plupart du temps parce qu'elles ne s'entendaient pas, sans que je sache vraiment à quoi tenait leur animosité. Ma grand-mère ne quittait pas son fauteuil de velours et ne prenait pas la peine d'éteindre son téléviseur. Après avoir contemplé un long moment ses trois cages à oiseaux je finissais par piquer trois bonbons dans la petite boîte en faux cristal qui se dressait parmi les dizaines de babioles de verre, de jade ou de porcelaine, posées sur des napperons. Un coin du buffet était réservé aux cartes postales qu'il ne fallait jamais oublier de lui adresser quand nous partions en vacances ou en séjour scolaire. Tandis que s'échangeaient les nouvelles de la semaine, la plupart concernant mes oncles, mes tantes, mes cousins dont j'étais déjà éloigné du fait de mon caractère taciturne, de mon incapacité à me mêler à leurs conversations ou à leurs jeux, de ma manie de m'isoler dans une pièce vide pour lire ou écouter de la musique, de mon goût pour le tennis qu'on considérait à peine comme un sport dans la famille où l'on ne jurait que par le foot et le vélo, le rugby à la rigueur, je griffonnais pendant une heure ses *Télé Star* en maquillant Jean-Paul Belmondo, Alain Delon, Nathalie Baye Johnny Halliday, Michel Sardou et tous les autres. Distraitement j'écoutais les propos dont je n'avais rien à faire, et auxquels je ne comprenais pas grand-chose : ma grand-mère avait gardé un accent alsacien à couper au couteau et s'exprimait parfois en patois, oubliant qu'aucun de nous ne le parlait, pas même son fils qui se contentait de lui demander de répéter, et alors elle répétait, en français cette fois, et reprenait le tour complet de ses enfants, gendres, brus, petits-enfants, cousins plus ou moins éloignés, dont la vie suffisait à la distraire, pour le reste la télé l'occupait suffisamment, ainsi que les livres qu'elle lisait, de gros romans à l'eau de rose ou bien des récits régionalistes situés aux alentours de Guebwiller, Riquewihr, Munster, Colmar, Sélestat ou Ribeauvillé, toutes ces villes que je connaissais par cœur pour les avoir parcourues d'été en été, une année sur deux mon père décidait que nous irions y passer nos vacances, entre balades dans les forêts des montagnes vosgiennes, à la recherche d'un lac blanc ou noir, d'un col de la Schlucht ou du Bonhomme, d'une ferme-auberge où déguster une tarte aux myrtilles, visites rituelles de villages fleuris à façades colorées, colombages et cascades de géraniums, Alsaciennes en costume traditionnel, groupes de musique folklorique, fête de la bière ou de la choucroute où se dressaient des banquets immenses et tapageurs, avant de rentrer au camping pour rejoindre notre caravane Fendt aux banquettes orange. Mes parents dormaient dans le coin-cuisine, où l'on repliait la table qui se muait en sommier et accueillait les dossiers des banquettes devenus matelas. Dans la chambre minuscule, mon frère et moi nous disputions le hamac, pourtant le moins confortable des deux couchages.

J'ai pressé le pas pour rejoindre mon père, laissant l'école dans mon dos et les affiches électorales où je ne connaissais personne, à part le candidat écologiste qui l'était depuis toujours, un gros barbu à chemises à carreaux. Son fils avait été dans ma classe en sixième. Il portait les cheveux plus longs que nous tous et sa mère laissait pousser les siens jusqu'aux fesses sans les teindre. Vêtue comme une hippie elle avait vaguement l'air d'une sorcière. J'étais allé chez eux un jour. La maison sentait l'encens et était remplie de livres, de chats, de plantes, de musique, de statues et de tentures rapportées d'Asie ou d'Afrique, où ils se rendaient une fois par an, rognant sur tout, la voiture, la nourriture, les vêtements, pour se payer des voyages qui nous semblaient insensés,

« notre seul luxe », répétaient-ils à qui voulait les entendre.

— Tu ne vas quand même pas voter pour elle ? ai-je lâché sans même y réfléchir.

— Pour qui ?

— La fille du FN.

À dire vrai j'avais déjà oublié son nom, sur l'affiche on ne le lisait qu'à peine et son visage n'apparaissait même pas : on ne voyait que la Blonde et le logo frontiste, barré du slogan « Les Français d'abord » qui s'affichait dans tous les cantons où l'on s'apprêtait à voter le dimanche qui suivrait. Mon père m'a regardé d'un air excédé, celui-là même que je lui connaissais depuis toujours, qu'il arborait dès que quoi que ce soit le contrariait, qu'il arborait souvent donc puisque à peu près tout le contrariait : un bruit trop fort, un ordre que nous avions mis trop de temps à exécuter, une idée que nous avions émise et qu'il ne partageait pas, nos chamailleries ordinaires, notre simple présence, la plupart du temps. « Qu'est-ce que vous foutez là ? disait-il quand il nous trouvait désœuvrés dans le salon. Il fait beau dehors. »

Et quand il pleuvait dehors notre place était dans notre chambre, à faire nos devoirs, ou, en ce qui concernait mon frère, à travailler son instrument qui lui coûtait les yeux de la tête, alors au moins que ça serve à quelque chose... Mieux valait ne pas lui opposer la moindre résistance. Se faire le plus petit, le plus discret possible. Au moindre haussement de ton, au moindre signe de rébellion, il pouvait nous en cuire. Sitôt que nous l'irritions, pour une raison ou pour une autre, ou pour aucune généralement, mon père se mettait d'abord à hurler d'une voix glacée qui nous terrifiait, avant de nous promettre un coup de pied au derrière que nos fesses ne seraient pas près d'oublier. Il a souvent tenu promesse. Et mon cul s'en souvient encore.

— Écoute, Paul. Je ne me suis jamais justifié de rien devant personne et ce n'est pas aujourd'hui que ça va commencer. Je vote pour qui je veux. Tes jugements d'intello bourgeois tu peux te les garder. Compris ?

J'ai hoché la tête. Nous avons fait le reste du parcours en silence. Une fois à la maison mon père s'est déshabillé pour se coucher. Je suis monté dans la chambre, j'ai regardé l'heure et il était encore une fois trop tard pour appeler les enfants. Je tenais mon téléphone à la main, comme si tout de même l'appareil avait pu me lier à eux. Soudain il s'est mis à vibrer. C'était Sophie. Ses enfants dormaient, elle était seule, un peu déçue que je ne l'aie pas rappelée, mais ce n'était pas grave : finalement son mari était retenu pour quelques jours encore et nous allions pouvoir nous revoir. Sa voix, son ton, la mention de son mari, cette atmosphère clandestine où elle m'entraînait, tout me mettait mal à l'aise. J'ai tenté d'éluder, de ne répondre que par de brefs sons difficiles à interpréter. Je me voyais comme sorti de mon propre corps et flottant dans la pièce, m'observant mener cette conversation dans ma chambre d'enfant, et tout me semblait pathétique et douloureux : moi, la chambre, Sophie au bout du fil, sa voix qui vibrait bizarrement, pleine de lumière et d'élan. Je la revoyais dans la forêt, puis dans sa maison froide, je la revoyais avec ses cheveux lisses et ses vêtements discrets, son visage étonnamment sage et ses gestes si mesurés, elle qui autrefois parlait si fort, elle qui était si vive qu'elle en devenait étrangement brusque, un peu garçon manqué malgré les longs cheveux teints en corbeau et les yeux charbon, malgré les jupons superposés, les tuniques indiennes, les grands bracelets, les dix colliers enroulés autour de son cou. J'écoutais sa voix et je me la figurais seule dans le salon silencieux, les enfants dormant à l'étage et le mari en province, me proposant de la retrouver directement dans la forêt le lendemain, Bovary de banlieue sud, Chatterley de lotissement pavillonnaire. Ma gorge s'est serrée. Et je me suis détesté quand malgré tout je lui ai lancé : à demain.

— Ah, François…

Ma mère s'est redressée péniblement en me voyant entrer dans la chambre. Elle semblait émerger des brumes. Elle y a replongé presque aussitôt. À peine ai-je eu le temps de rectifier, comme chaque jour, mon identité. Après quoi je me suis installé dans le grand fauteuil près de la fenêtre et j'ai sorti mon livre. Une infirmière est entrée. Elle a pris sa tension et c'est tout juste si elle s'est réveillée. Je brûlais de l'interroger sur l'état de fatigue de ma mère, sa confusion mentale, mais je savais que ça ne servirait à rien. Elle m'aurait une fois de plus répondu ce qu'on me répondait depuis le premier jour : la fracture du fémur était très douloureuse, et comme ma mère se plaignait beaucoup, on la gavait d'antidouleurs, chez certains sujets cela provoquait ce type de troubles, c'était, sinon tout à fait normal, du moins dans le domaine du possible, la tolérance des organismes à ce genre de chimie était à la fois variable et imprévisible. Je me suis replongé dans ma lecture. Avant de repartir, l'infirmière m'a indiqué la télévision et précisé qu'elle fonctionnait, je pouvais la regarder si je le souhaitais.

— Non merci. J'ai un livre.

Ma réponse n'a pas paru la convaincre. À l'expression de son visage j'ai eu la sensation d'avoir prononcé là des paroles tout à fait saugrenues, hors de propos. Je lui ai souri et elle a refermé la porte avec d'infinies précautions, comme si moi aussi j'étais malade. Mon père n'était pas là. Nous avions convenu de nous relayer. Au fond il était inutile qu'on soit tous les deux là en même temps. C'est ce dont j'avais réussi à le convaincre au moment de partir, alors qu'il se tenait prêt à me suivre.

— Prends un peu de temps pour toi. Fais un tour de vélo. Va jouer aux boules. Dans deux jours maman rentre à la maison, elle sera en fauteuil, il faudra que tu t'occupes d'elle vingt-quatre heures sur vingt-quatre pendant au moins un mois, le temps qu'elle arrive un peu à remarcher. Alors prends un peu de temps pour toi tant que c'est possible.

Je savais que les mots que je prononçais là n'avaient aucun sens, que « prendre du temps pour soi », comme je disais, était pour lui un luxe superficiel qu'il méprisait, comme il méprisait tout ce qui revenait à s'occuper de soi, à s'écouter. Entre son enfance protestante auprès d'un père qu'il qualifiait de strict, de sévère, mais que j'avais plutôt tendance à imaginer comme une brute épaisse, et sa vie d'ouvrier dur au mal et stoïque, j'ignorais quelle origine attribuer à cette tournure d'esprit, qui le faisait secouer la tête à chacune de mes phrases ou presque.

250

Ma mère a fini par ouvrir les yeux. Elle avait soif. Je lui ai servi un verre et pour la centième fois elle m'a demandé où étaient Sarah et les enfants.

— En Bretagne. Les petits ont école. Et Sarah travaille…

— Ah oui. Bien sûr. Tu sais je l'aime bien ta petite femme. Surtout faut que tu fasses bien attention à elle. Que tu la soignes. Faudrait pas que tu la perdes…

Moi qui me plaignais toujours qu'avec ma mère, et mes parents en général, toute conversation un peu intime était à peu près impossible, là, j'aurais préféré qu'elle se taise. Elle ne s'était jamais exprimée sur Sarah de cette manière. Jamais tout court d'ailleurs. Quand elle venait à la maison ou que nous allions la voir, je voyais bien que ça ne se passait pas trop mal, mais jamais je n'avais saisi le moindre mot, le moindre geste pouvant être interprété comme de l'affection. Après vingt ans de vie commune Sarah vouvoyait toujours mes parents, serrait la main de mon père, embrassait ma mère du bout des lèvres et je ne crois pas que cette dernière lui ait jamais posé la moindre question sur son travail, sa propre famille, ses sentiments me concernant ou quoi que ce soit de ce genre. Après ça elle est passée à autre chose, comme si elle en avait trop dit, comme si elle s'était épanchée de façon coupable. Son regard s'est porté sur la télévision. J'avais fini par l'allumer, incapable de me concentrer sur mon livre, parasité par le silence, la lumière crue, l'odeur d'alcool et de désinfectant.

— Qu'est-ce que c'est que ces conneries ?

L'écran diffusait les images de la Chaîne parlementaire. Deux économistes et un député causaient « justice fiscale ».

— C'est un débat, ai-je répondu.

— Oh, on n'en peut plus de tous ces débats politiques. C'est tous les mêmes de toute façon.

Combien de fois avais-je entendu ces mots dans sa bouche : c'est tous les mêmes, gauche ou droite c'est pareil, la politique ça m'intéresse pas, oh encore ces histoires de chômage, encore ces histoires de sans-papiers... En revanche, elle ne se lassait jamais de ses feuilletons débiles où des gens blindés de fric passaient leur vie à se trahir, à se tromper et à fourbir des complots sentimentalo-industriels. En revanche, sa table de chevet était couverte de revues people nous informant du moindre geste de célébrités dont on ne connaissait même pas le métier, la fonction, les raisons pour lesquelles ils étaient ainsi pris en photo. J'ai saisi la télécommande et j'ai éteint le poste.

— Il n'y a jamais rien, l'après-midi, de toute manière.

Elle a acquiescé et je me suis levé pour la rejoindre sur le lit. Ce fut un moment étrange. Il ne nous arrivait jamais d'être physiquement en contact, excepté la bise rituelle que nous échangions en guise de bonjour ou d'au revoir et durant laquelle les lèvres n'effleuraient qu'à peine la peau des joues. J'ai posé ma main sur la sienne. Je respirais mal. D'où venait que ce geste entre une mère et son fils puisse être à ce point étrange, inédit, incongru ? D'où venait qu'après tant d'années une mère et son fils se connaissaient si mal, se parlaient si peu, se témoignaient si peu de tendresse ? D'elle ou de moi ? Était-ce là un symptôme de plus de mon incapacité à entrer réellement en contact avec les autres, de cette manie que j'avais de les fuir, de ce paradoxe qui me faisait me replier sur moi et refuser les marques d'affection, les démonstrations d'intimité, en même temps que je me plaignais intérieurement de ma solitude, de la froideur et de l'abstraction des liens qui m'unissaient aux autres : mes amis, mes parents, mon frère ? Tout le monde, sauf Sarah et les enfants, me semblait-il. C'étaient les seules personnes en ce monde que j'avais été vraiment capable d'aimer. Ma mère n'a pas bougé d'un cil. Elle ne m'a pas regardé. Ses paupières étaient sur le point de se fermer quand j'ai serré sa main un peu plus fort. Elle a légèrement sursauté.

— Maman, ai-je murmuré.

Elle m'a fixé d'un air interrogatif, plus brumeuse et égarée que jamais. J'ai sorti la photo de la poche arrière de mon jean et je la lui ai montrée.

— J'ai trouvé ça sous ton lit, ai-je dit. Au milieu de mes photos de naissance. Qui est-ce ?

Je scrutais son visage, la moindre expression, le moindre signe de tension. Mais rien n'est venu. Au contraire, un grand sourire s'est dessiné et ses yeux se sont embués de larmes.

— C'est mon petit ange...

— Ton petit ange ?

— Guillaume. Il n'a tenu que trois jours... Il était si faible. Tout le contraire de toi. Mais tu sais, tu n'y es pour rien. Personne n'y est pour rien. À part moi. Je n'étais pas assez forte pour faire naître deux enfants en bonne santé. Mon corps n'a pas su faire ça... Souvent je me dis que c'est à cause de ça que tu as toujours été un peu fragile dans ta tête... Tu as perdu ton jumeau après tout. Et puis ça revient tellement dans tes livres.

La porte s'est ouverte et deux aides-soignantes sont entrées. Je regardais ma mère, médusé. Je ne pouvais pas croire que ces mots soient sortis de sa bouche. J'étais stupéfait par ce qu'elle venait de me dire. Au fond, apprendre que j'avais eu un frère jumeau à la naissance m'étonnait moins que ce qu'elle avait à en dire. Les mots qu'elle avait employés. À son sujet. Et surtout au mien. Toutes ces choses jamais formulées. Si bien que j'avais toujours pensé qu'elle les ignorait, qu'elle ne s'était jamais rendu compte de rien, qu'elle ne savait rien sur moi, qu'elle ne me connaissait pas, qu'en dépit de tout ce que j'avais cru en les écrivant, mes livres ne lui avaient rien appris sur moi. C'était une des choses douloureuses et sans recours qu'il nous fallait apprendre en vivant d'écrire. Si intimes fussent-ils, si fidèles à notre moi profond pussent-ils être selon nous, les livres ne gommaient aucun malentendu, ne précisaient aucun contour, ne dessinaient rien de plus clair et ressemblant. Ils avaient beau aller au-delà des apparences, des classifications, des catégorisations, ils avaient beau nous mettre à nu, nous dépouiller, on avait beau y rétablir certaines vérités, les autres, la famille et les amis, ceux à qui on avait cru envoyer des messages ne les recevaient tout simplement pas, n'en tenaient aucun compte. Ils ne se fiaient qu'au vécu, aux actes, à ce qu'ils considéraient comme des preuves, des indices, à leurs certitudes, à leurs intuitions premières. Et les livres restaient pour toujours de la fiction, des inventions déconnectées de nous-mêmes. Ils n'offraient un portrait plus vrai de nous-mêmes que ne l'autorisait la vie sociale qu'à de stricts inconnus, qu'aux lecteurs. Et encore. Ces derniers remplissaient les trous, reliaient les morceaux, investissaient les blancs de telle manière qu'au final personne ne savait jamais qui vous étiez véritablement, et le malentendu et l'incompréhension restaient de mise à tous les étages.

— Madame Steiner, on vient vous chercher pour la radio.

Je les ai regardées manipuler ma mère avec des gestes doux et professionnels. Dans leurs bras elle semblait peser moins que l'air. Ils l'ont transférée du lit au fauteuil roulant comme s'il s'était agi d'une enfant. Tout paraissait facile, sans effort presque. Pourtant, je me doutais bien qu'il n'en était rien, qu'à leur place j'aurais souffert le martyre pour la déplacer d'un millimètre, tandis qu'elle aurait hurlé de douleur au premier mouvement.

— On en a pour une heure.

Dans son fauteuil ma mère avait l'air épuisée, comme si prononcer ces phrases lui avait ôté ses dernières forces.

— Tu peux rentrer, tu sais, Paul. Quand je vais revenir je serai tellement fatiguée que je dormirai...

— OK, maman. Alors à demain.

— C'est son dernier jour, a fait une des aides-soignantes, en passant la porte.

Dans le couloir, la sœur de Fabrice poussait un chariot. Je l'ai saluée mais elle est passée sans réagir, épuisée elle aussi apparemment, somnambulique, comme puisant dans des réserves chaque jour plus faibles. Je suis resté un moment dans la chambre vide et silencieuse, aux murs bleu pâle, au silence de réfrigérateur, contemplant la photo de mon frère, la photo de Guillaume. Mon double. Mort à trois jours. Dans mon cerveau les pensées se bousculaient. Tant de choses me paraissaient soudain prendre sens. Les manques qui me trouaient. La Maladie qui me rongeait. Mon suicide raté à dix ans. Mon obsession de fuir, de disparaître. Ma façon de ne choisir en mes amis que des doubles inversés, des contraires rayonnants, des hommes aussi bruns que j'étais blond, aussi solaires que j'étais tourmenté, aussi à l'aise et rayonnants que j'étais renfermé et incapable, empêché, vissé, coincé, comme on le disait à l'époque au collège, au lycée. « T'es vraiment trop coincé », me lançaient tout le temps Éric, Yann et Stéphane. « T'es vraiment trop coincé », me répétait à tout propos, avec une affection fraternelle, Sophie, que je dévorais de mes yeux d'amoureux transi. Et jamais ça ne me vexait, toujours je pensais : ils ont raison je suis coincé, enfermé à l'intérieur de moi-même, verrouillé à double tour, inapte à en sortir, tout demeurait retenu en travers de ma gorge, les mots, les rires, les sentiments, les gestes. J'ai saisi mon téléphone et j'ai composé le numéro de Sarah. J'avais besoin de lui parler, de lui raconter tout ça. J'avais besoin de l'entendre. Il me semblait que cette nouvelle changeait tout, sur le coup j'en ai été persuadé, j'étais comme un gamin, tout s'expliquait, mon absence, ma dépression, mes obsessions, les figures récurrentes de mes livres, ces histoires de jumeau enfui, de frère disparu, de part manquante. J'ai écouté s'égrainer la sonnerie jusqu'à ce qu'elle décroche, le cœur battant jusque dans mes tempes. Tout cela était parfaitement ridicule, tout à fait puéril, mais quand j'ai entendu le son de sa voix, je n'ai pu m'empêcher de penser que tout allait pouvoir reprendre, que j'allais bientôt pouvoir regagner le centre de ma vie. J'ai prononcé son nom et la sécheresse de sa voix m'a douché. Je la dérangeais. Elle était au travail. Était-ce urgent ou cela pouvait-il attendre ? Derrière elle j'entendais pleurer des nouveau-nés. Un bref instant la coïncidence m'a frappé, la photo que je tenais dans mes mains, le bébé dans sa couveuse, trop faible pour survivre, et Sarah à l'autre bout du fil au milieu de couveuses semblables, de nouveau-nés tout aussi fragiles, pour certains suspendus entre la vie et la mort, se battant de leurs maigres forces, tout cela avait forcément un sens, mais je n'ai pas eu le temps de lui expliquer quoi que ce soit. Sarah a raccroché après m'avoir dit qu'elle rentrerait tard ce soir et ne pourrait me parler avant demain, mais pas trop tôt si je voulais bien parce qu'on serait dimanche et qu'elle comptait bien faire la grasse matinée, maintenant que je n'étais plus là pour la réveiller aux aurores, au prétexte qu'il fallait profiter de tel coefficient de marée, de telle inclinaison de la lumière sur telle dune piquée d'oyats, tel isthme, tel aber.

J'ai quitté l'hôpital dans un état second. Dans ma poche mes doigts glissaient sans relâche à la surface de la photo. Régulièrement je la sortais pour la contempler, vérifier qu'elle ne s'était pas effacée, qu'elle contenait bien l'image de mon frère disparu, enfui, l'image même de ma vie passée à chercher quelque chose que je n'avais jamais connu, cette nostalgie sans objet, ce regret de ce qui n'avait pas été. Je la regardais comme si elle contenait mon secret, comme si elle pouvait être une clé, comme si la tenir entre mes mains était le premier pas vers la délivrance. La part manquante. J'ai roulé jusqu'à l'orée de la forêt, abandonné la voiture au bord de la route, franchi la petite barrière qui interdisait aux automobiles d'emprunter les larges chemins sous les arbres. La lumière tombait comme si d'immenses projecteurs plantés dans le ciel visaient le sol. Par rideaux coniques et successifs, elle s'abattait sur les champs de fougères, les herbes folles. J'ai marché vers la clairière, transpercé par les parfums de terre encore humide de la nuit. Sophie m'y attendait, elle ne m'a pas vu arriver, elle se tenait contre un arbre, le visage fermé, et il émanait d'elle une tristesse sans charme, une douleur sèche et aride. Puis elle m'a aperçu et son regard s'est allumé. Elle s'est levée et s'est jetée dans mes bras, s'y est blottie, comme s'il fallait que je la console, que je la sauve de quelque chose. Elle qui m'affirmait pourtant être heureuse, n'avoir besoin de rien sinon de ces quelques heures par semaine dans la forêt, voilà qu'elle semblait sur le point de tomber en poussière. Ses lèvres ont cherché les miennes, avec une avidité fiévreuse presque effrayante, et j'ai tenté de l'arrêter. Tout cela n'avait aucun sens, tout cela était presque risible, pathétique, quand on y pensait, n'est-ce pas ? Elle n'était pas d'accord, ne voyait pas les choses ainsi. Tu penses trop en schémas préétablis, disait-elle. J'ai eu l'impression d'entendre Sarah. Bien sûr vu de loin j'avais sans doute raison, tout cela était probablement risible ou pathétique, mais vu de loin on ne voyait rien, on s'en tenait aux archétypes, aux clichés, seulement les archétypes, les clichés n'existaient pas, on y échappait sitôt qu'on les vivait, il n'y avait pas d'autre vérité que la nôtre, celle de cet instant précis, celle qui se jouait ici et maintenant entre nous deux. Non, il n'y avait pas d'autre vérité que la nôtre. Non, nous n'étions pas risibles. Et au contraire tout cela avait un sens. Du moins pour elle ça en avait. Souviens-toi comme on marchait, comme on parlait, comme on était capables de se taire, souviens-toi comme tu me regardais, comme tu tremblais dès que nos mains s'effleuraient, souviens-toi. Elle m'embrassait comme si pour elle rien ne s'était produit depuis ces années de lycée où nous étions inséparables, où nous trouvions refuge dans cette même clairière, partageant la musique d'un même walkman, lisant le même livre, assoupis côte à côte, nous saoulant de confidences, moi sur mon incapacité à entrer en contact avec les autres, ma timidité maladive, mon obsession de la fuite, ma quête de transparence, de pureté, mon dégoût des aliments, mon besoin de m'effacer, de me traquer jusqu'à l'os, de me vomir, elle sur son père toujours absent et sa mère qui se bourrait de médicaments et s'enfermait dans sa chambre des jours entiers, sur son amant-de-dix-ans-plus-vieux-qu'elle qu'elle voulait quitter, qui lui faisait mal quand il la baisait, qui voulait toujours le faire « par-derrière », à qui elle n'avait rien à dire mais qui lui faisait peur. Elle avait peur pour moi il était si jaloux. Si elle le quittait, il penserait immédiatement à moi, hein, c'était drôle quand même, comme si on allait se mettre ensemble... Je souriais moi aussi, bien sûr c'était absurde, non ? Et mon ventre se tordait en la

regardant, je m'en serais bouffé les dents tellement je l'aimais, tellement j'aimais son visage et
sa voix, tellement j'avais envie de le tuer cet
enfoiré. Les entraînements dont elle se lassait, ces
longueurs qui s'éternisaient, le goût du chlore
qu'elle ne supportait plus, qui lui donnait envie de
vomir comme elle avait envie de vomir quand
après l'entraînement, dans les vestiaires, il venait
la rejoindre et la forçait à le prendre dans sa
bouche « jusqu'au bout ». Et de fait elle avait fini
par le quitter, et de fait il s'était pointé à la maison
avec la ferme intention de me casser la gueule,
parce qu'il nous avait vus nous promener main
dans la main, mais nous nous tenions la main et
c'était bien la seule chose que nous faisions, à
l'époque je me disais que ça me suffisait, et puis
t'en souviens-tu, nous nous étions inventés frère
et sœur, des jumeaux, t'en souviens-tu ? On disait
tout le temps ça qu'on était jumeaux, que c'était
un amour plus profond encore que l'amour et moi
j'acquiesçais, c'était un serment d'adolescents
grandiloquents et ridicules mais ça nous ressemblait, ça me ressemblait, à moi qui ne me vêtais
plus que de noir, n'avalais plus que du jus
d'orange et quelque morceaux de mie blanche le
matin quand vraiment ça valsait trop, à moi qui
ne quittais jamais mes écouteurs où ne jouaient
plus que Bach et Mozart et Mahler et Brahms, et
Murat et Cohen et Manset, à moi qui m'entichais
de saint François d'Assise, rêvais d'églises désertes
traversées de lumière, à moi qui m'effaçais et peu-
plais ma cervelle d'étendues de neige, de grandes
plaines blanches, à moi qui m'interdisais de me
branler parce que c'était impur, parce c'était trahir mon amour pour toi, et même penser à

t'embrasser à toucher tes seins à caresser ton sexe chloré me semblait impur, oui j'étais si loin que ça m'allait, nous étions des jumeaux cachés dans la forêt et ça m'allait, j'écrivais des poèmes, je lisais, j'étais fondu dans la musique, je traversais le parc du lycée comme un fantôme, je ne jouais presque plus au tennis mais partais courir pendant des heures pour éliminer ce qui devait l'être, consumer, brûler, purifier et ça m'allait... Sophie m'embrassait et comme la première fois nous avons fini par faire l'amour, avec une tendresse infinie, une tendresse lumineuse et fluide, pleine de douceur et d'évidence, et je ne savais plus qui je baisais, la femme d'aujourd'hui ou l'adolescente d'hier, l'adolescente aux yeux charbon, au caractère trempé, au verbe haut qui me fascinait, l'adolescente avec qui je me faisais immanquablement virer des cours, pour nous réfugier dans un coin boisé du lycée, dans l'arrière-salle d'un café, où la patronne nous réservait toujours la même banquette, près du juke-box antique, deux chiens perdus sans collier, perdus au cœur de villes interminables et floues, d'amoncellements de routes et d'immeubles tendant vers nulle part.

Après ça nous sommes restés un long moment enlacés, adossés au vieux chêne comme vingt ans plus tôt, noyés de vert et de lumière limpide, saoulés de bruissements, du froissement des feuilles, des mouvements d'animaux invisibles, d'une rumeur d'insectes et végétale qui nous enveloppait. J'avais l'impression que nous étions entre parenthèses. C'était un moment irréel, arraché au présent, qui avait à voir avec les fantômes. Je n'étais pas bien sûr que Sophie existait vraiment. Je n'étais pas bien sûr que sous l'écorce d'aujourd'hui se cachait l'adolescente d'hier. Tout comme il semblait qu'en moi l'adolescent d'hier avait depuis longtemps disparu, et l'enfant plus encore, qu'à force de ruptures successives, d'effacements et de recommencements, à chaque page de ma vie, mes moi anciens avaient disparu pour de bon. Tout n'était que flottement, incertitude, superposition, strates temporelles empilées. La phrase de Truffaut me revenait en tête et tournait à toute allure, se répétait en se mordant la queue, comme dans cette vieille chanson de Jean Bart : « La vie est faite de morceaux qui ne se joignent pas. » Et ces morceaux je les avais sous les yeux, je tentais de les faire coïncider tandis que Sophie cherchait de nouveau ma bouche et que mes mains s'aventuraient sur sa peau, effleuraient ses seins, s'enfonçaient dans la tiédeur moite de son sexe. Nous avons fait l'amour une deuxième fois, les yeux rivés sur les grands arbres morcelant le ciel, couverts de feuilles, les vêtements verts de mousse et maculés de terre spongieuse. Puis je lui ai montré la photo et j'ai vidé mon sac. J'ai parlé longtemps, comme on dévide le fil de sa propre vie, comme on tente de dénouer quelque chose. Je ne sais pas à qui je parlais. À elle, à Sarah, à moi-même. Je lui ai parlé comme nous nous parlions vingt ans plus tôt, jusqu'au vertige, jusqu'à l'épuisement total de la pensée.

Stéphane était installé au bar. Le matin même je l'avais croisé au Simply, il m'avait proposé de venir prendre un verre avec lui, il ne serait pas seul, il avait rendez-vous avec d'anciens potes du collège, dont il m'a cité les noms sans que je parvienne à les resituer tout à fait. Ils avaient certes pu être dans ma classe en quatrième ou en troisième mais à part le cercle restreint de mes copains d'alors, les élèves du collège puis du lycée se fondaient en une masse indistincte dont personne n'émergeait vraiment. Et il m'était arrivé à plusieurs reprises d'en vexer certains venus se présenter à moi à l'occasion de tel ou tel festival littéraire, de tel ou tel salon, et que j'avais été incapable de reconnaître, ne me rappelant pas quelles avaient pu être exactement nos relations par le passé. Ils s'en allaient furieux, persuadés que j'avais pris la grosse tête, après m'avoir répété dix fois de suite, mais si, Philippe, j'étais tout le temps avec Jean-Marc, un blond un peu fort, on a même fait des exposés ensemble, avec Éric et toi... Non je ne voyais pas et ne parvenais pas à le cacher, les mettant dans un état de fureur qui me les coûterait à jamais, ainsi que les proches à qui ils s'étaient parfois vantés de m'avoir connu, en tant que lecteurs.

Je suis entré et la laideur des éclairages, l'odeur de bière épaisse, la saleté du carrelage constellé de papiers de sucre, de tickets de PMU chiffonnés, d'additions déchirées, m'ont saisi comme m'avaient saisi quelques heures plus tôt les rues de la résidence où j'avais raccompagné Sophie. Sitôt sorti de la forêt tout s'était effondré et une mélancolie poisseuse que je connaissais bien m'avait rattrapé, un effondrement intérieur, un affaissement. Les rues uniformes me faisaient froid dans le dos, et chez elle la lumière trop crue et le silence et la froideur du sol trop clair, des meubles et des baies vitrées sans croisillons, de nouveau les jouets en plastique et les revues de papier glacé, la table à repasser et le panier à linge, l'étendoir sur la terrasse et les meubles de jardin en plastique blanc, les chemises d'Alain ses cravates bariolées la pochette du film visionné la veille en DVD sur la table basse, le visage de Sophie soudain rendu à son âge, ses cheveux sages ses vêtements discrets. Même le son de sa voix n'était plus le même, ni les mots qu'elle prononçait qui me semblaient soudain triviaux, creux, presque vulgaires. Je ne sais même plus de quoi elle parlait. De ses enfants, de l'association des parents d'élèves au sein de laquelle elle était très active, des mérites comparés de telle ou telle enseigne d'alimentation. J'avais prétexté un rendez-vous et m'étais enfui comme un voleur, le cœur en miettes et vaguement honteux de je ne sais quoi, de moi-même je crois. À l'entrée du lotissement un type m'avait tendu un prospectus. Un type qui se targuait de prendre la parole au nom d'une grande partie des habitants du quartier, dont il vantait la tranquillité et la qualité de vie. Il s'élevait contre le projet qu'avait le maire d'y construire de nouveaux logements sociaux, lesquels n'allaient pas manquer, était-il écrit, de dévaloriser le reste du voisinage, de faire baisser le niveau de l'école, d'augmenter la délinquance, et j'en passe. Tout cela était écrit noir sur blanc, sans détour. Tout cela était l'avenir de cette ville, peu à peu abandonnée aux plus hauts revenus des classes moyennes, pressés d'en exclure les classes inférieures pour vivre entre soi, dans des rues calmes et protégées de barrières à l'entrée, plaçant leurs enfants dans des écoles aux classes homogènes, un cauchemar de série américaine. J'ai rendu son prospectus au type. Il m'a regardé d'un air ahuri.

— Pourquoi vous me le rendez ?

— Parce que personnellement je suis favorable à ce projet. Je trouve ça très bien qu'on construise des logements sociaux. Et au milieu des quartiers « protégés », comme vous dites.

À l'expression qu'a prise son visage, à la pigmentation sanguine qui le colorait maintenant, j'ai compris qu'il n'en revenait pas. Il me fixait comme si j'étais le diable.

— Mais tout le quartier est contre.

— Eh bien vous vivez dans un quartier de cons, qu'est-ce que vous voulez que je vous dise ?

Il n'avait rien trouvé à répondre et j'avais senti ses yeux m'accompagner jusqu'à la voiture, dont l'immatriculation avait dû le rassurer. Bien sûr je n'étais pas d'ici, je n'avais aucune idée de ce qui se jouait dans cette ville, et quelque chose me disait qu'y être né et y avoir grandi n'aurait pas suffi à rendre mon avis recevable.

Comme prévu, les trois types qui accompagnaient Stéphane ne me disaient rien et c'était réciproque. Stéphane a eu beau leur rappeler trois ou quatre anecdotes, rien n'y a fait, et instantanément me sont revenues en mémoire la sensation d'invisibilité qui m'habitait alors, l'impression de toujours passer inaperçu, que ma présence ne faisait aucune différence, ma manie de feindre de disparaître pour me tenir en retrait et observer les éventuels effets de cette disparition, pour finir par me rendre compte qu'évidemment il n'y en avait aucun : personne ne s'apercevait de ma désertion, personne à part Éric qui soupirait, à la longue il n'y ferait même plus attention, une fois de plus j'avais disparu sans prévenir voilà tout, un jour je sortirais de sa vie sans même un au revoir, il se retournerait et je ne serais plus dans son sillage, et cette fois ce serait pour toujours.

Stéphane m'a présenté et un sourire gêné a envahi leur visage quand il leur a dit que j'étais écrivain. Je n'ai pas relevé, j'étais habitué. En général, cette information engendrait au mieux de la méfiance ou de l'incompréhension.

— Mais tu écris quoi ? Des romans policiers, des romans de science-fiction, des romans d'amour ?

— Non des romans tout court.

— C'est-à-dire ?

— Ben je sais pas. Comme Beigbeder, Gavalda ou Nothomb. Enfin pas comme eux, justement, enfin j'espère, mais en gros.

C'était peine perdue. Aucun de ces noms ne leur disait quoi que ce soit. Et ils finissaient invariablement par me demander, à part ça, ce que je faisais vraiment, sérieusement, dans la vie.

— Rien d'autre. J'écris et c'est tout.

Immanquablement venait alors une remarque portant sur leur peu de goût pour la lecture, dont l'école les avait soi-disant détournés, et leur aversion pour tout ce qui était « intello » ou « prise de tête ». Au moins me reconnaissaient-ils le mérite de ne pas être péteux ni snob, de vivre en province et non dans les arrondissements chics de Paris, de prendre un pot avec un simple caissier de supermarché dans un bar PMU pourri d'une ville perdue dans l'immensité suburbaine... Stéphane a bien tenté de les intéresser un peu à mes activités, mentionnant les films auxquels j'avais pu collaborer, citant les noms de deux ou trois acteurs très populaires qui y avaient tenu un rôle, mais non vraiment, ça non plus, ça, ça ne leur disait rien. Et vu ce que ça racontait, non merci, ce n'était sûrement pas pour eux.

— Vous savez, on parle de lui dans les journaux... Enfin dans les pages livres, bien sûr. Dans *Le Nouvel Obs*, *Télérama*, *Le Monde*.

Ils ont haussé les épaules en chœur. Tant que mon nom n'apparaissait pas dans *L'Équipe* il y avait peu de chances qu'ils tombent dessus un jour. Après quoi, ils ont repris une conversation dont ils ont paru m'exclure d'emblée, comme si la nature même de nos activités respectives, des vies que nous menions, nous plaçait de part et d'autre d'une barrière infranchissable. Comme si d'avoir grandi dans les mêmes rues, de m'être assis sur les mêmes bancs, d'être issu des mêmes strates sociales ne suffisait pas. J'avais trahi quelque chose, je le sentais bien, sans trop savoir quoi.

Voilà les pensées qui circulaient sous mon crâne alors et qui sans doute étaient parfaitement injustifiées, paranoïaques. Après tout j'étais entré dans ce bar sans vraiment les reconnaître et j'avais interrompu leur conversation. Je me suis tourné vers Stéphane et il semblait inquiet : sa période d'essai s'achevait et le patron ne lui avait encore rien dit sur la suite. La veille il y avait eu cet incident, un vieux beau en costard, on se demandait bien ce qu'il foutait là d'ailleurs, l'avait accusé d'avoir voulu l'arnaquer en lui rendant la monnaie. C'est vrai qu'il avait perdu son calme et avait haussé le ton, des fois ce boulot à la con lui tapait sur les nerfs, il fallait le comprendre aussi. Le patron avait déboulé aussitôt, à croire que dans son bureau il passait son temps l'œil rivé sur les caméras. Les trois autres ont fini par se mêler à la conversation et chacun s'est lancé dans des histoires du même acabit. Les ennuis avec les clients, les usagers qui vous traitent comme si vous étiez à leur service, comme si vous leur deviez quelque chose, comme s'ils vous étaient supérieurs, la pression des petits chefs qui trouvent que vous n'en faites jamais assez, que vous n'êtes pas assez investis, pas assez aimables, souriants, causants, que vous manquez de bagout, de personnalité. Au bout d'un moment Bruno s'est mis à me raconter son parcours, le bac qu'il avait raté et puis l'année d'après qu'il avait passée à ne rien foutre, à fumer avec ses potes à faire du skate à vaguement jouer de la basse dans un groupe de reggae, et depuis la succession des CDD, des périodes d'essai qui le plus souvent ne débouchaient sur rien, des mois de chômage, de RMI même à un moment. Il avait un peu tout fait, fini par échouer dans cette agence d'intérim et franchement ce n'était pas plus mal. Il prenait ce qu'on lui proposait. Manutention, gardiennage, nettoyage. Avec le salaire de sa femme qui bossait au Gifi ça allait. Bien sûr il aurait aimé pouvoir payer des vacances à leurs deux gosses, mais la location de leur trois-pièces bouffait les deux tiers de leurs revenus, ensuite il y avait juste assez pour la nourriture et les vêtements et plus ça allait plus la fin du mois commençait tôt. La Blonde avait raison. Tout ça c'était la faute à l'euro qui faisait grimper les prix, et puis aux étrangers qui prenaient tous les boulots parce qu'il fallait pas croire, lui il était prêt à les prendre tous les boulots que soi-disant les Français ne voulaient plus faire. Même nettoyer les chiottes ça lui allait pourvu qu'on lui file un CDI à temps complet et un salaire mensuel.

— Tu te rends compte ? Aujourd'hui le graal, c'est un CDI à temps complet. Du temps de nos parents c'était juste le minimum. La moindre des choses. Aujourd'hui faut se battre comme un chien pour ça. Et même quand tu l'as t'as toujours un mec pour te dire que tu fais pas assez bien ton boulot, que t'es pas assez productif…

Du regard, j'ai interrogé les deux autres. Aymeric bossait à la poste. Son père l'y avait fait entrer. Fils de postier. Il gagnait un peu plus du SMIC, c'était pas le nirvana mais il pouvait pas se plaindre, il avait un boulot à plein temps, lui, et n'avait jamais connu le chômage. Des fois il avait l'impression que ses potes lui en voulaient pour ça. Il y avait toujours ces trucs comme quoi il était privilégié. On entendait ça à la télé aussi. À cinq heures du mat tous les jours à faire le tri il ne voyait pas trop en quoi il était privilégié mais enfin, il ne pouvait pas leur en vouloir, c'était la crise, c'était comme ça. Les mecs en CDD enviaient ceux qui avaient des CDI. Les chômeurs enviaient ceux qui bossaient. Les smicards trouvaient que les chômeurs gagnaient trop alors qu'ils foutaient rien. Les Français en voulaient aux étrangers, et même aux Français d'origine immigrée, et c'était réciproque, tout le monde enviait tout le monde, tout le monde en voulait à tout le monde, enfin c'était son impression, et franchement, c'était pas de voter pour la Blonde qui allait arranger toute cette merde. Bruno a acquiescé. Bien sûr il ne voterait jamais pour elle. C'était juste que parfois il avait envie d'envoyer tout valser, de filer un bon coup de pied dans la fourmilière, et de leur dire d'aller se faire foutre, à tous ces énarques de merde.

— Quelquefois je me dis qu'on est quarante millions de Français à être passés sous silence. Je veux dire : tu allumes la télé et on entend parler que des riches. Tout le temps. Et le bouclier fiscal ici, et l'ISF là, et les charges de ces pauvres patrons et les problèmes de productivité de nos entreprises pas assez concurrentielles, les pauvres, qui, snif snif, ne peuvent pas embaucher autant qu'elles voudraient et qui doivent serrer la vis sur les salaires, etc. Pourquoi quand ils parlent de la crise ils parlent que des traders, des banques et des entreprises ? Jamais des salariés, des familles, des retraités qui en bavent.

On s'est recommandé une bière et on l'a descendue d'un trait. Le troisième n'avait pas prononcé un mot depuis plusieurs minutes. Il a fini son verre et nous a salués avant de s'éclipser. Stéphane a regardé l'heure. Il n'allait pas tarder lui non plus. Marie n'aimait pas trop qu'il traîne au bar avec les potes pendant qu'elle se tapait les devoirs et le bain des petites... Il avait l'air un peu déçu de devoir rentrer. Je ne lui ai pas dit que j'aurais tout donné pour être à sa place, qu'à la sienne j'aurais été chez moi depuis longtemps, que le quotidien avec les enfants et Sarah me manquait plus que tout, la petite routine du jour le jour, cet empilement d'habitudes et de rituels qu'on nommait, parfois avec mépris, la vie de famille. Je n'avais aucun goût pour ça en général. Mais en particulier, en ce qui nous concernait Sarah les enfants et moi, oui, j'aurais payé cher pour vivre ça jusqu'à la fin des temps. J'ai réglé les consommations. Comme j'allais pour sortir, j'ai entendu mon nom. Je me suis retourné et dans la queue pour les cigarettes je l'ai tout de suite reconnu. Il avait toujours ce regard étrange et beau, ces yeux trop clairs et ces longs cils de fille qui faisaient que tout le monde le traitait de pédé. Personne ne lui adressait trop la parole. C'était le fils de la prof de français, personne ne pouvait la piffer, avec le recul je ne sais même plus trop pourquoi, elle ne devait pas être pire qu'une autre, enfin ça suffisait à mettre Damien à l'amende. Je me souvenais qu'à plusieurs reprises il avait tenté de se rapprocher de moi. Parce que lui aussi écoutait de la musique classique, lisait de la poésie, en écrivait un peu. Lui aussi aimait les films que les autres trouvaient chiants ou bizarres. Quand il m'a serré la main j'ai senti un léger malaise me gagner. Toutes ces années je l'avais snobé comme les autres l'avaient snobé. Avec Yann, Éric, Thomas, Stéphane il nous était arrivé de les appeler en pleine nuit, lui et sa mère. On avait trouvé leur numéro dans l'annuaire, on était chez Yann, bien décidés à passer une nuit blanche, une fois ses parents couchés on allait chercher des bouteilles, on regardait des films d'épouvante, genre *Freddy*, on regardait aussi des films de cul en crypté sur Canal, et toujours vers trois heures du matin, un peu bourrés, il y en avait un qui proposait de faire chier la mère Duval. On composait son numéro. Elle décrochait et on ne disait rien. Et on recommençait pendant des heures comme ça. Le lendemain Damien était blême et ses yeux cernés.

— Ça va pas ? lui demandait l'un d'entre nous.

— Non. Y a encore un enfoiré qui nous a appelés toute la nuit. Si ça continue on va appeler les flics.

Il disait ça en nous regardant avec insistance, comme s'il avait deviné qu'il s'agissait de nous. Mais personne ne mouftait. Tout le monde soutenait son regard trop clair bordé de trop longs cils.

On s'est échangé quelques nouvelles. Il avait suivi mon parcours. Sa mère aussi.

— Elle a beaucoup d'admiration pour toi. Et puis elle est fière comme tout. Elle parle de tes livres à tout le monde. Tu penses. Pour une prof de français…

Il parlait toujours avec ce petit sourire en coin, dont on ne savait trop quoi penser. On avait un peu l'impression qu'il se foutait de notre gueule. Ou bien qu'il s'excusait d'être là. Il a laissé planer un grand silence. J'ai tenté de ne rien laisser paraître. Est-ce qu'il savait ou non ? Sa mère était-elle tombée sur ce livre-là ? Celui où je parlais d'elle en termes assez désobligeants ? Je n'avais même pas changé son nom. C'était un bouquin paru dans une collection pour la jeunesse, à un moment où mes lecteurs se comptaient sur les doigts de la main, à un moment de ma vie aussi où la Maladie avait repris le dessus. C'était l'époque où je me cognais la tête contre les murs, où je passais des heures entières enfermé dans un placard, où je buvais dès le matin et portais toujours dans ma poche de manteau une flasque de whisky bon marché. L'époque où je me bourrais de médicaments et où Sarah pleurait chaque soir mais ne se résignait pas. L'époque où je marchais des heures dans Paris en marmonnant que je voulais crever et en pointant mes doigts en revolver sur ma tempe à tout bout de champ. L'époque où j'avais aussi écrit des conneries sur François et sa femme, mais il ne m'en avait jamais parlé, je n'aurais su dire s'il les avait lues, si ça avait pu affecter notre relation déjà lointaine, réduite aux strictes obligations familiales.

Nous sommes sortis et Damien s'est allumé une cigarette. Il enseignait le français à des étrangers qui ne le parlaient pas ou le parlaient mal, pour le compte d'une association. Avant ça il avait fait un détour par l'Éducation nationale mais il n'avait pas tenu longtemps. Dès la première année il s'était vu passer une vie entière à l'école et ça avait été comme un vertige. Et puis il rechignait à faire preuve d'autorité. Il voulait faire confiance aux gamins mais ça n'avait pas suffi, au bout de trois mois il s'était laissé déborder : il ne faisait plus cours qu'à un tiers de la classe. Évidemment c'était un constat d'échec. Bien sûr il avait abandonné. Mais il n'avait pas la force de poursuivre. Il lui suffisait de faire un tour en salle des profs pour savoir qu'il devait prendre ses jambes à son cou. À part deux ou trois de ses collègues que rien n'entamait, qui avaient véritablement la foi, parce qu'il fallait l'avoir pour continuer, entre les mômes ingérables, les consignes débiles du ministère, les programmes conçus pour décerveler les élèves et leur ôter tout goût pour la réflexion, tout élan pour la littérature, toute curiosité, tout sentiment, les hommes et les femmes qu'ils croisaient oscillaient tous entre résignation et dépression, et tous finissaient par ressentir la même chose pour les jeunes qu'ils étaient censés former : du mépris, de la haine, du dégoût, et parfois de la peur. Il avait donné sa démission et s'était fait embaucher dans cette association, qui venait en aide aux immigrés. C'étaient surtout des Africains. Quelques Chinois. Il leur apprenait les bases. Certains savaient à peine lire. À peine écrire. D'autres au contraire étaient très instruits. Mais tous vivaient dans des conditions d'extrême précarité. Une partie d'entre eux bossaient sur des chantiers sans être déclarés, sans contrat, sans couverture sociale. La plupart des femmes travaillaient pour des sociétés de nettoyage, deux heures le matin à soixante kilomètres d'ici, deux heures le soir à l'autre bout de la banlieue, une heure aller une heure retour en bagnole à chaque fois, l'essence leur bouffait la moitié de la paie. Et encore, celles qui obtenaient ça étaient les plus chanceuses. Il ne m'a rien dit de sa vie privée. Était-il marié ? Avait-il des enfants ? Nous nous sommes quittés sur le trottoir. Il m'a serré la main et juste avant de me tourner le dos m'a glissé : « Au fait, maman te fait dire qu'elle portait du Chanel. » Il ne m'a pas laissé le temps de répondre. Les mots que j'avais écrits à propos de sa mère me sont soudain revenus en mémoire. Je parlais de ses pulls transparents qui laissaient voir sa poitrine et de ses parfums de Prisunic. J'ai regagné ma voiture en pensant à elle. J'ai démarré et j'ai roulé jusqu'à la maison, j'ai roulé au ralenti, sans radio, vitres ouvertes, au milieu des rues pavillonnaires, le long des cités HLM, j'ai roulé parmi les entrepôts de la zone industrielle, j'ai longé le fleuve et l'hôpital, croisé des parkings déserts aux abords des supermarchés, fait un détour par l'école, le collège, la Maison des jeunes, le Pôle emploi, la gare RER, j'ai traversé deux ou trois lotissements aux façades alignées cachant des jardins rectangulaires plantés de balançoires et de barbecues, j'ignore ce que je cherchais en tournant ainsi. Peut-être à rentrer chez moi. Même si je n'avais jamais bien su où c'était. Même si depuis quelques mois je n'en avais plus vraiment.

II

Le paysage défilait, succession de plans fondus les uns dans les autres, rendus flous par la vitesse. À la radio, les commentaires sur les bons scores du FN aux élections, la présence de ses candidats au second tour dans de nombreux cantons tournaient en boucle, seulement entrecoupés par quelques nouvelles, de plus en plus parcellaires et laconiques, sur le Japon, où la situation paraissait se stabiliser : la centrale de Fukushima était provisoirement sous contrôle, le pire avait semble-t-il été évité, même si des villes entières continuaient à être évacuées, même si les produits des régions avoisinantes étaient désormais interdits, même si on parlait d'abattre les troupeaux des exploitations agricoles voisines, d'océan contaminé, de centaines de milliers de poissons irradiés. On craignait surtout que d'autres répliques ne viennent de nouveau fragiliser les réacteurs. En cours de refroidissement ceux-ci fumaient encore. Chaque jour on surveillait l'avancée des nuages. Les experts parlaient de six à neuf mois avant la mise sous sarcophage. Partout on interrogeait notre propension à nous en remettre au nucléaire. Le

ministre français, comme frappé de cécité malgré l'évidence, prétendait que par chez nous tout
était sous contrôle, qu'aucun risque n'était
encouru. On avait beau lui répéter que là-bas
aussi ils s'étaient crus à l'abri, que là-bas aussi
on avait parlé de normes de sécurité, de risque
zéro, on avait beau lui répliquer que l'impossible
avait eu lieu, que par définition l'imprévisible ne
pouvait être prévu, il n'en démordait pas, comme
incapable de mesurer vraiment l'impact de tout
ça sur les populations, l'ampleur de la folie et de
l'aveuglement dans lesquels nous nagions depuis
si longtemps. Partout aussi on louait le calme des
Japonais, leur fatalisme sidérait, ici et là des spécialistes tentaient d'exposer des concepts aussi
abstraits que celui d'impermanence, en appelaient à la religion shinto, répétaient à qui voulait
l'entendre que l'archipel portait en lui l'hypothèse de sa propre destruction et qu'il fallait vivre
avec ça, qu'ils étaient habitués, et que pour eux
ça n'avait rien d'exceptionnel, mais la force de
l'évidence : comme toute chose en ce monde,
l'homme, qui n'était qu'un élément parmi
d'autres, s'éteignait un jour. Puis on passait à la
Libye, où les combats s'intensifiaient, sans qu'on
puisse en prédire l'issue, à la crise qu'on avait
d'abord qualifiée de grecque et qui chaque jour
devenait un peu plus celle de la dette, du système
financier, de l'euro et bientôt de l'Europe elle-
même, et les kilomètres défilaient. Comme tant
d'années auparavant, tandis que nous roulions
vers la mer, un camion de déménagement nous
précédant sur la quatre-voies, laissant dans notre
dos notre appartement vidé, notre passé étais-je
tenté de penser, j'ai eu la sensation de fuir

quelque chose, de m'évader. La photo de Guillaume était posée sur le siège passager. Régulièrement j'y jetais un œil. Et plus je la regardais plus les choses semblaient s'éclaircir, plus des rideaux de silence et de froideur se levaient : la tristesse de ma mère, la fatigue glacée de mon père, son silence, sa dureté, sa violence parfois. Bien sûr, il y avait le travail et la sape de la vie au jour le jour. Mais tout de même. Tout cela cadrait si mal avec ce que je savais d'eux plus jeunes : ces photos tellement insouciantes et gaies, leur décision de ne pas avoir d'enfant tout de suite pour « profiter » de la vie, leurs virées en Ardèche ou en Bretagne au volant de la Dyane, les robes et les coiffures changeantes de ma mère, les sourires facétieux de mon père, leur légèreté, leur beauté aussi. Longtemps je nous avais tenus, mon frère et moi, pour responsables de cette usure. Longtemps j'avais porté cette sorte de culpabilité. J'avais le sentiment d'avoir été un poids pour eux, un poids financier, un poids psychologique, avec le lot d'emmerdes que je leur apportais, pourtant je ne voyais pas très bien lesquelles à part mon caractère taciturne, mon inadaptation sociale, dont je n'étais même pas certain qu'ils aient conscience. Au fond que savaient-ils de moi ? Et que savais-je vraiment d'eux ? Deux jours plus tôt, j'avais tenté d'en parler de nouveau à mon père, mais il ne m'avait même pas laissé finir, à peine avait-il vu la photo que je tenais à la main qu'il était sorti de la pièce en maugréant : il fallait que j'arrête de l'emmerder avec ces histoires, j'avais trop d'imagination, c'était très bien pour un romancier mais là, en revanche, je commençais à les lui briser menu.

— Mais hier maman m'a dit que...

— Ta mère est dans les vapes. C'est toi-même qui t'inquiétais pour sa santé mentale l'autre jour, qui voulais qu'on demande au médecin de faire des examens pour voir si elle n'avait pas une tumeur au cerveau ou un début d'Alzheimer...

Après ça il était allé s'enfermer dans la salle de bains et en était ressorti en tenue de cycliste. Je l'avais regardé partir sur son vélo, grimaçant dès les premiers coups de pédales, visiblement rouillé, il y avait si loin entre cette image et les souvenirs que je gardais de ses sorties le week-end, souvent mon frère l'accompagnait et papa se vantait de le tenir encore en respect malgré son âge, et mon frère acquiesçait, admiratif, « tu aurais vu ce qu'il m'a mis dans la grande côte de Melun »... J'ai repensé à toutes les fois où furieux contre nous, contre ma mère, contre tout le monde et contre personne, le visage rouge et crispé de colère, je l'avais vu partir ainsi sur son vélo après nous avoir tordu le bras et jetés dehors, ou flanqué un de ces coups de pied au cul dont il avait le secret. Il ne rentrait que trois ou quatre heures plus tard, calme mais froid comme une anguille, ne nous adressant plus la parole de la soirée, ni du lendemain ni du surlendemain. Puis soudain tout était effacé et la vie reprenait son cours, toujours un peu menaçante, le feu couvant sous la lave.

Je me suis arrêté aux environs de Laval. J'ai appelé chez mes parents. J'avais l'impression de prendre la fuite, de ne pas assumer mes responsabilités de fils. Quand j'avais annoncé à mon frère que je rentrais, il m'avait répliqué qu'il en était certain, que décidément on ne pouvait pas compter sur moi. Que c'était toujours pareil avec nous autres. Pour parler, nous saouler de mots, de grandes idées généreuses nous étions fortiches, mais dès qu'il s'agissait d'agir...

— Attends, lui avais-je lancé, je ne vois pas le rapport. Et puis ça fait dix jours que je suis là-bas, coincé entre papa qui tire la gueule du matin au soir comme toujours et l'hôpital où maman dort la plupart du temps. Je voudrais bien t'y voir.

— M'y voir ? Tu te fous de ma gueule ? Ça fait quarante-trois ans que j'y suis.

Un instant j'avais été tenté de lui parler de la photo de Guillaume, mais je m'étais ravisé. Ce n'était pas le moment. Ça ne le serait peut-être jamais d'ailleurs. J'avais fini de préparer mes bagages. Tout était en ordre. Maman était rentrée de l'hôpital. Le matin même des brancardiers étaient venus la chercher, l'avaient prise dans leurs bras pour descendre les escaliers jusqu'à l'ambulance qui la mènerait au centre de rééducation. La configuration des lieux avait eu l'air de lui convenir. Bien sûr ce grand lit au milieu du salon, elle avait trouvé ça laid mais c'était temporaire, ils allaient déménager et elle semblait vraiment s'en réjouir, au motif que là-bas tout serait plus pratique, et aussi qu'il y aurait d'autres personnes de son âge, des gens à qui parler parce que ici les voisins, c'était juste bonjour bonsoir, et mon père, je le connaissais, il ne fallait pas trop compter sur lui pour faire la causette. Le soir, elle avait fait sa toilette dans la cuisine, à l'aide d'une bassine et d'un gant. Tout avait l'air de rouler. Le frigo et le garde-manger étaient pleins pour dix jours, et j'avais embauché une aide pour venir chaque matin faire un peu de ménage, quelques courses éventuellement, et préparer les repas. Mon père avait râlé. Il n'avait besoin de personne. Et ça allait lui coûter une fortune. Quand je lui avais répondu de ne pas s'inquiéter pour ça, que j'avais réglé d'avance les deux mois à venir, il avait paru vexé.

— C'est pas la peine que tu paies quoi que ce soit. C'est pas aux enfants de subvenir aux besoins de leurs parents. Et puis on a tout ce qu'il faut. On gagne notre vie comme on l'a toujours gagnée, sans rien demander à personne. D'autant que la maison a été vendue ce matin. On signe la promesse la semaine prochaine. Alors tu vas me dire combien je te dois.

Elle s'appelait Madeleine et parlait avec un fort accent campagnard. C'est elle qui a décroché.

— Tout se passe bien ? lui ai-je demandé.

Visiblement la réponse était oui. Elle avait deux ou trois questions à me poser sur le maniement du four et des plaques, auxquelles mon père avait été incapable de répondre. D'ailleurs il était sorti et ma mère était encore chez le kinésithérapeute. J'ai raccroché, rassuré. Après tout j'avais fait ce que j'avais à faire. Et mon frère quant à lui n'avait même pas daigné quitter l'horrible maison d'architecte de cette horrible ville de banlieue chic où il vivait et passait son temps à soigner des caniches nains. J'ai fini mon café et réglé l'addition à la serveuse, une fille très maigre qui flottait dans son tee-shirt Total. Elle m'a souhaité bonne route et je lui ai souhaité bon courage.

— Il en faut, m'a-t-elle répondu d'un ton las. Après ce qui est arrivé hier il en faut.

Ça y est ça recommence. Ça ne s'arrêtera jamais cette manie qu'ont les gens de se décharger de leur vie sur moi, ai-je pensé en l'écoutant me raconter comment la veille un routier s'était suicidé dans les douches. C'est elle qui l'avait découvert : la porte était fermée depuis des lustres et on n'entendait aucun bruit d'eau. Elle avait frappé mais personne n'avait répondu. Au bout d'un moment, en regardant ses pieds, elle avait vu du sang se répandre en flaque autour de ses chaussures. Un collègue avait forcé la porte. Un type gisait nu et la tête renversée, les veines ouvertes.

— J'en ai fait des cauchemars, c'était tellement atroce.

J'ai repris la route, coupé les infos, mis le dernier St. Augustine et j'ai roulé jusqu'à la mer sans même m'en rendre compte, porté par la musique, dans un état semi-somnolent, bercé par le paysage qui défilait à 150 km à l'heure. Manon m'engueulait toujours parce que je roulais trop vite. Ce n'était pas par goût ni pour faire le malin mais vraiment c'était plus fort que moi : je faisais attention pendant vingt kilomètres et puis je n'y pensais plus, mon esprit s'envolait et il fallait me tirer de ma rêverie pour que je réalise enfin que je roulais à cette allure. « Quand tu n'auras plus aucun point, peut-être que tu le réaliseras », me répétait Sarah à tout bout de champ. J'avais beau recevoir des contraventions par paquets, sa prédiction ne s'était jamais vérifiée. J'avais même fini par décrocher mon téléphone pour en avoir le cœur net et interroger la préfecture sur l'état de mon capital en la matière. À ma grande surprise on m'avait répondu qu'il était intact. La femme au bout du fil m'avait même félicité. « Tu vois, avais-je nargué Sarah, même à la préfecture, ils trouvent que je conduis comme un dieu. » Elle avait décidé alors de leur écrire pour leur signaler qu'une erreur, un bug informatique quelconque ou autre chose faussait depuis plusieurs années le calcul des points de son compagnon. Quelques jours plus tard j'avais reçu un courrier m'indiquant qu'il ne me restait plus que trois points et m'invitant à suivre un stage pour en regagner une poignée. Ce que je fus contraint de faire. J'aurais sans doute dû lui en vouloir. Mais la vérité, c'est que je n'avais pas pu m'empêcher d'être fier de partager la vie d'une femme pareille.

Soudain la mer s'est répandue devant mes yeux et j'ai eu la sensation qu'on ouvrait mon cerveau pour le laisser libre de s'étendre après des jours entiers dans un Tupperware. Je suis descendu de la voiture et mes poumons se sont remplis de ciel et d'algues, de sel et d'iode. Sur la plage, une quinzaine de personnes prenaient le soleil, toujours les mêmes, parfois je me demandais ce qu'elles pouvaient bien faire de leur vie, pour se tenir là chaque après-midi au moindre rayon, à fixer les flots pendant des heures, comme méditant infiniment face à la mer. Elles-mêmes devaient ignorer à quoi j'occupais mes journées, en général nous nous saluions d'un mouvement de tête, et les rares mots que nous échangions étaient consacrés à la beauté des lieux, à la manière qu'avait la lumière de tomber, la marée de dénuder les récifs, à la luminosité du sable ou à la couleur de l'eau, plus ou moins mobile, plus ou moins verte, bleue, turquoise, plus ou moins gris anthracite ou argent quand le soleil déclinait. Parfois l'un d'entre eux se levait et s'avançait jusqu'aux premiers clapotis, puis il s'enfonçait dans l'eau à pas lents, insouciant des maigres treize ou quatorze degrés qu'aurait affiché le mercure si on y avait plongé un thermomètre. Mieux valait s'en abstenir et s'en remettre à l'envie qui nous prenait parfois. Bientôt il était presque entier englouti et nageait vers l'horizon, les yeux rivés sur le ciel et les oiseaux. J'étais l'un des leurs et j'étais bien placé pour savoir qu'ainsi ils faisaient plus que se baigner, qu'il s'agissait d'un rituel étrange, d'une cérémonie qui avait à voir avec l'oubli et la réparation. Il arrivait que certains s'épanchent un peu et, les yeux embués, évoquent la chance que nous avions de vivre là. À l'expression que prenaient leurs visages, au ton qu'affectaient leurs voix, je comprenais qu'il ne s'agissait pas seulement d'une simple satisfaction de vacancier ou de touriste. Non, quelque chose de plus profond les liait à ces paysages. J'avais la sensation qu'ici chacun était venu pour se sauver. Chacun tentait de faire peau neuve. Chacun fuyait sa vie son passé son présent ses fantômes, essayait de les tenir à distance et de les noyer quotidiennement en fixant l'étendue marine, et plus encore en s'y plongeant comme on se lave. J'ai enfilé un maillot et me suis enfoncé dans l'eau glacée. L'eau me mordait les bras à faire mal, gelait ma nuque. J'ai pensé à Manon qui dès onze ou douze degrés s'y prélassait comme un chat au soleil, elle était pire que moi et depuis un an allait à l'eau chaque jour ou presque, ne tolérant la combinaison qu'en hiver. J'aimais la voir glisser sur sa planche effilée, les cheveux rongés par le sel. Clément quant à lui était nettement moins téméraire. Comme Sarah, il attendait des températures plus douces pour nager et restait le temps seulement de quelques brasses et deux ou trois éclaboussures. Frigorifié, il rejoignait les serviettes en claquant des dents, puis passait des heures entières sur les roches à chercher la chaleur en prenant des poses de lézard.

Je suis ressorti de l'eau gelé mais remis à neuf : je ne boitais plus, j'avais l'esprit clair et dégagé, en quelques minutes la mer avait tout effacé, les rues de mon enfance et la maison de mes parents, mes anciens camarades de classe et Sophie. J'ai regardé autour de moi et j'ai soudain eu la certitude d'être rentré chez moi, dans ce pays finistère, où nous étions quelques-uns à nous réfugier et à tenter de nous maintenir en vie en nous offrant aux éléments, au ciel aux vagues et au granit, aux mouvements des nuages et des marées, à mener une vie vouée aux falaises et aux miroitements de l'eau, aux étendues sableuses, une vie fondue au paysage, à n'être plus que surface sensible, accueil, perception. J'avais envie de retrouver Sarah. Nous étions mardi et elle ne travaillait pas, je le savais parfaitement. J'avais envie de la serrer dans mes bras et il me semblait qu'en me voyant apparaître, en me laissant lui parler tout pourrait recommencer. Je me sentais capable de la convaincre que j'allais tout réparer. Je me sentais prêt à lui faire la promesse d'un nouveau départ, d'une peau neuve, et de la tenir. Quelque chose dans ces jours passés à V. m'avait remis les idées en place. Quelque chose se dessinait. J'avais le sentiment de mieux discerner les contours de ma vie, ses lignes de force, ses tenants et ses aboutissants. J'ai tâté ma poche pour vérifier que Guillaume s'y logeait bien, minuscule et violet derrière le plexiglas transparent de sa couveuse. Naïvement, je croyais dur comme fer qu'en le voyant Sarah comprendrait, et que tout reprendrait là où on l'avait laissé.

Sa voiture était garée le long du jardin. Un coupé Audi noir la touchait presque. J'ai senti mon cœur se décrocher d'un coup. Je connaissais cette putain de bagnole. Je me suis garé plus loin dans une impasse. Je n'en revenais pas. Qu'est-ce que ce connard de médecin pédant foutait chez moi ? Chez Sarah ? Je détestais ce type, ses cheveux argentés parfaitement coiffés, ses costards noirs et chaussures vernies même quand il se baladait sur la plage, ses joues rasées de près et ses mains manucurées, sa manie de ne boire que du jus de tomate ou des whiskies hors de prix à La Goélette, son putain de bateau à moteur fuselé d'un blanc éclatant quand tout le monde ici ne jurait que par la voile. Toutes sortes d'idées absurdes étaient sur le point d'envahir mon cerveau, quand j'ai vu ce grand con apparaître dans le jardin, mon jardin, ce type traversait ma pelouse de ses grands pas de grand con, parfaitement détendu, souriant même. Il s'est retourné pour adresser un signe vers la porte. D'où j'étais je ne pouvais pas la voir mais Sarah devait forcément s'y tenir, à cette heure qui aurait pu être là sinon elle ? Le George Clooney du pauvre a rejoint sa belle Audi noire et m'a laissé crucifié, planqué derrière un arbre sur le trottoir d'en face. J'ai sorti mon téléphone de ma poche. Sarah a répondu au bout de trois sonneries qui m'ont semblé interminables.

— Je ne te dérange pas ?

— Non, non. Je dormais. T'es toujours chez tes parents ?

— Non. Je suis rentré. Je t'appelais pour te le dire, justement. Pour te dire aussi que si ça te convenait je pensais prendre les enfants demain. Ça fait longtemps que je ne les ai pas vus. Ils me manquent trop.

— Paul. Ça ne fait pas « longtemps ». Ça fait dix jours. Arrête de jouer les martyrs.

Je me suis décalé pour apercevoir la porte-fenêtre du salon. Elle s'y tenait le téléphone à l'oreille, vêtue de sa petite robe noire à bretelles, celle qu'elle mettait quand elle voulait me faire plaisir. Cette robe était comme un signal entre nous, qui promettait de merveilleuses séances de baise dans la maison déserte, livrée aux longs après-midi silencieux que nous offrait l'Éducation nationale...

— Tu as fait quoi aujourd'hui ? n'ai-je pu m'empêcher de lui demander...

— Rien. Rien de spécial. Rozenn est venue prendre le café. Elle vient de partir.

— Je croyais que tu faisais la sieste.

— Ben oui, enfin j'essayais. Jusqu'à ce que t'appelles...

Chacun de ses mensonges me vrillait le ventre. Dans le jardin d'en face la voisine m'observait d'un air bizarre. Elle devait se demander ce que je foutais devant la maison de mon ex-femme à téléphoner en me planquant à moitié. Je lui ai souri en montrant mes belles dents artificielles, ma belle rangée de porcelaine à mille euros pièce, grâce à

quoi mon dentiste roulait en Porsche. J'ai raccroché et j'ai rejoint ma vieille Scenic, prématurément rouillée par les embruns.

Les vagues déferlaient sur la digue, se brisaient et venaient lécher les vitres du bar en grandes gerbes d'écume mousseuse. On se serait cru dans une bagnole pendant le lavage automatique. Le soleil diagonal se répandait sur l'eau en flaques d'aluminium fondu. J'avais passé la fin d'après-midi à mon bureau, face à la mer qui volait peu à peu le sable, un ciel de traîne chargé de nuages électriques fondait sur l'appartement, traçant des ombres gigantesques et bleu pétrole sur l'eau éme-raude, la mer semblait une mosaïque de couleurs marocaines, à certains endroits on l'aurait crue éclairée de l'intérieur par d'immenses allogènes posés au fond de l'eau et tournés vers la surface. Sur la vieille ville le ciel était tout à fait mauve. J'avais allumé mon ordinateur mais ça ne servait à rien, un producteur venait de me poster un scé-nario, la plupart du temps je refusais ce genre de travail de rafistolage mais pour une fois j'avais fait une exception : j'aimais le travail du réalisa-teur, je n'avais pas de livre en chantier, me remettre au boulot ne pouvait pas me faire de mal. Depuis quelques semaines je vivais à l'envers.

Depuis notre séparation les jours n'avaient plus de forme, plus de centre ni de contour. Sans Sarah ma nature profonde reprenait le dessus : incertaine, floue, égarée. Depuis que j'avais mis un point final à mon recueil de nouvelles aussi d'ailleurs. Je ne savais plus vivre sans écrire. Toute ma vie avait été construite autour de ce centre, qui dans les périodes où je ne travaillais pas s'absentait, et tout s'écroulait alors, tout perdait son sens. J'avais beau dire à qui voulait l'entendre que la mer me suffisait, ça n'était pas vrai. Non, je ne savais plus vivre sans écrire, et il m'arrivait de me demander si mes livres répondaient à une autre nécessité que celle-ci, vivre en écrivant, donner une structure, un but, une ossature, une forme aux jours qui passaient. J'essayais de me persuader du contraire, que chaque roman répondait à un appel beaucoup plus profond, impérieux, que les écrire était une question de survie mais je n'en étais pas sûr. J'avais fait défiler rapidement le scénario qu'on me demandait de nettoyer, de réarranger, voire de réécrire, sans rien en saisir, incapable de me concentrer. Ce connard de médecin me tournait dans le crâne, ses pompes vernies et son coupé Audi. L'imaginer en train de toucher Sarah m'arrachait littéralement le cœur. De nouveau j'avais tenté de lire le document sur lequel je m'étais engagé à travailler. Pour l'essentiel, je savais de quoi il en retournait. Mais il fallait maintenant entrer dans le détail, ausculter la mécanique, observer les rouages pour comprendre où ça coinçait. C'était un travail sans conséquences, un peu laborieux, sans poésie ni grâce, comme tout ce qui se rapportait au scénario quand on n'était pas soi-même le réalisateur du film, quand on ne détenait pas la vision d'ensemble, le langage fait de corps, de temps, de plans et de lumières. Je ne sais pas qui a dit qu'un bon film c'est avant tout une bonne histoire, une bonne histoire et une bonne histoire, mais ce type, en plus d'être idiot, devait être à la solde du syndicat des scénaristes. Des bonnes histoires on en trouve partout, dans chaque poubelle, il y en a plein les journaux, plein les rues, plein les maisons, il suffit de se pencher pour les ramasser. Et des types qui savent les faire tenir debout, on en voit des files entières se pressant devant la porte des producteurs. Non, un bon film, comme un bon livre, ne tient qu'à la manière, au regard, au rythme, au plan, à la langue, à la lumière, au temps, à la phrase. Et éventuellement aux personnages. Le reste n'était qu'anecdote. Voilà le genre de débat que j'aimais avoir avec moi-même. Parfois je saoulais Sarah en dissertant sur ces choses à voix haute. Pourtant je n'étais même pas certain d'y croire. Au fond je n'avais jamais été certain de vraiment penser ce que je croyais penser, d'être vraiment celui que je m'évertuais à être. J'avais fini par éteindre l'ordinateur et par aller nager jusqu'à trembler de froid.

Le bar était plein, Fabien fêtait son nouveau boulot, après une formation en plomberie il venait de se lancer, c'était sa première journée et il offrait sa tournée. Depuis que je vivais ici c'était bien le sixième job dans lequel je le voyais se lancer. À la base il était script. Mais au fil des années je l'avais vu devenir négociant en huîtres, employé au port, barman, vendeur de jouets sur les marchés, et patron d'un restaurant qui n'avait tenu qu'une saison. C'était comme ça pour plein de gens ici. Ils prenaient ce qu'ils trouvaient, quelle que soit leur formation initiale. Il n'y avait pas beaucoup de boulot et on faisait avec. Pas une seconde ça ne leur serait venu à l'idée d'aller voir ailleurs s'il y en avait plus. Tous préféraient se transformer du jour au lendemain en ce qu'ils n'avaient jamais imaginé être la veille encore. La majorité d'entre eux étaient natifs du coin, j'en avais souvent discuté avec des profs des environs, les gamins tenaient tellement à vivre ici qu'ils s'engageaient dans des formations sous-dimensionnées, rechignaient à aller étudier à Rennes ou à Paris, et quand ils le faisaient ils revenaient au bout de quelques années pour bosser dans un secteur et à un poste qui n'avaient rien à voir avec leurs qualifications. J'ai regardé autour de moi en buvant mon Lagavulin, je l'avais commandé sans réfléchir, sans même me dire que voilà je m'y remettais, après des années à tenter de résister aux écarts, à me contenter de vin, de bière ou de cidre, et j'ai fait les comptes : il y avait là un photographe devenu fromager, un ingénieur du son qui vendait des serviettes-éponges sur le marché, un informaticien qui faisait des peintures, un peu d'électricité et élaguait vos arbres, un spécialiste des effets spéciaux en dessins animés qui bossait dans une maison de pompes funèbres, une maquilleuse de cinéma qui tenait une boutique de décoration, un comptable qui travaillait dans une association de réinsertion. Il n'y avait guère que le dentiste à être vraiment dentiste et, ma foi, ça valait mieux pour la plupart des gens qui se tenaient là. L'ancien pharmacien avec les photos de ses petits-enfants, l'entraîneur de volley et sa balle en mousse, la marchande de journaux, les deux ambulanciers, tout le monde souhaitait bonne chance à Fabien et espérait qu'on pourrait compter sur lui-même un dimanche, en cas de fuite ou d'inondation. Chacun se déclarait prêt à lui payer les verres qu'il faudrait pour s'assurer ses services en cas d'urgence. Samir est entré et il avait sa mine des mauvais jours. Il est venu s'asseoir près de moi, la journée n'avait pas été bonne, pas beaucoup de clients et seulement des petites courses, de l'hôtel à la vieille ville et de la vieille ville à l'hôtel, un trajet qu'on pouvait faire en marchant mais le vent avait soufflé toute la journée et les touristes le craignaient plus encore que la pluie.

— J'ai connu des gens qui sont venus s'installer ici et qui sont repartis à cause de ça. Le vent. Tout le monde parle de la pluie mais c'est des conneries. Il pleut ni plus ni moins qu'ailleurs au nord de la Loire. Non, les gens qui ne sont pas habitués, au bout d'un moment, c'est le vent qui les rend dingues. J'ai rencontré des types qui avaient des maisons ou des apparts direct sur la mer, de leur salon t'avais l'impression d'avoir les pieds dans l'eau, des fois les vagues semblaient sur le point de s'abattre sur leur canapé. Eh ben ils ont fini par déménager et prendre une baraque dans les rues derrière, avec vue sur la baraque d'à côté et trois pauvres tamaris. Ça te fait pas ça, toi ?

— Non, ai-je répondu. J'ai toujours aimé le vent. Et puis je n'ai jamais froid. Quand tu pèses cent kilos, mon pote, t'as plus jamais froid. C'est comme si t'avais de la graisse de phoque auto-intégrée. En revanche, voir la mer comme ça toute la journée, ça m'absorbe tellement quelquefois que j'ai l'impression d'être complètement vidé. Comme anesthésié. Fourré d'ouate ou de coton.

Parfois je ne demande pas mieux, je t'assure. Surtout en ce moment. Mais des fois ça m'emmène tellement loin à l'intérieur que c'est juste impossible de penser. De travailler. D'écrire. Je connais un mec qui vit dans la vieille ville. Son appartement, tu verrais ça, une vue imprenable sur le grand large et la côte qui se déroule à l'infini, le chapelet d'îles au large. Lui, il fait des films. Eh bien tu ne vas pas me croire, ses scénarios, il les écrit au McDo. Chez lui, il ne peut pas. La vue le déconcentre trop.

— Ça, c'est bien des problèmes de riches et d'intellos à la con, a lancé un des ambulanciers, et j'ai acquiescé en vidant mon deuxième whisky.

C'était une constante chez moi dans ce genre de circonstances. J'acquiesçais à ce que disaient les autres. J'avais perdu depuis longtemps le goût des joutes verbales, des grandes plaidoiries. Je me fondais dans le décor et je gardais mes idées pour moi. Plus jeune j'avais réussi à m'engueuler avec tout ce que je comptais d'amis à force de défendre mes opinions et de vouloir les imposer aux autres, Sarah n'en pouvait plus à la fin de tenter de recoller les morceaux et de voir des gens rompre avec nous suite à des engueulades portant sur tel ou tel bouquin, tel ou tel disque, telle ou telle personnalité politique. De ce point de vue, elle était d'accord avec ma mère qui avait tant souffert de voir ses deux fils s'éloigner à mesure que leurs idées les opposaient. Tout ça m'avait servi de leçon et la plupart du temps je conservais mon calme et préférais débattre tout seul à l'intérieur de mon crâne.

Samir s'est servi un deuxième verre et j'ai bien vu que quelque chose ne tournait pas rond, que sa mauvaise mine n'était pas seulement liée au manque de clients. Je lui ai demandé ce qui se passait et il a éludé, des emmerdes avec son ex, elle voulait revoir à la baisse leurs arrangements par rapport au gosse, elle avait pris un avocat et il allait devoir faire de même. Il savait dans quoi il s'embarquait. Ça n'allait pas être beau à voir. Les vieux dossiers qu'elle allait ressortir, les lettres qu'elle obtiendrait de sa sœur, de ses parents, d'amis communs, qui viendraient la soutenir et balancer qu'il était un mauvais père, qu'il était alcoolo, voire pire, qu'on ne pouvait pas compter sur lui. Et lui devrait faire pareil, demander à des gens de dire le contraire, et enfoncer la femme pour qui hier encore il aurait donné sa vie. Et ça, même si elle lui en faisait baver, il ne pouvait pas s'y résigner.

— Une femme que t'as aimée de tout ton cœur. Putain. Comment tu peux d'un coup la détester ? C'est pas possible. Moi je crois que quand on aime quelqu'un, on l'aime pour toujours.

De nouveau j'ai acquiescé mais cette fois il avait raison. J'avais vu trop de couples se séparer et se muer soudain en hyènes l'un pour l'autre. Invariablement la femme qu'on adorait la veille encore devenait une « folle hystérique », et l'homme pour qui on se serait tuée un type inconséquent, égoïste et puéril. Comment pouvait-on en arriver là ?

Avec Samir on est sortis fumer un cigare et le vent ne faiblissait pas d'un pouce. Il venait nous fouetter comme un pack de rugbymen, nous projetait en arrière et consumait nos havanes en dix minutes chrono.

— Sarah voit quelqu'un.

J'ai lâché ça entre deux bouffées et Samir a posé sa main sur mon épaule. Il savait ce que c'était. Bien sûr Sarah et moi on n'était plus ensemble et c'était son droit le plus strict, mais il savait la douleur que c'était. La première fois qu'il avait croisé son ex au bras d'un autre, cet enfoiré de vendeur de voitures d'occasion chez Renault, avec ses costards ringards et ses cheveux toujours si bien peignés en arrière qu'on les aurait dits mouillés du matin au soir, à croire que ce type filait au lavabo tous les quarts d'heure pour se les humecter, il avait morflé pour de bon. Et plus encore quand le type en question avait fini par s'installer chez elle. Il devait la baiser dans leur lit, sur leur canapé.

— Mais c'est même pas ça, le pire. Le pire c'était de l'imaginer partager la vie quotidienne avec le gosse. Le réveiller le matin, lui préparer son chocolat et ses tartines, l'emmener à l'école, lui faire le câlin du soir, jouer avec lui aux Lego ou aux petites voitures…

On est rentrés se mettre au chaud et l'air a soudain quitté mes poumons. Il était là, au comptoir : le médecin au coupé Audi. Le George Clooney de Prisunic. Je ne l'avais même pas vu entrer. On était trop occupés à regarder le soleil tomber dans la mer en tétant nos Cohiba, Samir et moi. Mais il était là, avec son costume noir, sa chemise blanche, ses cheveux argent, sa peau parfaitement lisse, ses chaussures impeccables. Je n'ai pas réfléchi. C'est venu comme ça. C'était plus fort que moi : je me suis rué sur lui et je lui ai éclaté la tête contre le comptoir. J'ai juste eu le temps de voir le sang gicler, le médecin se relever en se tenant le nez et en hurlant que je le lui avais pété, tout le monde s'est jeté sur moi pour me ceinturer et me foutre dehors. Les deux ambulanciers me criaient de me calmer tandis que je me débattais en beuglant comme un aliéné que cet enculé baisait ma femme et que j'allais le crever. Avec l'entraîneur de volley et le dentiste qui avaient surgi de nulle part, ils m'ont traîné jusqu'à la mer et balancé dans les premières vagues pour me calmer, disaient-ils comme pour se justifier, mais même la tête sous l'eau et le souffle coupé je les entendais se marrer à moitié, on aurait dit des ados qui faisaient une blague à un pote en plein été, on en voyait tous les jours ou presque saisir l'un des leurs et le balancer à la flotte tout habillé. Je suis ressorti de l'eau et Samir se tenait près de moi. D'une voix inquiète il me répétait qu'il valait mieux que je rentre chez moi. Que je n'étais pas dans mon état normal. Il me comprenait mais ça ne servait à rien d'agir comme ça. Je l'ai écouté. Il n'y avait que ça à faire. Mes vêtements gorgés de mer pesaient trois tonnes et me gelaient jusqu'aux os. Je suis rentré chez moi en laissant derrière moi des flaques d'eau. Juste avant de m'éloigner j'ai jeté un dernier regard à La Goélette. Dans l'encadrement de la porte d'entrée le médecin se tenait le nez et ses mains étaient rouges. Juste avant de m'engager dans la première ruelle je l'ai entendu gueuler qu'il allait porter plainte et que j'allais devoir répondre de mes actes devant les flics. Je savais qu'il le ferait. Un type qui roule en Audi et porte des chaussures vernies au bord de la mer me paraissait tout à fait capable de faire ce genre de truc.

Le vacarme du ressac emplissait la pièce. J'avais ouvert les baies et le vent s'engouffrait comme s'il fuyait quelque chose et cherchait un refuge. J'étais vêtu d'un peignoir que fermait mal une ceinture trop lâche. J'avais besoin d'air, de dessaouler. Sur la table basse trônaient les deux bouteilles de vin que j'avais vidées en rentrant. Des enceintes sortaient la voix d'outre-tombe d'Alain Bashung, mais le vent l'emportait. Le fracas des vagues la recouvrait tout à fait par moments. Je me souvenais parfaitement du soir de sa mort. Alex et moi nous sortions d'une librairie où j'avais donné lecture de mon dernier roman. Nous avions marché longtemps dans les rues de Paris, parfaitement silencieux, abasourdis par la nouvelle. Puis nous avions fini par gagner l'appartement d'Alex, où tout le monde dormait. Sans un mot il avait sorti les bouteilles et les avait disposées sur la table de la cuisine. Et nous avions bu religieusement. Sans échanger la moindre parole, nous avions bu jusqu'à tomber de sommeil.

J'ai à peine entendu sonner le téléphone. C'est le clignotement de l'écran qui m'a alerté. Sarah y apparaissait, le visage partiellement caché par son nom qui s'affichait en blanc. J'ai répondu et sa voix me parvenait à peine. Dehors le vent sifflait et aplatissait la mer. Dans la lueur des lampadaires elle semblait parcourue de courants électriques. Partout moutonnaient des traits d'écume d'un blanc phosphorescent. À l'autre bout du fil, elle me traitait de dingue, de sale con, me sommait de justifier ma conduite d'homme des cavernes. Je me suis avancé vers les vitres. Le vent sifflait dans mes oreilles et faisait vibrer les meubles. J'ai fermé les fenêtres et tout s'est soudain apaisé. Le vacarme de la mer n'était plus qu'une rumeur assourdie.

— Qu'est-ce qui t'a pris de le frapper ? Il est à l'hôpital ! hurlait-elle.

— À l'hôpital, pour un médecin, ça n'a rien d'anormal, ai-je plaisanté.

— Tu lui as cassé le nez, Paul. Mais putain qu'est-ce qui t'a pris ?

J'ai attrapé une bouteille et j'ai entrepris de l'ouvrir, le téléphone coincé entre l'épaule et la joue. Je n'ai rien répondu. À la place elle devait entendre Bashung chanter *Bijou Bijou* de sa voix à la fois ample et usée.

— Comment tu l'as appris ? ai-je fini par demander, tandis que je me servais un verre.

— Il m'a appelée, imagine-toi.

— Ah ça, malheureusement pour moi, je n'ai aucun mal à l'imaginer. C'est d'imaginer le reste qui est plus dur, tu vois ?

— Le reste ? De quoi tu parles ? Qu'est-ce que tu racontes ?

— Ça fait longtemps que ça dure, votre histoire ?

— Non mais ça va pas ? Tu débloques ? De quoi tu parles ? Je sais pas qui t'a raconté ça mais c'est n'importe quoi.

— Arrête, Sarah. Je l'ai vu sortir de chez nous.

Il y a eu un grand silence. Il n'y avait plus que Bashung, des trains à travers la plaine et le vent pris dans du coton. Au large un sémaphore clignotait, et les îlots n'étaient que des ombres, à peine moins incertaines que les nuages. J'ai allumé une cigarette. Tout cela me paraissait irréel. J'avais la sensation de ne pas prendre totalement part à cette conversation. J'avais la sensation d'y assister. De la jouer tout au plus. J'ai pensé que Sarah avait raison : au fond je n'étais jamais vraiment là. Ou bien soudain je l'étais trop et c'était si insupportable qu'il me fallait boire ou me saouler de vent et d'eau glacée pour m'anesthésier. Au bout d'un moment, elle a lâché un long soupir et s'est lancée dans un monologue épuisé d'où il ressortait que décidément j'étais trop con, le docteur était venu parce que Clément était malade, si j'avais appelé ces deux derniers jours je l'aurais su, et puis en quoi ça me regardait, même s'il lui prenait l'envie de voir quelqu'un en général, et lui en particulier, en quoi ça me regardait, elle était libre, non, nous étions séparés elle me le rappelait, et d'ailleurs si tu pouvais arrêter de dire « chez nous », les enfants n'y comprennent rien, ça leur laisse penser que tu pourrais revenir, et puis c'est un peu facile de jouer les grands seigneurs en disant « reste, garde la maison c'est moi qui pars ne t'occupe de rien pour l'instant et de toute façon on s'arrangera ça restera chez toi quoi qu'il arrive », pour après ne cesser de dire « chez nous ».

Les derniers points abordés m'avaient tellement scié les pattes que je n'avais même plus la force de relever la mauvaise foi des premiers. Pourquoi un ponte de l'hôpital se déplacerait-il pour un gros rhume ? Il y avait des tas de médecins dans le quartier et les enfants avaient le leur, une femme attentive et compétente, Clément l'adorait, des fois on aurait dit qu'il se chopait des angines uniquement pour le plaisir de la voir. Quant à mes appels ces deux derniers jours, ils étaient restés sans réponse, j'avais fini par m'inquiéter, c'était même la raison précise pour laquelle j'avais anticipé mon retour d'un jour ou deux, quitte à entendre mon frère me reprocher de ne pas attendre un peu que maman ait repris ses marques, ni vérifier que la femme à qui j'avais confié nos parents leur convenait.

— Tu pouvais pas rester encore quatre ou cinq jours, c'est trop te demander ? m'avait-il sermonné.

— Eh bien non. J'ai du boulot, imagine-toi.

— Du boulot...

— Ben ouais. Les bouquins, les scénars, ça ne s'écrit pas tout seul.

— Pourtant, à la lecture, franchement, on croirait pas.

— Très drôle.

— Sans rire, qu'est-ce qui t'empêche de travailler là-bas ?

— Là-bas ? Mais tout. La maison. Papa. L'enfance. Je ne sais pas comment dire, je me sens en prison, j'ai l'impression d'étouffer.

— Et après ça tu nous fais des leçons sur le mépris qu'ont les gens pour ces endroits. Ah elle est belle la gauche...

— Attends, de quoi tu parles ? Ça n'a rien à voir. Je ne supporte pas de me sentir attaché. Par le passé. Par les liens familiaux. Par le travail. Par quoi que ce soit. C'est précisément pour ça que je me suis barré dans un lieu où je ne connaissais personne. Pour n'appartenir à rien. Ni à ma famille, ni à la banlieue, ni à ma classe sociale, si j'en ai une, ni à Saint-Germain-des-Prés. C'est précisément pour ça que j'écris. C'est précisément pour ça qu'avec Sarah j'ai essayé de créer quelque chose de neuf, dans un endroit neuf. Pour être libre. Et puis, que je sache, tu t'es tiré toi aussi. Qu'est-ce qui t'empêche de soigner les caniches du 91 ? Ils sont moins bien que ceux du 78 ?

La conversation avait duré un bon moment comme ça, sans queue ni tête, complètement absurde. Nous étions devenus de parfaits inconnus l'un pour l'autre et tentions vingt ans plus tard de reprendre une conversation que nous avions longtemps interrompue. Nous nous étions plus parlé en un mois qu'au cours des dix dernières années, et je sentais bien qu'il m'en voulait, sans que j'aie la moindre idée de quoi. J'avais beau chercher je ne me souvenais même plus du jour où cela avait commencé, cette aigreur, cette agressivité rentrée. Bien sûr il y avait nos différends politiques, nos engueulades pendant les dîners à la maison, bien sûr Delphine ne pouvait pas me supporter, pas grand-monde ne le pouvait d'ailleurs à part mes amis, c'était du reste une chose que j'avais du mal à m'expliquer, d'une manière générale, les gens ne m'aimaient pas, quelque chose en moi les rebutait, les éloignait, et il me semblait que l'infime minorité de ceux qui auraient pu m'apprécier malgré tout avaient étrangement peur de moi.

Sarah a raccroché en me disant une dernière fois combien elle m'en voulait, combien je l'avais déçue, vraiment elle n'aurait jamais imaginé que je puisse me comporter ainsi, comme un vulgaire primate, un homme de Neandertal, je savais combien la violence lui était insupportable, bon Dieu je lui avais cassé le nez. Je n'ai pas pu m'empêcher de sourire en l'entendant rappeler ça, imaginer notre George Clooney local se trimballer pendant des semaines avec un pansement au milieu du visage avait tout pour me réjouir. Je me suis resservi un verre pour fêter ça. Dans l'appartement il n'y avait plus le moindre bruit. La voix de Bashung s'était éteinte et la mer qui se retirait doucement avait repris toute la place.

J'ai été réveillé par les flics. J'étais convoqué au commissariat dans l'heure qui suivait. Je me suis douché en vitesse, j'ai enfilé un jean et une chemise. Ma tête pesait douze tonnes et quinze frelons y voletaient en toute impunité. Dehors tout avait viré au noir. Le ciel était si lourd qu'il paraissait inconcevable qu'il se lève un jour. La pluie rebondissait en milliers de piqûres à la surface de la mer, étrangement calme et lisse, aluminium. Sur le pare-brise de la voiture, elle s'étalait en grandes flaques, comme si chaque goutte pesait cent litres. La veille à La Goélette comme toujours on avait parlé du temps qu'il faisait et tout le monde s'était étonné qu'il n'ait pas plu depuis bientôt un mois, dans les zones agricoles les cultures commençaient à souffrir, dans les jardins c'était l'anarchie, le gazon jaunissait déjà et les fleurs d'été apparaissaient. J'ai allumé la radio et cette fois on n'y parlait plus du tout du Japon. La montée du Front national occupait maintenant tous les discours. Les commentateurs ne cessaient de constater sa progression dans les classes ouvrière et populaire, et même au sein de la classe moyenne, dont on se rappelait soudain qu'elle existait et constituait la majorité invisible et silencieuse du pays. J'ai pensé à mon père. Au final il ne m'avait pas fait part de son vote. Je n'étais pas certain qu'il ait joint le geste à la parole. Il me semblait maintenant plausible qu'il ne l'ait envisagé que pour m'agacer, me provoquer, par un effet de renversement qui voulait que je l'agace tellement qu'il souhaitait me rendre la pareille. Au volant j'étais trempé de la tête aux pieds, et quand je suis entré dans le commissariat ce n'était pas mieux, chacun de mes pas laissait des traces humides sur le sol de béton brut. On m'a fait patienter dans un couloir percé de trois portes grises. Ça sentait le café et le désinfectant. Des types passaient avec leur arme à la ceinture. J'avais envie de vomir, une gueule de bois terrible, pour un peu j'aurais pu me raconter que je sortais de cellule de dégrisement et qu'on allait me libérer après m'avoir fait la morale et averti que la prochaine fois ça ne se passerait pas comme ça. Depuis quand n'avais-je pas eu affaire à ces gens ? Depuis la sortie de *Douce France* en fait. Un film auquel j'avais collaboré et qui parlait des migrants à Calais après la fermeture de Sangatte. Une histoire entre un maître nageur et un jeune Kurde qui se mettait en tête de traverser la Manche à la nage. À la sortie, un scandale avait éclaté, un ministre avait fait part de son agacement, une polémique s'était engagée avec l'acteur principal, les associations s'en étaient mêlées, puis les journaux, et enfin la télévision. Je rentrais de Paris et ils étaient trois à m'attendre à la gare. Police municipale. Police aux frontières. Douanes. Ils m'avaient chopé pile entre la file de taxis et le Relay, à l'endroit le plus passant, le plus exposé. On aurait dit un sketch. Un grand, un gros, un petit. Se relayant pour me poser des questions dont ils connaissaient déjà les réponses.

— Vos papiers.

Je les avais tendus au gros qui les avait montrés aux deux autres d'un air entendu. Visiblement j'étais bien la personne qu'ils attendaient. Sur le coup je ne m'étais pas demandé comment ils savaient que j'étais dans ce train, pas plus que je ne m'étais demandé comment ils pouvaient savoir que je faisais souvent l'aller-retour entre ici et Paris quand ils m'en avaient fait la remarque.

— Ben oui. Comme beaucoup de monde, m'étais-je contenté de répondre.

Mieux valait ne pas se poser de questions sur ce point, à moins de vouloir basculer instantanément dans le camp de tous ceux qui affirmaient vivre dans ce pays comme dans un État policier, de tous les théoriciens du complot, de tous les apôtres de la paranoïa collective.

— Motif de ces trajets ?

— Travail.

— Et vous faites quoi comme travail, si c'est pas indiscret ?

— Ça l'est. Mais je vais vous le dire quand même. J'écris des bouquins.

— Et vous allez à Paris pour écrire vos bouquins ?

— Non. Pour en parler. Aux journalistes. À la radio.

— Et donc, là, vous revenez d'une radio pour vos livres ?

— Non. Enfin… J'étais à la radio, mais pour un film.

— Ah… vous écrivez aussi des films. Vous bossez dans le cinéma. C'est super ça. On adore le cinéma. Pas vrai les gars, qu'on adore le cinéma ?

Les deux autres avaient acquiescé avec de grands sourires débiles. Ils jouaient atrocement mal la comédie. Aucun d'eux n'aurait pu figurer dans *Douce France*, avais-je pensé, regardant autour de moi et m'apercevant soudain que tout le monde nous observait. Les chauffeurs, Samir en tête. La fille du kiosque. Le type de la sandwicherie. Sans compter trois habitués de la plage qui passaient par là eux aussi, rentraient d'une petite virée à Rennes, des sacs Habitat, Nature et Découvertes ou Zara à la main.

— Et c'est quoi votre film ?

Leurs visages étaient barrés de sourires idiots qui leur allaient comme des moufles. Plus ça allait, plus j'avais l'impression d'être l'objet d'une caméra cachée organisée avec l'aide d'un comique télévisuel.

— *Douce France*.

— Ah, *Douce France* ! Ça alors ! Mais dites donc, il marche du tonnerre, ce film ! On parle que de lui en ce moment ! Vous allez être plein aux as. C'est bien ça. Se faire du pognon en parlant des pauvres réfugiés. C'est tout bénef. Le beurre et l'argent du beurre. Et ça va, ça se passe bien ? Les gens sont contents ?

— Je crois, oui.

— Le film plaît, alors ?

— Il paraît.

— Enfin, vous savez qu'il plaît pas à tout le monde.

Soudain ils avaient cessé de rire. Leurs visages étaient devenus graves, leurs gestes nerveux. Je sentais bien que s'ils en avaient eu la possibilité ils se seraient fait un plaisir de m'écraser la gueule. Je n'avais rien répondu alors le grand avait répété :

— Hein. Vous le savez qu'il plaît pas à tout le monde ?

— Oui. J'ai entendu ça. Il paraît que monsieur le Ministre est un peu agacé.

— Oui, absolument. Il paraît que dans le film, vous racontez des trucs pas vraiment conformes à la réalité. C'est pas bien ça, de mentir aux gens.

— On ne ment à personne. Votre ministre ne connaît rien à ces questions, de toute façon. Il y a encore deux mois il s'occupait de l'économie numérique. Il n'a pas eu le temps de potasser, c'est tout.

— Ah ouais. C'est comme ça que vous voyez les choses ?

— Ben ouais.

— Très bien. Eh bien j'espère que vous n'avez rien d'illégal sur vous.

Sur ce ils avaient pris mon sac et l'avaient fouillé de fond en comble, en avaient exploré chaque pochette, chaque recoin, avant de s'en prendre à ma trousse de toilette, dont ils avaient extrait et examiné divers flacons. Mais à part l'alprazolam que je ne prenais plus qu'avant les interviews, parce que sans ça c'était juste impossible pour moi de m'y rendre, d'affronter les questions, le micro, les caméras, impossible d'articuler quoi que ce soit d'intelligible, à part ça, du paracétamol, des médicaments pour le ventre et de l'Atarax, sans quoi mes nuits à l'hôtel se résumaient à faire défiler les chaînes de télévision en attendant que le jour se lève, il n'y avait rien. Je me doute bien de ce qu'ils espéraient trouver. Bien sûr les artistes, et les artistes réputés de gauche de surcroît, étaient forcément cokés à mort, forcément dans les brumes du shit du matin au soir. Ils avaient paru déçus de n'avoir affaire qu'à un ancien alcoolique dépressif en rémission passagère, qui ne se soignait plus qu'à l'eau de mer. Je n'avais pas fumé le moindre joint depuis les longs week-ends en Ardèche ou au bord de la Méditerranée que nous passions parfois avec Alex et sa précédente compagne, nous n'avions pas encore d'enfants, d'ailleurs à l'époque il paraissait tout simplement inconcevable qu'un type comme lui en ait un jour, et voilà qu'il en avait deux lui aussi, et je soupçonnais Lorette d'en vouloir un troisième. Quant à la coke, c'était un truc qui sentait trop les Champs-Élysées, les boîtes branchées, le seizième arrondissement, la pub, la télé, la mode, les capots de bagnole, pour le fils de travailleurs banlieusards que j'étais. Même si désormais elle coulait à flots au pied des immeubles, s'échangeait par kilos dans les caves de la cité des Bosquets, au creux des forêts où Sophie et moi avions passé trois ans à nous cacher des autres, incapables de trouver notre place au sein des diverses communautés qui composaient le lycée, gothiques et accros aux jeux de rôles, geeks avant l'heure, corbeaux vêtus à la Robert Smith, mickeys à mèche et vêtements de marque, intellos post-babas se promenant les *Inrock*s sous le bras, cathos bourgeois bien peignés chaussures vernies vêtements pastel polos Lacoste, matheux pleins de boutons la lèvre couverte d'un duvet qui hésitait à se muer en moustache, rares rescapés de la cité cherchant leur place, déplacés autant que nous l'étions, mais pour d'autres raisons.

La porte du bureau s'est ouverte et Galland m'a fait entrer. Il secouait déjà la tête d'un air affligé en me serrant la main. Ce n'était pas la première fois que j'avais affaire à lui. Il y a quelques années déjà une altercation avait mal tourné et nous avait réunis ici, dans ce même bureau gris qui sentait le café et la banane. Il s'est laissé tomber dans son fauteuil en lâchant un long soupir indéchiffrable. Vaguement désabusé, vaguement amusé, hésitant entre les deux. Il a pris son habituel ton paternaliste et goguenard pour m'exposer les faits : Clooney avait porté plainte pour coups et blessures, il avait fait sa déposition la veille, plusieurs témoins avaient confirmé les faits, c'était maintenant à moi de donner ma version. Je n'ai rien nié, j'ai raconté les choses comme elles s'étaient passées. Ce type se tapait Sarah et je n'avais pas supporté, j'avais trop bu, je ne sais pas ce qui m'avait pris, je lui avais collé la tête sur le comptoir et le sang avait giclé. Mais merde, qu'est-ce qu'il aurait fait, lui, à ma place ?

— Monsieur Steiner. Le coup du « qu'est-ce que vous auriez fait à ma place ? », vous me l'avez déjà servi.

— Et j'avais raison, ou pas ?

— Écoutez, vous l'avez frappé, ce type. Et je ne suis pas certain que répondre à la violence par la violence soit une solution. Il y a des gens qui sont là pour faire respecter la loi. Moi, en l'occurrence. Vous auriez mieux fait de vous adresser à moi, à l'époque. Et puis cette affaire est réglée. Mais ça n'a rien à voir. Vous êtes là pour autre chose. Et là, votre sens très particulier de la justice, de la morale, ou de ce que vous voudrez me paraît difficilement mobilisable. À moins que l'adultère ne soit toujours, selon vous, un crime. D'autant que votre femme et vous êtes séparés, si j'ai bien compris.

— Vous avez bien compris. Mais c'est temporaire.

— Ce n'est pas ce qu'elle m'a dit. Mais de toute façon ça ne me regarde pas. Écoutez. Je comprends que vous traversiez une passe difficile, je ne vais pas jouer au malin, moi aussi quand ma femme m'a dit qu'elle voyait un type et qu'elle se barrait, j'ai eu envie de le tuer. D'autant que c'était mon frère. Mon frère. Vous imaginez ? Je n'ai jamais pu le blairer mais quand même. Je me serais bien tapé ma belle-sœur pour mettre les compteurs à zéro, surtout que faut bien avouer que j'ai toujours eu un faible pour elle, mais pour tout vous dire elle n'était pas vraiment sur la même longueur d'ondes…

Sans que je sache comment la situation s'était soudain inversée, Galland commençait à me raconter sa vie. Je l'ai écouté me parler de son gamin et du mal qu'il avait eu à encaisser tout ça. La séparation et la vie avec son beau-père, même si c'était son oncle. Parfois il en voulait à son ex-femme à cause de ça, de ce qu'elle avait détruit à l'intérieur de son fils. La même année quelques mois plus tôt le gosse avait perdu son meilleur ami, tombé d'un balcon comme ça sans raison, sans qu'on ait jamais su s'il avait perdu l'équilibre ou s'il avait voulu mettre fin à ses jours. Il était

314

déjà fragile et là-dessus sa mère s'était tirée avec son connard de frère, un putain de prof d'histoire de lycée, un de ces types qui portent des lunettes, la barbe et des pantalons de velours côtelé. Qui adorent se promener en forêt le week-end, fureter dans les brocantes, s'occuper de leur jardin, boire du thé, écouter Schumann dans leur salon en lisant je ne sais quel bouquin, enfin je voyais le genre. Aujourd'hui son fils était devenu un de ces ados qu'on ne sait jamais par quel bout prendre, en colère contre eux-mêmes et contre le monde entier, tout le temps au bord de l'explosion, les nerfs tendus à craquer, inflammables.

— Mais c'est la vie moderne. C'est comme ça. Et ça vaut peut-être mieux hein. C'est sûrement moins pire pour les gosses de voir leurs parents se séparer à la moindre anicroche, plutôt que de les entendre se foutre sur la gueule à longueur de journée...

Il s'est levé pour se préparer un café. Au moment de glisser la capsule de Voluto dans la machine je lui ai fait remarquer qu'on ne s'emmerdait plus dans la police.

— Qu'est-ce que vous croyez ? C'est ma machine. Et ce sont mes capsules. Vous en voulez un ?

J'ai accepté. Il n'avait pas l'air pressé de me renvoyer chez moi. Il fallait croire qu'on n'était pas vraiment débordé dans ce commissariat. La ville était calme et, à part les goélands, il n'y avait pas grand-monde pour piquer dans les sacs. J'ai bu mon café en repensant au gamin tombé du balcon, à son vertige peut-être quand il avait décidé de basculer, j'ai pensé à ce moment dans les Alpes où j'avais voulu chuter moi aussi, me laisser tomber pour qu'enfin tout s'éteigne. Galland s'est mis à tapoter sur son ordinateur et je lui ai raconté la scène de mon propre point de vue. Les feuilles sont sorties de l'imprimante et il me les a tendues pour que je les signe. D'après lui je m'étais bien mis dans la merde. Si Sarah n'arrivait pas à convaincre Clooney de retirer sa plainte tout ça allait me coûter cher.

— Encore faudrait-il qu'elle en ait envie, a-t-il ajouté. Surtout qu'il nie coucher avec elle. Et que si c'est vrai, ben vous avez l'air bien con...

J'ai quitté le commissariat en ayant l'impression que Galland avait pris du bon temps avec moi. Visiblement je l'avais agréablement distrait. Quant à moi j'avais toujours la tête aussi lourde, et le café avait achevé de me mettre l'estomac à l'envers. Dehors le ciel s'était dégagé d'un coup. Tout brillait comme au premier jour. J'ai vomi dans les buissons.

Je dormais parmi les oyats, dans le sable chauffé par les rayons du soleil. Au-dessus de la mer argent, piquée par les sternes, se déployait un ciel acide. Au milieu du sommeil j'ai entendu gueuler les goélands, j'ai ouvert un œil, un cormoran plongeait avant de ressortir quelques mètres plus loin, le bec tendu vers la lumière, où scintillait un minuscule poisson. À ma droite, la plage filait vers la pointe, long trait de sable blanc butant sur la falaise, déjà jaunie par les ajoncs. L'aubépine aussi y fleurissait, parmi les liserons, les arméries et les queues-de-lièvre. À gauche, la presqu'île s'enfonçait dans la mer. L'appareil a vibré dans ma poche. Je l'ai laissé faire mais il s'est manifesté à trois reprises. Quelque chose me disait qu'il n'arrêterait pas avant que je me décide à répondre. Je m'attendais à entendre la voix de Sarah mais c'est celle de Sophie qui s'est élevée, elle semblait tout à fait exaltée, méconnaissable. Son mari venait de partir, elle en profitait pour m'appeler, depuis mon départ elle n'avait cessé de penser à moi, elle venait d'apprendre que dans dix jours Alain s'absentait de nouveau, peut-être pourrais-je envisager de la rejoindre, au prétexte d'aller voir un peu comment allait ma mère. Je sais qu'elle n'y était pour rien. Je sais que tout était de ma faute, que j'avais fait en sorte de la revoir, que je l'avais laissée m'entraîner dans la forêt, sur le terrain glissant de nos années adolescentes. Je sais que nous avions baisé alors que je n'en avais rien à foutre. Je sais combien je m'étais mal comporté mais les faits étaient là, têtus, indépassables : sa voix au téléphone me donnait la nausée, l'imaginer dans son salon en train de m'appeler en cachette de son mari me déprimait, envisager ce genre de choses, ces tromperies, ces secrets grossiers d'adultère bourgeois me dégoûtait. La vérité était telle et c'est ainsi que je la lui ai servie, sans prendre de gants. Elle a fondu en larmes. Qu'est-ce que je racontais ? De quoi je parlais ? C'était quoi ces conneries d'adultère bourgeois ? Cette manière d'enfermer les gens et les sentiments dans des cases ? Ça ne voulait rien dire tout ça, les secrets l'adultère les tromperies mesquines, ça ne voulait rien dire. Il y avait la vie et rien d'autre, et parfois une femme avait envie d'être avec un homme qui n'était pas son mari et qu'est-ce que ça pouvait bien faire ?

— Pourquoi tu salis tout ? C'était beau toi et moi dans la forêt. Dis-moi que c'était pas beau. Dis-moi que ça n'a pas existé ?

— Je ne dis pas ça, Sophie. Sur l'instant, c'est vrai, c'était beau. Mais, enfin... tout ça n'a aucun sens. Tu as ton mari, tes enfants. Moi j'ai ma vie.

— Bien sûr que ça a un sens. Ça a même plus de sens que n'importe quoi d'autre. On s'est retrouvés. On s'était perdus et on s'est retrouvés.

Et depuis qu'on s'est retrouvés j'ai l'impression de revivre.

— Arrête. Revivre… Tu vivais très bien sans moi.

— Qu'est-ce que tu en sais ?

— Écoute. Tu as sans doute raison. J'en sais rien. Mais ce que je sais, en revanche, c'est que je n'ai pas envie de ça. Attendre qu'Alain parte au boulot pour te rejoindre, en cachette des enfants. Et puis j'ai pas l'intention de passer ma vie à V.

Elle a raccroché tandis que je gagnais la petite île qui s'élevait des eaux rases en pente régulière, comme tirée à la règle. Mangée de lichen, de bruyère, de fougères et de lupins elle se brisait à l'équerre, trente mètres au-dessus de la mer. J'avais de l'eau aux mollets. De là-haut on avait une vue plongeante sur un autre îlot, où nichaient des oiseaux par centaines. Ses mots me cognaient aux tempes. Nous nous étions perdus et nous nous étions retrouvés. Elle avait parlé d'âme sœur, comme à l'époque, elle avait parlé de frère, de moitié, tous ces trucs qu'on se disait alors avec un sérieux qui n'avait pas peur du ridicule, des sentiments, des serments, des grandes déclarations. Ses mots résonnaient étrangement aujourd'hui, parce que nous avions plus de quarante ans et que tout cela était si loin, que la vie était passée par là et que Guillaume me hantait : ma moitié perdue, qui m'avait laissé errer seul dans un monde glacé, totalement désemparé. J'ai grimpé en ouvrant grand les poumons, les yeux, j'aurais voulu que tout ça me lave une fois de plus, qu'en un instant le sel vienne ronger le chien jaune qui commençait à grignoter ma poitrine, qui refaisait surface chaque jour un peu plus, s'était frayé un chemin le jour où Sarah m'avait foutu dehors et qui maintenant montrait les crocs, menaçant de mordre. Une fois arrivé là-haut j'ai embrassé l'horizon du regard, les étendues bleues de la mer et du ciel mais rien ne s'est desserré. Un instant j'ai songé que la Maladie m'avait rattrapé, que j'avais beau en avoir découvert la source elle avait fini par me rattraper. Un instant j'ai pensé : il va falloir partir de nouveau. Il va falloir se sauver. Mais cela non plus n'avait aucun sens. Les enfants étaient là, et sans Sarah je ne valais pas un clou. C'était le contraire évidemment. Il me fallait regagner ma vie. Je suis redescendu en courant presque, boitant parmi les fougères, me tordant les pieds dans les anfractuosités du granit, glissant sur les algues mouillées. J'ai traversé la plage et j'ai rejoint la voiture, roulé jusqu'à la ville, longeant des successions de plages et de pointes rocheuses, de champs et de prés où galopaient des chevaux. Puis les maisons se sont mises à pousser et à se serrer les unes contre les autres, séparées par des jardins où poussaient des camélias, des magnolias, des pommiers et des pins immenses. J'ai roulé jusqu'à l'hôpital. J'ai traversé des couloirs bleu pâle et semés de portes battantes. Des infirmières en blouse rose y poussaient des chariots et dans les chambres on entendait crier des nourrissons. Le service de pédiatrie néonatale était situé au même étage que la maternité, j'avais traversé ces couloirs des centaines de fois, venant chercher Sarah un peu avant l'heure de notre rendez-vous. Toujours elle soupirait : « On avait dit qu'on se retrouvait en bas. » Mais j'aimais jeter un œil par la vitre et la surprendre penchée sur un nouveau-né, ou bien

320

parlant avec une jeune mère et tentant de la rassurer. La voir exercer ainsi son métier me mettait les larmes aux yeux. Je mesurais la chance d'avoir auprès de moi une femme pareille, dont les jours étaient voués à des tâches si cruciales, si essentielles, quand je ne manipulais que du vent, ne brassais que du vide et m'abaissais parfois à me plaindre de la difficulté de mon métier et de l'incompréhension que suscitait la littérature contemporaine, la littérature tout court, royaume de l'ambivalence, de l'équivoque et de la lenteur à une époque où tout réclamait de la vitesse, des avis tranchés, des explications simples, des résumés, des jugements définitifs, du bon sens, du noir et du blanc. J'ai poussé la porte et Sarah n'était pas là. Deux de ses collègues étaient affairées à nourrir de minuscules bébés.

— Sarah est en pause, m'a lancé l'une d'elles. Elle doit être à la cafet'.

Je suis redescendu au niveau de l'accueil et effectivement elle était là, debout devant une grande table où fumaient deux cafés dans leurs gobelets en plastique. Elle souriait à un grand type, même de dos en blouse à cent mille kilomètres dans une nuit épaissie de brouillard je l'aurais reconnu, il a avalé sa boisson avant de s'éloigner. Planqué près des cabines téléphoniques j'ai observé Sarah, j'étais comme paralysé, incapable de m'approcher d'elle. La voir avec lui m'avait littéralement tétanisé. Seule, elle tournait rêveusement sa petite cuiller dans son gobelet, parfois saluait d'un mouvement de tête un médecin ou un brancardier qui passait par là. Au bout d'un moment, elle a fini par quitter sa table et s'est dirigée vers les portes battantes qui menaient aux escaliers.

J'ai attendu deux heures au volant de ma voiture, sur le parking, les yeux rivés à l'Audi noire dont le capot étincelait. À croire que ce type avait passé sa journée à le lustrer. Des goélands s'étaient massés sur le toit de l'hôpital et gueulaient pour distraire les patients, leur rappeler qu'ils n'étaient qu'à cinq cents mètres de la mer. De certaines chambres on pouvait même l'apercevoir. Et quand le vent d'est se levait, des odeurs d'algues et de marées se répandaient jusque dans les couloirs. Clooney a fini par apparaître, le nez bandé, sans sa blouse mais vêtu de son costume noir cintré, chemise blanche et chaussures vernies à bout pointu. Je suis sorti de ma voiture et il a eu un mouvement de recul en me voyant. Instinctivement, il s'est protégé le visage avec les mains, comme ces gamins tellement habitués à recevoir des beignes qu'ils se recroquevillent à la moindre alerte. Je lui ai dit de se calmer, il n'avait rien à craindre, je venais pour m'excuser, je ne savais pas ce qui m'avait pris, j'étais saoul, j'étais malheureux, ça n'excusait rien mais après tout je n'étais pas plus infaillible qu'un autre, ce genre de chose pouvait arriver dans une vie, non ? Il me regardait d'un air circonspect. Ces considérations semblaient le laisser de marbre.

— Et je voulais vous remercier pour le petit.

— Le petit ?

— Oui. Clément. Sarah m'a dit qu'il avait été malade et que vous aviez eu la gentillesse de venir le soigner.

À l'expression de son visage je me suis bien rendu compte qu'il n'avait aucune idée de ce dont je voulais parler. Si j'avais eu le moindre doute il était désormais levé. Bien sûr l'autre jour quand je l'avais surpris sortant de chez nous il n'était pas là pour jouer au docteur, ou alors seulement avec Sarah, et selon une acception des termes dont la simple évocation me retournait l'estomac.

— Enfin bref, je suis désolé, ai-je conclu. J'ai cru que vous vous tapiez ma femme et ça m'a mis hors de moi. Je suis vraiment désolé pour votre nez.

Je ne l'ai pas laissé répondre. J'ai tourné les talons et j'ai regagné ma voiture, puis j'ai roulé jusque chez moi en longeant la côte. Pas un instant je n'ai quitté la mer des yeux. Mais je ne la voyais pas. Ce que je voyais c'était juste Sarah tout à l'heure à la cafétéria, son sourire tandis qu'elle parlait à ce type, sa manière de lui faire signe quand il était parti, je me demandais s'il l'avait déjà baisée et comment et combien de fois et dans quelles pièces. Ces questions me mettaient au supplice. Dans ma poche mon téléphone s'est mis à vibrer. C'était encore Sophie. Je n'ai pas répondu. L'air commençait à manquer dans mes poumons. Et la mer n'y pouvait rien. Rentré à l'appartement, j'ai fouillé dans la pharmacie. Il n'y avait guère qu'une plaquette d'Atarax périmé. J'en ai avalé deux et j'ai ouvert mon ordinateur. Je pensais que me plonger dans le travail était la meilleure solution. C'était illusoire bien sûr. Mon téléphone n'arrêtait pas de vibrer. Et le nom de Sophie d'apparaître.

Manon était à son bureau, penchée sur ses devoirs. Comment elle pouvait se concentrer avec tout ce boucan, c'était un mystère. Dionysos jouait *Monsters in Love* à plein volume. J'ai regardé sa chambre. C'était quasiment celle d'une adolescente. Le vieux canapé et le tapis. Le chevalet, la palette et la boîte de peinture. La chaîne hi-fi et l'iPod. Les romans et les mangas sur la table de chevet. La planche de bodyboard posée contre le mur. Seules la forme de son lit et de son armoire, leur teinte framboise signalaient qu'elle était encore une enfant. Elle a sursauté quand j'ai posé ma main sur son épaule. Son sourire quand elle m'a vu, sa manière de se jeter dans mes bras comme si on ne s'était pas croisés depuis des années, les cinq bonnes minutes que nous avons passées serrés ainsi, tandis que je respirais l'odeur de ses cheveux et qu'elle me racontait sa semaine, tout ça m'a ému aux larmes. Un instant j'ai eu l'exacte sensation de remonter à la surface, de revenir à la vie. Clément n'était pas là. Il était convenu que j'aille le chercher à son cours de musique. Sarah avait préparé ses affaires, son sac était posé sur son lit. Sur le parquet de sa chambre s'étalaient des Playmobil figés en pleine action. Autour de la gare des familles entières s'affairaient, lestées de valises, d'animaux de ferme et de coffres à trésor. À proximité, des bateaux patientaient sur une mer absente. Parmi eux un navire pirate n'augurait rien de bon pour les touristes. Pas plus que les dinosaures qui s'approchaient dangereusement du camping où se dressaient une caravane et quelques tentes, dont certaines étaient des livres entrouverts.

J'ai laissé Manon préparer son sac et j'ai rejoint Sarah au salon.

— Quand je pense qu'à l'heure actuelle nous devrions être au Japon, a-t-elle lancé en désignant la une de *Libération*.

J'avais pensé la même chose deux heures plus tôt. J'aurais pu prononcer la même phrase exactement. Mais dans ma bouche elle n'aurait pas eu le même sens. Dans ma bouche elle aurait eu la saveur amère du regret. Quand dans la sienne, croyais-je deviner, devait suinter le soulagement. J'aurais tout donné pour être là-bas en ce moment même. J'aurais tout donné pour me promener avec elle et les enfants parmi les temples de Kyoto, leurs jardins parfaits qui laissaient croire que le monde pouvait être un endroit paisible et habitable, accueillant, hospitalier. J'aurais tout donné pour figurer parmi cette population traumatisée par le tsunami survenu beaucoup plus au nord, parmi ces gens inquiets de voir la radioactivité augmenter à Tokyo, et peut-être même dans le Kansai, inquiets d'être contaminés, inquiets du sort qu'avaient connu leurs concitoyens à Sendai et autour. À

Fukushima où les évacuations se poursuivaient, où la zone de sécurité ne cessait de s'élargir. Depuis la tragédie, à plusieurs reprises, il m'était venu à l'esprit que ma place était là-bas. C'était une pensée étrange. Je ne voyais pas ce que j'aurais pu y faire, de quelle utilité j'aurais pu être. Je ne voyais même pas ce que j'aurais pu écrire en me rendant dans ces contrées sinistrées, en rencontrant les réfugiés, les survivants de familles décimées.

— Manon passe sa vie sur Internet à regarder les images de Sendai. Elle est traumatisée. Et tu as vu son cartable ? Elle l'a recouvert d'autocollants antinucléaires.

Sarah était assise sur le canapé, les jambes repliées sur les coussins, un bol de thé fumant entre les mains. J'avais terriblement envie de m'asseoir près d'elle, de l'embrasser, de caresser ses mollets, de passer mon doigt entre sa peau et le coton de son soutien-gorge. J'avais terriblement envie de coller ma bouche contre la sienne. J'avais terriblement envie de l'étrangler. Au fond de moi je ne pouvais pas m'empêcher de lui en vouloir, de la tenir pour responsable. Je pensais à Manon, au Japon. Quand Sarah lui avait annoncé notre séparation elle avait d'abord hurlé. Puis elle avait lâché cette phrase qui à l'époque m'avait paru égoïste, déplacée, totalement en décalage avec la signification concrète de ce que nous vivions, du tour que prenait notre vie : « Alors on ira pas habiter à Kyoto l'année prochaine tous ensemble ? » Elle avait dit ça dans une bouillie de larmes inconsolables.

— Ton Clooney de mes deux a retiré sa plainte, ai-je lâché en la regardant droit dans les yeux.

Galland m'a laissé un message ce matin pour m'annoncer la nouvelle.

— Je sais, a-t-elle répliqué. Personnellement, je n'étais pas d'accord. Je le trouve trop bon avec toi.

— C'est ça. Trop bon. En attendant, l'autre jour, il n'était pas ici pour Clément. Pourquoi tu m'as menti ? Pourquoi tu m'as pas dit qu'il était venu te baiser ?

Sarah m'a fait signe de baisser d'un ton. Manon pouvait nous entendre. Son visage s'est soudain tendu. La colère la défigurait. À cet instant précis, vraiment elle n'était pas belle à voir, crachant entre ses dents que je la faisais chier, que ça ne me regardait pas de toute façon, et que si je voulais tout savoir quand il était venu l'autre jour il ne s'était encore rien passé, il était venu faire sa demande et elle l'avait éconduit. Mais maintenant voilà, rien que pour m'emmerder, elle était sortie avec lui. Il l'avait emmenée dîner, puis danser, dans un endroit très sélect, et il l'avait embrassée, et il embrassait très bien si je voulais tout savoir, et elle avait passé la nuit avec lui et...

— Te faire sa demande ? l'ai-je interrompue en éclatant de rire. Te faire sa demande ? Non mais c'est qui ce type ? Qui aujourd'hui vient chez une femme un mardi après-midi pour lui faire sa « demande » ?

— Des types plus civilisés et romantiques que toi peut-être.

Je n'arrivais pas à m'arrêter de rire. Je voyais bien combien ça la vexait mais c'était plus fort que moi.

— Eh ben au moins vous vous amusez.

Je me suis retourné et Manon venait de faire irruption dans la pièce, son sac à l'épaule. Je riais encore tandis qu'elle embrassait sa mère. J'en avais les larmes aux yeux. Bien sûr c'était juste passager, bien sûr quelques heures plus tard en repensant à notre conversation les mots de Sarah me reviendraient en mémoire. Ils étaient désormais ensemble, ils avaient donc une histoire. Et il n'était pas interdit de penser que mon comportement avait précipité les choses.

Les trois jours qui ont suivi ont filé comme une traînée de lumière. Un temps d'été s'était fixé sur toute la France. Partout, à la télé à la radio, on s'étonnait. Au milieu du déferlement d'informations catastrophiques, qui laissait croire que vraiment quelque chose courait à sa perte, se délitait d'un bout à l'autre de la terre, quelques rayons de soleil semblaient vouloir nous dire que la vie était quand même possible ici-bas. Du matin au soir, où qu'on aille, il y avait toujours quelqu'un pour clamer qu'il faisait vraiment chaud pour la saison, que si l'été était là on le paierait en juillet, la météo était ici plus qu'ailleurs un sujet inépuisable. Avec les enfants nous avons sillonné les plages, au gré du vent, de leurs envies. Manon cherchait des vagues, Clément des mares où barboter tout en faisant mine de chercher des crabes ou des crevettes. Ce furent des heures heureuses et sans accroc, des heures lumineuses où ne perçait que rarement la nostalgie du temps béni où nous étions quatre, où la moindre éclaircie nous jetait dehors. Alors nous prenions la voiture pour gagner la Côte sauvage, ou au contraire roulions vers l'ouest et les stations balnéaires voisines, qui même à vingt kilomètres de chez nous nous donnaient l'impression d'être soudain en vacances. Manon allait et venait, de la mer où elle glissait sur le ventre à la serviette où elle s'allongeait pareil, le nez constellé du sable collé au tissu orange. Ainsi que Sarah me l'avait annoncé elle avait l'air obsédée par le Japon, s'inquiétait de savoir quand nous pourrions y retourner, si même ce serait possible un jour. Je tâchais de la rassurer comme je pouvais mais je voyais bien qu'il se jouait quelque chose de bien plus profond : pour elle aussi tout se déglinguait et elle n'en voyait pas la fin, comme chacun elle voulait savoir si tout cela allait s'arrêter un jour, quand finirait le cauchemar. Clément passait le plus clair de son temps à transvaser des crabes d'une mare à un seau puis du seau à une autre mare. Sa fascination pour chaque algue, chaque anémone, chaque bigorneau, balane, patelle, telline, couteau, était inépuisable. Il semblait serein mais demeurait peu bavard, perdu dans ses rêveries, lui que j'avais toujours connu si présent, si intensément là, habitant le monde de toute sa peau, de tous ses muscles. Toutes ces années à le regarder évoluer m'avaient été comme un baume. Il me ressemblait si peu. Rien ne paraissait jamais le troubler, il semblait à jamais affamé, prêt à en découdre, prêt à mâcher la vie et à l'engloutir. Autour de nous s'ébrouaient des jeunes gens qui me faisaient me sentir vieux, quand est-ce que cette sensation avait pris le dessus au juste ? je n'aurais su le dire. Avant même notre séparation pour être honnête. Un peu après nos trente-cinq ans. À trente-six ou trente-sept, je ne sais plus exactement. Soudain nous avions réalisé que nous étions passés de l'autre côté depuis longtemps. Soudain je m'étais senti usé, non seulement physiquement – et de ce côté ce n'était pas uniquement une sensation : entre mon dos, mes chevilles, mes dents, ma digestion, mes migraines, ma vue qui faiblissait, les jours entiers que je mettais à me remettre de la moindre gueule de bois et les trente kilos de trop qu'accusait la balance, il fallait bien admettre que je ne tenais plus vraiment la forme, malgré les heures à nager dans l'eau froide de Pâques à la Toussaint, malgré les virées en kayak – mais psychologiquement aussi. Je m'étais mis à envier ces gamins, ces jeunes femmes, ces jeunes parents, même, et jetant un œil dans le rétroviseur je voyais bien que quelque chose s'était enfui, que quelque chose s'était perdu. Je le ressentais jusque dans ma manière d'écrire qui s'était amollie elle aussi : j'enrobais désormais mes phrases d'une poésie inutile, ne traquais plus la graisse comme autrefois, et sous couvert de faire enfin entrer la lumière dans mes récits, n'en finissais plus d'arrondir les angles.

Nous n'avons passé que peu de temps à l'appartement. J'avais beau l'avoir aménagé de façon à pouvoir les recevoir correctement, je rechignais à nous y établir pour de bon, à y demeurer avec eux comme si vraiment il s'agissait de notre foyer. Mais ça ne les gênait pas. De leur point de vue je crois que ça ressemblait surtout à ces vacances dans des appartements loués, jamais suffisamment confortables et toujours trop impersonnels pour qu'on y perde plus d'heures que celles qu'il fallait bien consacrer au sommeil, pourtant cette année, on se l'était bien juré, on prendrait notre temps, on lézarderait un peu sur la terrasse, sans quoi ce n'était plus tout à fait des vacances, partir dès le matin et ne rentrer que le soir, ces jours entiers à faire des excursions sans fin. Les nuits, nous les avons passées tous les trois dans le même lit, et pas un instant je ne desserrai l'étreinte qui les tenait contre moi, chacun d'un côté, collé à mon flanc. Du moins l'ai-je cru jusqu'à l'aube du dimanche, où j'ai trouvé Clément assis à mon bureau, incapable de dormir. Je me suis approché de lui et il s'est blotti dans mes bras. Son corps encore endormi avait la consistance de ses trois ans. Dans un souffle épuisé il m'a avoué que souvent ça lui arrivait, il se réveillait et ne parvenait pas à se rendormir.

— Depuis quand ?

— Depuis que tu es parti de la maison.

Il avait pris un air désolé en disant ça, un air d'adulte s'excusant d'être si prévisible, peiné que les choses parfois soient si lisibles, si liées, si pathétiquement causales.

— C'est vrai que maman t'a mis dehors parce que tu avais d'autres amoureuses ?

Un vent glacé s'est mis à courir dans mes veines. Dehors la nuit s'éclaircissait à peine. Les nuages s'effilochaient aux abords des lampadaires, lambeaux de coton déchirés à même l'ardoise du ciel. D'où pouvait-il tenir ce genre de conneries ? Qui avait bien pu les lui fourrer dans la tête ? Je l'ai serré un peu plus fort encore. J'ai plongé mon nez dans ses cheveux. J'ai embrassé son front et je lui ai dit que non, maman ne m'avait pas mis à la porte pour ça, d'ailleurs je n'avais jamais eu d'autres amoureuses, comme il disait.

— Je ne suis pas très facile à vivre et ta mère en a eu marre de moi, voilà tout, lui ai-je confié à l'oreille, même si pour un gamin de son âge de telles considérations ne pouvaient avoir le moindre sens.

— Qui t'a raconté ça ?

— Des copains, à l'école.

J'ai préféré ne pas poursuivre la conversation. Je savais ce qu'il en était des propos d'enfants. À plusieurs reprises ces dernières années Manon m'avait laissé entendre qu'elle subissait régulièrement des ragots me concernant. Elle n'insistait jamais là-dessus, trop inquiète de me faire de la peine, trop occupée comme toujours à m'épargner, à ne pas m'alarmer. Je l'avais toujours connue ainsi, soucieuse de ne pas être un problème, un sujet d'angoisse, comme si elle me jugeait trop faible ou suffisamment fragile comme ça, et qu'il n'était pas indispensable d'en rajouter. J'avais beau n'être ni chanteur, ni acteur, nous vivions dans une petite ville et beaucoup de gens savaient plus ou moins à quoi j'occupais mes journées. On me voyait parfois à la télévision, on m'entendait ici ou là à la radio, mon visage apparaissait de part en part dans les journaux, mon nom au générique de quelques films, et cela suffisait à faire parler de temps à autre. Certains s'interrogeaient sur mon niveau de vie, le simple mot de « cinéma » suscitant tous les fantasmes, d'autres me prêtaient des aventures avec telle ou telle, sans parler des mœurs dissolues que l'on associait habituellement aux artistes. Le contenu de mes livres, livrant le portrait d'un type violemment dépressif et porté sur l'alcool, n'arrangeait rien. Bien sûr la grande majorité des gens me foutaient une paix royale mais il suffisait d'un ou deux connards pour qu'un ou deux enfants s'épanchent dans une cour de récréation, pour que tout à coup le regard de quelques élèves sur Manon ou Clément change, et que des propos désagréables leur reviennent aux oreilles. J'avais de la mémoire et les enfants étaient sans pitié, le moindre particularisme menait aux quolibets, aux vexations, voire à l'exclusion pure et simple, il n'y avait pas plus conformistes que des gamins de dix ou onze ans, à part peut-être des adolescents, à part sans doute leurs parents. Clément s'est rendormi dans mes bras, comme s'il avait encore quatre ans, et j'ai senti ma gorge se serrer à cette pensée. Déjà la nostalgie me prenait de ce temps premier de la petite enfance, ce temps enfui pour toujours, de tendresse éperdue, d'amour inconditionnel, de proximité animale qui me semblait le ciment de tout, me faisait entrevoir que rien jamais ne pourrait m'écarter de mes enfants, quoi qu'ils pensent, quoi qu'ils fassent. Que cette croyance soit à ce point ancrée en moi en ce qui concernait mes enfants, alors qu'il m'était si difficile d'envisager qu'il puisse en aller de même pour mes parents vis-à-vis de moi me paraissait un mystère insoluble. Cette nuit-là je n'ai pas réussi à trouver le sommeil. Je me suis installé dans le fauteuil face aux baies vitrées et j'ai surveillé la progression du jour, les changements à peine perceptibles qui s'opéraient dans la lumière, les teintes, les contrastes, les sons qu'étouffaient les vitres.

Le lendemain, un peu avant dix-neuf heures, j'ai rendu les enfants à leur mère. Quand elle m'a demandé si je leur avais bien fait faire leurs devoirs nous nous sommes regardés les enfants et moi, et nous avons éclaté de rire. Sarah n'a pas semblé apprécier le comique de la situation, ça m'était complètement sorti de la tête, et à eux aussi je crois. Il avait fait si beau et nous avions été si heureux pendant trois jours, à nous allonger dans le sable et à entrer dans l'eau en poussant des cris, le souffle coupé, les membres brûlés par le froid, à nous prélasser aux terrasses des cafés et des restaurants, à courir après des ballons, manœuvrer des cerfs-volants, bâtir des châteaux extravagants. Nous étions même sortis en mer. Samedi matin nous avions croisé le père d'un copain de Manon sur le port et il nous avait emmenés. Nous avions passé trois heures à bord. Clément avait croisé les doigts pour qu'apparaissent des marsouins mais à cette saison il était rare qu'ils s'approchent de nos côtes. Nous n'en avions pas vu mais il s'était consolé en tenant la barre, tandis que Pierrick faisait vrombir le moteur. Il avait l'air heureux de nous avoir avec lui, ses propres enfants rechignaient à sortir en mer et il n'aimait pas trop naviguer seul, depuis la mort de son propre père il avait moins le goût de ça, toute sa vie il avait navigué avec lui, d'ailleurs ce bateau était le sien, la veille de son décès encore ils étaient partis relever les casiers, puis ils avaient pêché trois bars qu'ils avaient partagés en famille au dîner. Le vieux était rentré à la nuit tombée, s'était couché et ne s'était jamais réveillé.

— Je ne sais pas, ai-je fait. On s'est crus en vacances.

Sarah a secoué la tête d'un air affligé. Manon est montée directement dans sa chambre pour faire ses maths et réviser son histoire, elle avait un contrôle le lendemain. Clément a sorti son livre de lecture et s'est assis à la table de la cuisine. Je me suis installé près de lui et j'ai commencé à le faire travailler.

— Qu'est-ce que tu fais ? a dit Sarah.

— Comment ça ?

Au fond je savais très bien ce qu'elle voulait dire. Je jouais au con. Bien sûr ma place n'était plus là et je feignais de l'ignorer. Je feignais de croire que j'allais aider le petit à faire ses devoirs, puis corriger ceux de la grande, avant de préparer en vitesse un de ces repas du dimanche soir qu'ils affectionnaient, où la table se couvrait de rillettes de thon et de poissons fumés, d'huîtres, de galettes, de jambon, de fromage, de pain et de salade et où chacun se composait le repas qui lui allait, tandis que la chaîne jouait un disque qui nous agréait à tous, enfants compris, Herman Dune, Baxter Dury, etc. Puis nous resterions une petite heure au salon, chacun affairé à lire, à dessiner, à consulter un site Internet, et les enfants iraient se coucher, après quoi nous passerions la soirée ensemble Sarah et moi, à écouter de la musique en buvant du vin, à lire ou à regarder un épisode de *Mad Men* ou d'*In Treatment*, un film de Kore-eda ou de Naomi Kawase, à faire l'amour jusqu'à ce qu'elle sombre dans le sommeil et que je sorte dans la nuit, quittant la maison et marchant jusqu'à la mer un cigarillo coincé entre les lèvres, m'avançant jusqu'aux premières vagues face au vent plus cru qu'en plein jour, rentrant glacé me glisser sous les draps, me collant contre son corps nu et chaud, la queue tendue, les mains refermées sur ses seins parfaits. Je me suis relevé et une fois de plus quitter cette maison m'a broyé le cœur.

J'ai roulé sous le ciel chargé d'orage. Des nuages noirs de pluie déferlaient sur la mer fluorescente. Je suis allé boire un verre à La Goélette. Tout le monde me regardait de travers, à part Samir. Sur le coup je me suis demandé pourquoi. J'avais oublié mais pas eux : quelques jours plus tôt j'écrasais le nez d'un client contre le comptoir. Ça m'était déjà sorti de la tête. Je ne pensais plus qu'à Sarah, aux enfants, et à Guillaume qui ne cessait de me tourner à l'intérieur du crâne. Je n'avais toujours pas trouvé le moyen d'en parler à Sarah. Pourtant rien ne me semblait plus urgent, plus crucial. Pourtant plus j'y pensais, plus il me semblait que la clé était là. La veille au soir j'avais fini par appeler Alex. Le moins qu'on puisse dire c'est qu'il n'était pas versé dans la psychologie. Il rangeait la psychanalyse au rayon des croyances, à ses yeux il s'agissait d'une supercherie comparable à la religion et seulement destinée à dépouiller d'honnêtes gens malheureux d'une partie de leurs économies. Avec Lorette nous avions fini par le surnommer « Michel Onfray ». On alternait : Don Draper ou Michel Onfray, selon les jours et l'humeur. Aucun de ces sobriquets n'avait l'air d'ailleurs de le vexer. Son admiration se distribuait de manière équitable en direction de ces deux hommes, qu'il revendiquait comme des modèles, sans qu'on sache bien s'il plaisantait ou non. Mon discours l'avait laissé perplexe. Que toute ma vie ait pu être affectée par la présence d'un jumeau *in utero* lui semblait improbable. Tout cela lui paraissait trop facile, trop évident, trop romantique.

— Ce n'est pas comme si tu avais perdu ton frère au cours de l'enfance ou durant l'adolescence.

Tu ne l'as jamais connu. Tu n'as jamais eu conscience de son existence. Tu n'as même jamais su qu'il avait existé, jusqu'à aujourd'hui. Et pour ce qui est du ventre de la mère, si tu veux mon avis, à ce moment de la vie on n'est pas beaucoup plus évolué qu'un têtard, alors...

Sur ce nous avions échangé quelques nouvelles au sujet des enfants, de Lorette et de Sarah, des livres que nous avions lus, par une ironie du sort que je jugeais cruelle pour lui il se trouvait dans l'obligation professionnelle de lire désormais tout ce qui se publiait en France, alors que c'était moi qui vingt ans plus tôt l'avais convaincu qu'il s'y écrivait des choses intéressantes, ce qui ne lui laissait que peu de temps pour les romans américains auxquels il m'avait pourtant initié et que je dévorais sans relâche. Au fil des années, et à rebours de la sienne, ma bibliothèque était devenue farouchement anglo-saxonne, japonaise, italienne, sud-américaine et de moins en moins francophone, à l'exception d'une poignée d'auteurs que je lisais depuis toujours et que je considérais comme mes maîtres, une poignée d'astres solitaires que rien ne reliait à aucune école, à aucune mode, à aucun dogme, à aucun pays même.

Quand j'ai regagné l'appartement, le ciel avait craqué. En découlait une pluie battante qui transperçait les os et vous griffait le visage comme une poignée de sable. La plage était invisible. On ne voyait guère plus loin que la rangée de lampadaires qui bordait la digue. Sous l'un d'eux, fantomatique dans la lumière blême et brouillée par les gouttes, une femme se tenait le visage levé vers les étages. D'où j'étais, gêné par la buée et l'averse, je n'étais pas certain mais il m'a semblé qu'elle me fixait. Derrière elle, la mer se fracassait contre le béton, projetant de grandes gerbes d'écume qui faisaient luire la promenade. J'ai ouvert la baie pour mieux la voir. Ses cheveux ruisselaient le long d'un pardessus qui n'avait d'imperméable que le nom. Sur le coup je n'ai pas voulu y croire mais c'était bien elle, Sophie, levant les yeux vers moi, trempée jusqu'aux os, me souriant dans la nuit pluvieuse, cernée de mer s'abattant partout autour d'elle mais ne la touchant jamais. J'ai quitté l'appartement, descendu les escaliers pour la rejoindre. Elle grelottait mais elle souriait, quelque chose d'un peu dingue traversait son regard. Elle avait maquillé ses yeux de noir et le rimmel coulait sur ses joues. Je lui ai pris la main et l'ai entraînée à l'abri. Dans le hall elle n'arrêtait pas de répéter « je suis venue, tu es content de me voir, hein, tu es content de me voir ? » et sa bouche cherchait mes lèvres. Son haleine était chaude et chargée d'alcool, sa langue d'une douceur insensée, elle collait son corps mouillé contre le mien, je l'ai conduite jusqu'à l'appartement et je l'ai déshabillée. Elle répétait qu'elle était gelée mais qu'elle voulait faire l'amour. Je lui ai passé un pyjama, elle a ri en se voyant dedans, elle flottait tellement qu'on aurait dit une enfant déguisée en adulte. Elle était saoule. Je l'ai allongée sous les couvertures et elle ne cessait de rire, d'essayer de m'embrasser, de guider mes mains vers ses seins, son cul, son sexe, elle ne semblait rien entendre des questions que je lui posais. Qu'est-ce qu'elle faisait là ? Est-ce que son mari était au courant ? Y avait-il quelqu'un chez elle pour s'occuper des enfants ?

— Les enfants, les enfants, tu m'emmerdes avec mes enfants, ils peuvent bien se passer de leur mère, un peu. Depuis qu'ils sont nés ils ne m'ont pas lâché d'une semelle… Viens me réchauffer.

Nous avons fait l'amour puis la nuit a passé comme un rêve étrange, semi-éveillé, d'exaltation et d'abattement mêlés. Son téléphone vibrait toutes les dix minutes. Le nom d'Alain s'y affichait à chaque fois, suivi d'un message qu'elle n'écoutait pas. Par instants, à la faveur d'un regard, d'une parole, d'une mimique, d'un geste, d'une attitude, elle m'émouvait au plus haut point, j'avais l'impression de retrouver en elle celle que j'avais aimée vingt ans plus tôt, puis en un éclair tout s'écroulait, il suffisait d'un silence, d'une phrase où je lisais que nous n'avions rien à nous dire, qu'au fil des années un fossé s'était creusé entre nous, un fossé composé de nos goûts, choix, avis, manières d'être et de faire, de nos modes de vie, croyances, centres d'intérêt, et j'étais pris de lassitude, de dégoût. Elle s'endormait un moment et ce que je contemplais n'était pas l'amour mais son souvenir, sa réminiscence lointaine, éventée. Puis elle s'éveillait et parlait comme en accéléré, son débit trop rapide, ses mots trop creux ou trop pleins d'emphase, de projets, ses yeux brillants dont on ne savait s'ils allaient s'enflammer ou verser des larmes. Nous nous embrassions, nos mains fouillaient nos peaux, chacun cherchait dans l'autre quelque chose d'ancien et d'inatteignable désormais. Une consolation. Une étincelle. Il n'était point besoin d'être extralucide pour comprendre qu'à travers moi Sophie tentait quelque chose. Se sentir un peu vivante. Se tenir tout court. Sortir du sommeil. Il n'était point besoin d'être devin pour comprendre qu'en retournant ainsi en arrière elle cherchait surtout à s'échapper. Au fond je n'étais qu'un prétexte. Et l'inverse était tout aussi vrai. À l'aube nous avons refait l'amour. J'étais épuisé, dans cet état de fragilité nerveuse où me mettait toujours la fatigue, un état qui me dépouillait de mes protections, de mon armure, faisait craquer mes nerfs un à un. Sur la table de nuit le téléphone de Sophie vibrait sans relâche. Nous avons continué à baiser comme si de rien n'était, avec une rage un peu usée qui ne me disait rien de bon. Puis nous nous sommes endormis et c'est le soleil qui nous a réveillés. Il se déversait par les baies et dehors c'était un paysage sorti d'un rêve. La mer parfaitement lisse alternait entre le turquoise et l'azur, le sable la bordait en grandes langues dorées, au large étincelaient des îlots, des récifs, dont le granit luisait comme une peau animale. Sophie s'est étirée tandis que je buvais mon Lapsang Souchong en écoutant la radio, debout face à la plage semée de joggers, de promeneurs se tenant la main, d'enfants en bas âge.

— Tu veux pas éteindre ? Ça me déprime, les infos.

J'ai baissé le volume du poste. La Syrie, la Libye, Fukushima et le reste se sont fondus dans la rumeur matinale. J'ai fini mon thé et elle s'est levée, nue et les traits froissés, se frottant les yeux à cause de la lumière intense qui inondait la pièce. De nouveau son portable a vibré. Un voile d'angoisse a traversé son regard. Une panique. Comme si elle réalisait seulement maintenant où elle était et avec qui, et qui l'appelait sans relâche depuis la veille.

— Tu devrais peut-être lui répondre.

Elle a haussé les épaules et s'est blottie contre moi. Ses cheveux sentaient la nuit et sa peau était tiède. Je sentais ses seins contre mes côtes.

— Enfile quand même quelque chose.

— Pour quoi faire ? Personne ne nous voit à part les goélands.

Elle s'est approchée de la fenêtre, a contemplé un moment le panorama.

— C'est tellement ouvert. Sans abri possible.

— Tu devrais appeler Alain. Pour le rassurer. Je veux dire : il n'a pas mérité ça. Ce silence. Et tes gosses. Ils doivent se demander ce qui se passe.

Un instant j'ai pensé à Clément et Manon. Les imaginer dans une situation semblable m'était tout simplement insupportable. J'en ai eu la gorge étranglée. Avec les années je ne m'arrangeais pas. Au lieu de m'endurcir je devenais de plus en plus sensible. Voir un enfant pleurer me retournait. Croiser dans la rue des gens dont les visages trahissaient l'usure ou le chagrin me bouleversait. Imaginer ce qu'enduraient les autres me crucifiait.

— Qu'est-ce que t'en sais ?

— De quoi ?

— Qu'Alain ne le mérite pas ? Qu'est-ce que t'en sais ?

— Tu m'as dit qu'il était gentil avec toi, que c'était un bon mari.

— Et alors ? Si j'ai envie d'être avec toi.

— Eh bien c'est ton droit, mais je ne vois pas pourquoi il devrait se morfondre pour autant à attendre de tes nouvelles.

— Ça fait des années qu'il me met en cage. Dans sa putain de maison. Sa putain de résidence à la con avec sa barrière. Tu sais que ces derniers temps il a planqué la clé de la forêt parce qu'il trouve que j'y passe trop de temps.

J'ai attrapé le téléphone sur la table de nuit et je le lui ai tendu.

— Appelle-le, lui ai-je dit. Je vais prendre ma douche.

Quand je suis ressorti elle était en larmes. Elle avait revêtu le pyjama de la veille et pleurait en buvant son café. Elle n'a pas prononcé le moindre mot. Cela a duré pendant au moins deux heures. Elle ne répondait à mes questions que par des mouvements de tête. Non elle ne lui avait pas dit où elle était. Oui il s'inquiétait à mourir, et les enfants aussi. Oui Alain avait alerté la police pour signaler sa disparition. Non elle n'avait pas dit quand elle rentrait, et si elle rentrerait. Elle s'est habillée et nous sommes sortis, nous avons marché des heures sur les sentiers, nous nous sommes assoupis sur les plages les mieux abritées. Elle avait l'air complètement sonnée, comme gagnée par le vertige de ce qu'elle avait fait en venant ici, en quittant sa maison sans un mot, sans donner de nouvelles pendant presque vingt-quatre heures à ceux qui la chérissaient. J'avais du mal à reconnaître la Sophie que j'avais retrouvée durant les quelques jours que j'avais passés à V. Cette femme douce, mesurée, banale, qui me vantait les mérites de sa vie calme, quotidienne et rangée. Bien sûr le temps où nous étions restés cachés dans la forêt m'avait alerté sur ce qui semblait se battre, se contredire et se perdre en elle, bien sûr elle avait quitté le domicile familial pour me rejoindre et ce n'était pas rien, cela pouvait expliquer la fébrilité, la nervosité qui paraissaient la gagner par instants, les sautes d'humeur qui la faisaient passer en un éclair du rire, des baisers à un abattement profond, mais j'avais l'impression de reconnaître là autre chose, qui venait sans doute de plus loin et qui m'échappait. Je me tenais ces réflexions tandis que nous fixions la mer et que nos mains fouillaient le sable, puis je m'en voulais de ne pas simplement considérer que ce qui se jouait là entre nous était suffisamment perturbant pour expliquer son comportement. Je me disais aussi que si j'avais été aussi violemment plongé dans le présent qu'elle, dans notre relation naissante, dans sa présence ici auprès de moi, sur cette plage nichée dans les recoins, la découpe compliquée de la Côte sauvage, où j'avais bien conscience de me cacher, des voisins, des habitués de la plage, des enfants, et surtout de Sarah, j'aurais sans doute été comme elle l'otage de sentiments si violents et contradictoires qu'ils m'auraient sorti de moi-même, de ma réserve, de la raison qui pilotait mes gestes et mes actes. Mais la vérité était toujours la même : je n'étais pas là. Sophie, elle, l'était infiniment. Elle s'était réfugiée chez moi, avait laissé son mari et ses enfants dans l'inquiétude, nous avions fait l'amour, nous marchions parmi les bruyères et les ajoncs en nous tenant la main, nous nous embrassions le dos chauffé par les roches, et j'assistais à tout cela comme on assiste à la projection d'un film, comme on se plonge dans un livre. Elle se blottissait entre mes bras et je me regardais la serrer, embrasser ses cheveux, la bercer, la rassurer, mais tout cela m'était profondément extérieur. Au vrai je ne ressentais strictement rien. Rien ne brûlait en moi, rien ne vacillait, rien ne s'affolait.

Nous sommes rentrés à la tombée de la nuit. Sophie avait retrouvé un peu de son allant et de sa confiance. Elle parlait maintenant de rester quelques jours. De quitter Alain. De trouver un travail. De s'occuper des enfants mais différemment. D'avoir une vie en dehors d'eux. Elle parlait de moi, de nous, de revivre, de vivre tout court. De revenir en arrière, de reprendre les choses là où nous les avions laissées et de vivre la vie que nous aurions dû vivre tous les deux. Ses yeux brillaient d'exaltation. Il y avait en eux un tel appel, une telle soif. Dont je savais n'être pas le véritable récipiendaire, mais bien l'étincelle. À nouveau son téléphone a sonné. Cette fois elle a répondu et je suis sorti sur le balcon fumer une cigarette pendant qu'elle parlait à Alain. Il faisait étonnamment doux. Un vent de sud soufflait sur la mer et soulevait de lourdes vagues où glissaient des dizaines de surfeurs vêtus de combinaisons noires, pareils à des araignées sur les eaux brillantes. Dans mon dos Sophie s'est collée à ma chemise. Elle reniflait. Ses larmes mouillaient le tissu.

— Je n'ai pas la force qu'il faut. C'est trop dur.

C'est ce qu'elle répétait entre deux sanglots.

— Tu lui as dit où tu étais ?

— Non. Mais il va bien finir par deviner.

— Comment veux-tu qu'il se doute de quoi que ce soit ? Tu ne lui as rien dit ?

— Non.

— Alors il ne devinera jamais.

Je me suis retourné et j'ai saisi son visage entre mes mains. J'aurais tellement voulu qu'il m'émeuve. J'aurais tellement voulu la couvrir de baisers et lui dire que tout irait bien, qu'elle avait le droit au bonheur elle aussi, qu'elle allait rester là jusqu'à la nuit des temps. Mais j'ai préféré ne pas mentir. La vérité la plus crue était qu'elle m'incommodait, que la voyant renifler, en larmes, désemparée, j'avais envie de la foutre dehors, j'avais envie qu'Alain débarque et la remmène avec lui, j'avais envie d'appeler mes enfants, j'avais envie d'aller voir Sarah et de remettre mon poing dans la gueule de Clooney, putain, quand même, le chef de service et l'infirmière, comment pouvait-on être aussi prévisibles, nager à ce point en plein cliché, je voulais juste que ce cauchemar finisse et que tout reprenne comme avant. Nous sommes rentrés dans l'appartement et, tandis qu'elle me couvrait de baisers humides, d'une avidité qui me répugnait, je l'ai couchée sous les draps, comme la veille mais encore habillée, et j'ai caressé son front jusqu'à ce qu'elle s'endorme. La nuit avait tout recouvert et j'ai passé quelques heures sur l'ordinateur à me battre avec mon scénario. J'avais un mal fou à me concentrer et manipuler une scène me paraissait aussi difficile que de manœuvrer un poids lourd, chaque phrase me pesait alors qu'elles pouvaient quelquefois être si légères, dans ce domaine comme dans celui du roman les choses pouvaient changer du tout au tout d'un jour à l'autre, les mots pouvaient filer à toute allure comme rester cloués au plancher, bâtir un chapitre pouvait se faire tout seul comme requérir l'énergie nécessaire à trois étapes du Tour de France en haute montagne, on ne pouvait jamais savoir, aucun indice ne permettait d'anticiper la difficulté, pas plus le degré d'avancement du récit que la scène elle-même. Mon esprit quittait sans cesse le film, je jetais un œil à Sophie, à l'appartement où j'avais dû m'exiler, à la mer qui ne suffisait plus à m'apaiser, je contemplais le champ de ruines de ma vie, sans Sarah rien ne tenait, sans Sarah j'étais tout simplement incapable de mettre un pied devant l'autre, j'avais perdu le sens de la marche. Dans la baie vitrée mon visage se reflétait et j'avais l'air d'un type de quarante ans au bas mot. Comment était-ce possible ? Pourquoi ma génération se révélait à ce point incapable de grandir, de se comporter en adulte ? Connaissais-je un adulte de mon âge ? En existait-il seulement ? Quand je passais en revue mes connaissances, mes amis, tous ceux que j'avais recroisés à V., les écrivains, les cinéastes, les comédiens, les journalistes que je croisais dans mon travail, tous me faisaient l'effet d'adolescents se mouvant dans des corps précocement vieillis. Pourtant, il suffisait de regarder les photos de nos parents, de penser à leurs vies, de se souvenir d'eux à cette époque, pour bien comprendre qu'à quarante ans on n'était plus des adolescents, même plus des jeunes gens, mais des adultes. Non, j'avais beau faire le tour de tous ceux que je connaissais, je ne voyais personne pour se comporter comme tel. Nous avions tous au moins dix ans de retard. Nous ne savions rien faire de nos mains. Ni de nos vies. Et nos enfants poussaient comme des herbes sauvages, plus vifs et délurés que nous ne l'étions, dès leurs onze ans ils nous échappaient pour gagner des terres qui nous seraient à jamais inconnues, on pouvait juste prier pour que rien de trop fâcheux ne leur arrive, pour qu'ils s'en sortent sans trop d'écorchures. J'ai tenté de me remettre au boulot, une bouteille de vin blanc à portée de main. Au final j'ai vidé les soixante-quinze centilitres et n'ai pas avancé de plus de trois pages. J'ai fini par me coucher. Sophie s'est collée contre moi, elle s'était déshabillée sans que je m'en aperçoive, sa main s'est glissée dans mon caleçon et j'aurais préféré ne pas bander mais je n'y pouvais rien. Elle a disparu sous les draps et m'a pris dans sa bouche, avant de remonter pour s'enfoncer sur moi. Je ne pouvais pas mentir : si sa présence ici ne rimait à rien, si notre liaison n'avait pas de sens, faire l'amour avec elle avait de tels accents d'évidence, de fusion, qu'on ne pouvait, sur l'instant, que se laisser prendre à l'illusion. Au moment de jouir elle m'a murmuré à l'oreille qu'elle était tellement heureuse avec moi, ici, au bord de l'eau, qu'elle se sentait enfin vivante, vivante comme elle ne l'avait plus été depuis si longtemps qu'elle n'en gardait plus le moindre souvenir. Je n'ai rien répondu, je passais mon temps à ne rien répondre, à me laisser porter par les événements, à moitié absent, plus ou moins indifférent, au fond je ne prenais possession de ma vie que lorsque je l'écrivais et il y avait plus d'un an que je n'avais rien commis. Sophie s'est rendormie avant moi. Avant de m'assoupir à mon tour j'ai pensé que je n'avais pas appelé mes parents depuis trois jours, il me semblait que depuis mon retour ici plusieurs années s'étaient écoulées.

Je me suis réveillé en sursaut. Sophie me secouait dans la pénombre, le visage déformé par le sommeil et la panique. Elle tenait son téléphone dans la main.

— Il est en bas, répétait-elle. Il est en bas.

— Quoi ?

— Alain. Il est en bas.

J'ai enfilé un caleçon et je me suis levé. Il était là, en effet, du moins j'imaginais qu'il s'agissait de lui, qui à part lui aurait pu se tenir ainsi dans la nuit qu'éclairait la lune pleine, sous un lampadaire dont la boule blanche pulsait un peu, diffusant une lumière irrégulière, semblant émettre un signal à l'attention des flots retirés ?

— Je ne veux pas qu'il monte. Je ne veux pas le voir. Je ne veux pas lui parler.

Son visage et sa voix déformés, ses tremblements tandis qu'elle se balançait d'avant en arrière en tenant ses jambes repliées entre ses bras, tout cela aurait sûrement dû m'attendrir. Mais j'avais juste envie qu'elle dégage. J'avais juste envie que cette folle qui se balançait sur mon lit disparaisse. Je me suis habillé en vitesse et je me suis dirigé vers la porte.

— Où tu vas ?

— Lui parler.

— Promets-moi qu'il ne montera pas.

— Écoute. C'est ton mari. Le père de tes enfants. Il s'inquiète. Il t'aime. Il vient te chercher. C'est normal merde. T'as pas fui un type qui te bat. Vous pouvez vous parler, non ? Vous pouvez vous expliquer ? Vous pouvez agir en adultes civilisés bon Dieu. C'est trop vous demander ?

— Et c'est toi qui me dis ça ? Tu éclates la tête de l'amant de ton ex sur un comptoir et tu viens me dire ça ? Je ne veux pas lui parler. Je ne suis pas prête. C'est tout.

J'ai descendu les escaliers sans avoir la moindre idée de ce que j'allais bien pouvoir dire à Alain. Il venait la chercher et, au fond de moi, c'était exactement ce que je voulais, qu'il la ramène avec lui et que leur vie reprenne comme avant, leur vie tranquille simplement rayée d'une petite fissure, un petit coup de cœur passager qui avait entraîné Sophie jusqu'ici, avant qu'elle ne rentre chez elle et ne retrouve le cours ordinaire des choses. Une histoire somme toute banale, comme il en arrivait dans tous les couples ou presque. Est-ce qu'un jour ma mère avait connu ça ? Une aventure qui l'avait menée loin du foyer, avait brisé la routine ? Y avait-elle seulement pensé une fois dans sa vie ? Je n'en étais pas certain. Quant à mon père il semblait si rigide sur ces points, je l'entendais toujours s'emporter contre ces histoires de coucheries, ces gens autour de lui qui se trompaient, se quittaient et se rabibochaient, comme tant d'autres choses ce genre de situation le mettait hors de lui, et toujours il en revenait aux enfants qui souffraient de l'irresponsabilité de leurs parents, mâles pensant avec leur bite, femelles en chaleur le feu au cul, tous dans le même panier du vice et des instincts primitifs qui le révulsaient, du moins c'est ce qu'il affirmait haut et fort. Bien sûr je n'étais pas dupe. Ce que ça cachait je n'en connaissais pas la nature exacte mais combien de fois l'avais-je surpris en été à laisser tarder son regard sur les jambes, le cul ou la poitrine des jeunes filles ? Cela ne me choquait pas. Cela me rassurait même un peu je l'avoue. Mon père était donc un être humain, capable de désir, peut-être même de tendresse, et pourquoi pas d'amour. Je suis sorti sous la pluie battante et Alain s'est avancé vers moi, si trempé qu'il avait l'air liquide. Pour ce que je pouvais en saisir il ressemblait aux photos de lui que j'avais pu voir en allant chez eux. Taille moyenne, cheveux courts, yeux noisette, ni spécialement beau ni spécialement laid, le genre d'homme qu'on croise à chaque coin de rue, père de famille attentif et mesuré, époux fiable, employé méritant. Je l'ai entraîné dans le hall de l'immeuble.

— Est-ce qu'elle est là ? répétait-il. Est-ce qu'elle est là ?

Il hurlait.

— Oui. Elle est là.

Je crois qu'il aurait préféré que je lui réponde le contraire. Son visage était blême, ses mâchoires serrées à s'en faire péter les dents. Il avait envie de me démonter la gueule, et je ne sais pas ce qui l'a retenu de se jeter sur moi et de me fourrer ses poings dans les côtes. Il s'est assis sur les marches de l'escalier, le visage entre les mains, prêt à fondre en larmes.

— Putain...

350

C'est tout ce qu'il arrivait à dire, dans son cerveau ça devait se bousculer, le soulagement devait le disputer à la colère mais il ne parvenait qu'à répéter putain, des sanglots secs en travers de la gorge. Je lui ai fait signe de me suivre. C'était le milieu de la nuit et j'étais dans les limbes, mes jambes pesaient huit tonnes et peinaient à monter trois pauvres étages. Quand j'ai ouvert la porte l'appartement était vide. J'ai fait le tour des pièces. J'ai prononcé plusieurs fois son nom. J'ai jeté un œil au balcon, à la promenade, à ce qu'on pouvait voir de la plage striée de pluie, mais il fallait se rendre à l'évidence : Sophie avait disparu. Elle s'était littéralement évaporée.

— C'est quoi ces conneries, elle est où ? gueulait Alain.

— Calmez-vous. Elle est partie. Elle s'est enfuie. Je ne sais pas comment elle a fait, par où elle est passée pour qu'on ne la voie pas, mais le fait est qu'elle était là, sur le lit, quand je suis sorti, et qu'elle n'y est plus.

Alain a lancé un regard douloureux aux draps défaits. Je savais exactement ce qu'il ressentait. Je ne connaissais pas plus terrible morsure que d'imaginer la femme qu'on aime en train de se faire baiser par un autre. Puis il s'est remis à se demander tout haut où elle pouvait bien être.

— Écoutez, elle est sortie. Voilà tout. Il fait nuit. Elle ne connaît personne ici à part moi. Il n'y a rien d'ouvert. Il pleut. Il fait froid. Elle va revenir. On n'a qu'à l'attendre ici.

Ses yeux m'ont foudroyé. À son expression il était clair qu'il ne me tenait pas en très haute estime.

— On voit que vous ne la connaissez pas. Vous l'avez peut-être baisée, vous vous êtes peut-être bien amusé avec elle, mais vous n'avez aucune conscience de qui elle est. De l'état dans lequel je l'ai trouvée quand vous étiez à Paris et que vous ne lui donniez plus de nouvelles. Qui était là toutes ces années ? Hein ? Qui l'a ramassée plus bas que terre ? Qui l'a remise debout ? Qui l'a sur-veillée comme le lait sur le feu ? Qui l'a protégée ? Qui a essayé de lui donner une vie heureuse, dans laquelle elle cessait de se faire du mal ? Sûrement pas vous. Vous étiez où quand elle ne voulait plus rien manger ? Vous étiez où quand elle a avalé ses cachets ? Vous étiez là pendant les mois entiers qu'elle a passés en clinique ? Vous n'avez aucune idée de la personne à qui vous avez affaire. Vous n'avez aucune idée du mal que vous lui avez fait en revenant dans sa vie, en l'attirant ici. Vous n'imaginez pas à quel point tout ça est exactement le contraire de ce dont elle a besoin. Vous n'ima-ginez pas ce dont elle est capable.

Il s'est dirigé vers la porte et a dévalé les esca-liers. Je lui ai emboîté le pas et nous nous sommes retrouvés sur la promenade, à scruter le sable pâle et les flots noirs.

— Elle n'a pas pu aller très loin à pied.

— Il y a quoi de ce côté-là ?

— La digue. Et puis après, la vieille ville.

— Et par là ?

— La pointe. Des falaises, des plages, des falaises, des plages. Comme ça sur vingt kilo-mètres.

On s'est dirigés vers la pointe, le vent de face, la pluie cinglant nos visages comme des milliers de minuscules lames de rasoir.

— Et les enfants ? Vous vous en foutez, hein ? Vous n'imaginez pas ce qu'ils endurent. La peur dans laquelle ils vivent. La peur de voir leur mère repartir à l'hôpital, retomber dans ses crises, des jours entiers sans sortir de la chambre, les rideaux tirés, à se bourrer de Xanax, à pleurer. Non ça vous vous en foutez. Vous la baisez, vous lui faites croire qu'elle va vraiment entrer dans votre vie. Vous ignorez tout ce que vous piétinez au nom de votre amourette de jeunesse. Ah vous deviez l'aimer à l'époque pour ne plus jamais lui donner signe comme ça ! Ça, dans vos livres vous le dites pas, hein...

Il marchait en courant presque, sans cesser de parler, vidant le sac qu'il avait dû remplir à mon intention pendant les cinq heures du trajet qui l'avait mené de V. jusqu'ici. La pluie ne faiblissait pas et la mer grondait de plus en plus fort à mesure qu'elle dévorait le sable et se dirigeait vers la digue. Nous avons marché vers la pointe sans croiser personne. Les maisons le long de la promenade se dressaient massives et austères, volets borgnes, toutes lumières éteintes. Personne ne veillait là-dedans. Aucune insomnie ne guettait. Les premières vagues se sont abattues sur le béton et à plusieurs reprises nous avons dû faire un pas de côté pour éviter les gerbes d'éclaboussures. Pourtant, être couverts d'écume n'aurait rien changé : la pluie nous faisait déjà un manteau glacial. Nous sommes passés devant La Goélette. Il était trois heures et le bar s'apprêtait à fermer. Sur le seuil, Samir fumait une cigarette avec le prof de volley, je leur ai demandé s'ils avaient vu passer quelqu'un, une femme, plutôt menue, sûrement vêtue d'un pyjama d'homme. Ils ont eu l'air de trouver ça drôle. Un peu plus loin la plage se heurtait à des amas rocheux que léchait déjà la mer. Plus aucun lampadaire ne les éclairait. Ils étaient couverts de moules et de balanes, fendus d'innombrables crevasses remplies d'eau, d'algues, de crevettes, de crabes et d'anémones. Je me tordais les pieds sans cesse, derrière moi Alain gueulait à chaque fois qu'il s'enfonçait dans une mare jusqu'aux mollets. Il n'arrêtait pas de se casser la figure. Régulièrement je me retournais pour lui dire que non, je ne voyais personne, ça ne valait pas la peine de continuer, elle avait pu aller n'importe où ailleurs, rien ne disait qu'elle avait fui dans l'intention de se jeter à l'eau. Il n'a rien voulu savoir. Nous avons remis le pied sur le sable. La plage suivante s'étendait sur plus d'un kilomètre et s'achevait au pied des premières falaises. Quelques maisons s'accrochaient au granit et justifiaient un peu d'éclairage public. La pluie a cessé sans que le vent faiblisse. Le ciel s'est ouvert peu à peu. À mesure que nous avancions la nuit s'éclaircissait, s'argentait sous la lampe de la lune. J'ai fini par la voir. Quelques mètres au-dessus de l'eau, elle escaladait la roche, Dieu sait où elle allait comme ça. Alain a crié son nom. Ce n'était sûrement pas la chose à faire. Sophie s'est retournée, et son corps a chuté avant de disparaître dans les vagues.

— Merde, a fait Alain, comme statufié, incapable d'effectuer un geste.

— Putain, appelez les pompiers. Grouillez, lui ai-je crié en courant vers l'eau tout à fait noire.

Plonger là-dedans m'a coupé le souffle. Les vagues déferlaient par cargos entiers, me foutaient la tête sous l'eau la bouche grande ouverte.

J'en avalais des litres. J'en avais plein la gorge et les poumons. Parfois la houle m'élevait un peu et j'apercevais Sophie. Je ne sais pas ce qu'elle foutait. Elle ne nageait pas. Se laissait flotter sur le dos, les jambes et les bras en étoile, parfaitement immobile, parfois engloutie, tout à fait noyée, puis réapparaissant à la surface. J'ai fini par la rejoindre, ça m'a semblé durer des heures, quand je l'ai touchée elle n'a pas réagi. J'ai hurlé son nom mais elle n'a pas bougé d'un doigt. Je l'ai attrapée comme j'ai pu. Elle avait beau ne pas peser grand-chose, c'était déjà trop. Le froid me coupait le souffle et me grillait les muscles, me paralysait de la tête aux pieds. Je me suis arrêté un instant. Je l'ai secouée mais elle demeurait inerte, les yeux grands ouverts fixés sur le ciel, l'eau couvrant son visage puis le dénudant sans que jamais elle tousse ou suffoque. Je me suis remis à nager comme j'ai pu, en la traînant sans plus me soucier de lui maintenir la tête hors des flots. Sur la plage au loin tournaient des lumières bleues, par moments j'entendais la mer bourdonner, elle grondait de plus en plus fort, dans un bruit de moteur diesel. Une vague m'a submergé et Sophie et moi avons été pris dans la grande lessiveuse. Je n'arrivais plus à rien. J'ai cru que cette fois c'était la fin. Que j'allais finir noyé en essayant de sauver cette femme qui n'était pas la mienne, tandis que son mari nous attendait peinard sur le bord, tandis que Sarah se faisait baiser par Clooney, tandis que mes enfants me manquaient à m'en bouffer les phalanges. J'ai perdu Sophie. Je n'arrivais plus à la tenir. Quelque chose l'aspirait. Le courant, ai-je cru alors. Puis on m'a tiré moi aussi et j'ai regagné la surface. On m'a hissé sur un Zodiac. Deux types en combinaison s'affairaient sur Sophie. Un autre dirigeait l'embarcation. Le moindre de mes membres tremblait, en prêtant l'oreille on aurait pu entendre mes os cliqueter. J'ai mis cinq bonnes minutes à retrouver mon souffle. Nous avons rejoint la plage et on nous a installés sur des brancards, emmitouflés sous des couvertures de survie. Le visage de Sophie était caché par un masque. Un type lui faisait du bouche-à-bouche. Régulièrement il appuyait sur sa poitrine, jusqu'à ce qu'elle se mette à cracher en émettant des bruits de respiration effrayants, les yeux exorbités. Près de nous, Alain n'arrêtait pas de gueuler et je ne comprenais rien à ce qu'il disait, tout ça me parvenait nappé de brouillard et de coton, je ne sentais plus aucun de mes membres, je claquais des dents sans y rien pouvoir, j'avais l'impression que le moindre centilitre de mon sang avait gelé, et chaque battement de mon cœur m'écorchait la poitrine. On nous a transportés dans une ambulance. Sophie reposait près de moi, les yeux toujours grands ouverts. J'ai essayé de demander au pompier le plus proche comment elle allait mais ma bouche était congelée. Aucun son ne pouvait en sortir. Je n'arrivais même pas à l'ouvrir ou à la fermer. L'ambulance s'est immobilisée et on nous a transférés sur des brancards roulants. Les couloirs de l'hôpital ont défilé jusqu'à une salle où on nous a reliés à des tubes, des machines, et où Alain n'était pas admis.

— Le docteur va venir, m'a glissé une infirmière.

J'ai jeté un œil aux moniteurs reliés à Sophie et pour ce que je pouvais en juger, il semblait que son cœur battait et qu'elle respirait. Je me suis endormi sans même m'en rendre compte. Quand je me suis réveillé j'ai cru nager en plein cauchemar. Sophie n'était plus là. J'étais seul dans la pièce aux murs bleu pâle et Clooney, le nez toujours couvert d'un pansement, me tapotait l'épaule.

— Où est-elle ? ai-je demandé.

La voix qui a répondu, je l'ai tout de suite reconnue. De l'autre côté du lit, Sarah se tenait assise, les yeux cernés.

— Ton amie est dans une autre salle. Elle a besoin de soins. Elle est en hypothermie.

Sarah me regardait étrangement, je connaissais cette expression par cœur, c'était celle qu'elle me réservait quand elle voulait me faire comprendre qu'à ses yeux je n'étais qu'un enfant, un être immature qui lui en faisait voir de toutes les couleurs.

— Mais ne t'inquiète pas. Son mari veille sur elle.

Elle a légèrement appuyé sur le mot « mari », une petite intonation morale à laquelle a répondu le sourire en coin de Clooney, qui tenait à me garder en observation vingt-quatre heures, après quoi je serais libre.

— Je me sens bien, ai-je lâché. Je vais rentrer.

— Écoute, a répondu Sarah, excédée. Si le docteur te dit que tu dois rester, tu restes. T'en as déjà assez fait comme ça.

Je l'ai regardée, interloqué. De quoi parlait-elle ? Me considérait-elle comme responsable de ce qui venait de se passer ? J'ai préféré ne pas lui poser la question. J'ai vérifié que plus rien ne me reliait à aucune machine, à aucun goutte-à-goutte de glucose et je me suis levé. La terre tanguait vraiment, la pièce était complètement de travers, j'ai trébuché mais Clooney m'a rattrapé.

— Vous n'allez pas sortir dans cette tenue, m'a-t-il lancé en désignant l'espèce de blouse jetable entièrement transparente qui laissait voir mes cent kilos à l'œuvre et mon sexe recroquevillé comme un escargot sans coquille.

— Passez-moi mes fringues.

— Elles ne sont pas sèches.

— Je m'en fous.

Sarah m'a tendu un paquet de vêtements. À l'évidence ce n'étaient pas les miens. J'ai préféré ne pas me demander d'où elle avait bien pu les sortir. Entrer là-dedans relevait de la torture. Deux tailles manquaient à l'appel. Et mes chaussures étaient des éponges. Sarah secouait la tête. J'ai quitté les lieux sous le regard des jeunes amoureux. Les voir tous les deux dans la même pièce me mettait le cœur à vif. Dans mon dos j'ai entendu Sarah me demander comment je comptais rentrer : je n'avais pas ma voiture et aucun taxi n'accepterait de me prendre dans cet état. J'ai fait mine de ne pas entendre. J'ai pris le premier escalier venu. Après quelques couloirs où patientaient des vieilles en fauteuil roulant, attendant leur tour pour le scanner, j'ai débouché sur la cafétéria. Alain était attablé les yeux dans le vide, devant un gobelet de ce marron atroce qu'on n'utilise que pour les machines à café, comme s'il fallait absolument que le contenant soit aussi immonde que le contenu, et que, le voyant, on se prépare à boire de la merde. Je me suis installé en face de lui. Il m'a dévisagé avec une expression difficile à définir, comme si les sentiments qu'il nourrissait envers moi étaient si mêlés et contradictoires qu'aucun plissement des yeux, aucune moue, aucun rictus répertoriés ne pouvaient en exprimer le millième.

— Surtout ne me remerciez pas, ai-je grincé.

D'un seul coup les traits de son visage sont devenus nettement plus loquaces. Ils disaient : je vais te tuer connard. Ses lèvres ont suivi et il en est ressorti qu'il ne voyait pas de quoi il devait me remercier, j'avais mis à sac tous ses efforts pour remettre Sophie sur pied et la protéger de tout ce qui pouvait la blesser. Pourquoi croyais-je qu'elle ne travaillait pas ? Pourquoi croyais-je qu'il tentait à toute force de la raccrocher à une vie de famille calme, rassurante, régulière ? Pourquoi croyais-je qu'ils avaient quitté Paris ? Pourquoi avait-il peur, chaque jour que Dieu faisait, en rentrant du boulot, de la trouver morte ou enfuie ou se mettant gravement en danger ? Pourquoi croyais-je qu'il avait jeté tout ce qui à la maison pouvait la faire replonger, tous ces disques, ces films, ces livres que je lui avais fait découvrir et qui la tiraient vers le bas, ces trucs qui se complaisaient dans la noirceur, mes livres en particulier, qu'elle relisait toujours aux pires moments et qui lui faisaient du mal, l'enfonçaient dans sa douleur, ses méninges torturées, tous ces mots qu'elle s'enfilait, ces chimères, ces œuvres de branleurs postadolescents qui voyaient tout en noir et ne croyaient en rien, prétendaient éclairer l'absurdité de nos vies en ôtant le peu de sens qu'on pouvait y trouver, en prônant une vie intense et poétique et affranchie et délivrée et transcendante et libre que personne ne vivait jamais vraiment, que personne ne pouvait vivre, et pour laquelle Sophie n'était pas faite, parce qu'elle n'avait ni les nerfs ni l'armure que ça supposait, parce qu'un rien l'aiguisait et la mettait sur le fil, la blessait et la mettait à nu, et que nue tout l'écorchait, tout l'attisait, elle se consumait, s'enflammait en un clin d'œil, elle avait besoin de l'exact contraire, de calme et de régularité, elle avait déjà tant de difficultés à s'attacher au réel, à ne pas s'envoler comme un ballon d'hélium, à rester connectée, arrimée, oui tous ces livres menteurs lui faisaient du mal, tous ces livres vantant une vie qui n'existait pas, et que ne menaient même pas ceux qui la louaient, petits fonctionnaires de l'écriture comme j'en étais un moi-même n'est-ce pas, me levant le matin pour me mettre sagement à mon bureau, vivant la même vie que les autres avec la maison le garage les courses les enfants les factures, tous ces petits fonctionnaires le cul sur leur chaise dans leurs maisons leurs appartements qui se prenaient pour Hemingway ou London mais ne sortaient jamais de chez eux que pour boire des cocktails entre gens de la même espèce...

Je l'ai laissé dérouler son fil. Je n'avais rien à lui opposer. Il martelait que mes livres lui avaient fait du mal, beaucoup de mal. Non pas parce que j'en étais l'auteur mais du fait même de leur contenu. Mes livres et ceux de mes confrères n'aidaient nullement les gens, au contraire, ils enfonçaient les plus fragiles, les plus inaptes, ils les confortaient dans leurs humeurs les plus noires, leur maintenaient la tête sous l'eau, dans l'étang poisseux de la dépression, la vase verdâtre de la mélancolie. Ils glorifiaient la tristesse et les éclopés, la défaite et la désillusion, la fuite et la désertion, comme s'il était plus noble d'être de ce côté-là que de celui de la vie et de la lumière. Il a fini par se taire et porter à ses lèvres son gobelet pourtant vide. Il a fait mine de boire tout de même.

— Comment va-t-elle ?

— Physiquement, ça va.

— Elle vous a parlé ?

— Un peu.

— Je peux la voir ?

— Non. Elle ne veut plus vous voir. Jamais. C'est compris ? Quand elle s'est réveillée elle a fondu en larmes dans mes bras, elle a réclamé ses enfants, elle m'a demandé de la ramener chez nous et de la tenir éloignée de vous. Elle vous déteste. Elle vous déteste, vous m'entendez.

Je me suis levé et je lui ai tendu la main avant de quitter l'hôpital. J'ai traversé le parking. Le ciel était limpide et un vent froid balayait l'avenue. Mes chaussures étaient spongieuses et à chaque pas j'avais la sensation de m'enfoncer dans une flaque d'eau gelée. Au loin se dessinaient les grues, les porte-conteneurs et les entrepôts du port. J'ai marché en frissonnant pendant quelques mètres. Un bruit de klaxon m'a fait sursauter. Je me suis retourné. C'était Sarah.

— Monte.

Elle était habillée en civil. Je me suis engouffré dans la Micra orange qui avait été la nôtre et n'était plus que la sienne. De l'autoradio surgissait le dernier Miossec. Manon aimait l'écouter quand on l'emmenait à l'école. C'était comme un rituel. À force j'en connaissais la moindre mesure. À l'arrière, Clément avait laissé traîner les figurines de pirates, de dragons et de chevaliers qui avaient sa faveur ces derniers mois. Il pouvait y jouer pendant des heures sans jamais se lasser. Seul avec ses bonshommes savamment disposés on pouvait l'entendre vivre des aventures d'une voix flûtée, suraiguë, qu'il n'empruntait que pour cet usage. J'avais l'impression de contempler les traces de ma propre vie, les preuves d'une existence dont on me contestait maintenant qu'elle ait eu lieu.

— J'ai demandé à Rozenn de me remplacer pendant une heure. Tu as de la chance qu'elle ait accepté. Normalement elle a fini à cette heure-là.

J'ai acquiescé. Oui j'avais de la chance, en effet. C'était même la caractéristique première de ma vie ces derniers temps.

— Arrête de te plaindre, un peu. On a la vie qu'on mérite tu sais.

Je l'ai fusillée du regard. Entendre la femme que j'aimais par-dessus tout prononcer une phrase aussi conne me remplissait de rage. Croire que dans la vie on avait ce qu'on méritait et qu'on méritait ce qu'on avait nous était toujours apparu, à elle comme à moi, comme la réflexion type du parfait salopard. Elle s'est excusée aussitôt. Vraiment elle ne savait pas ce qui lui avait pris. Elle ignorait ce qui avait bien pu lui passer par la tête pour sortir une connerie pareille.

— Mais quand même. C'est quoi cette histoire ? C'est qui cette fille ? Et son mari ?

— C'est Sophie.

— Sophie ?

— Sophie. De V. Je t'en ai parlé cent fois.

On aurait dit que je venais de la gifler. De tout le trajet elle n'a plus prononcé le moindre mot. J'ai tenté de prendre la parole mais elle ne voulait pas en savoir plus. Au moment de se garer elle m'a juste dit qu'elle avait toujours pensé que je n'avais plus eu le moindre contact avec elle. Je lui ai répondu la stricte vérité, je ne l'avais revue que le mois dernier, après vingt ans sans la moindre nouvelle, mais elle n'a pas semblé me croire.

— Et depuis tout ce temps, elle t'attendait. Il a suffi que tu réapparaisses pour qu'elle te tombe dans les bras, abandonne ses enfants, débarque ici en pleine nuit...

— Qui te dit que ça s'est passé comme ça ?

— J'ai parlé avec son mari.

Un silence lourd s'est installé entre nous. Je ne sais pas ce qu'elle me reprochait au juste, mais je n'ai pas pu m'empêcher de voir son irritation comme une bonne chose. Au fond elle se sentait trahie, comme je l'étais depuis qu'elle fréquentait Clooney. Cela signifiait nécessairement quelque chose.

— J'ai eu un frère jumeau, ai-je lancé comme on souffle sur les braises.

— Quoi ?

— J'ai eu un frère jumeau. Il s'appelait Guillaume. Il est mort au bout de trois jours. Je l'ai appris chez mes parents. Je voulais juste que tu le saches.

Je ne lui ai pas laissé le temps de dire quoi que ce soit. Je suis remonté chez moi et je me suis déshabillé. J'ai fouillé dans le placard où j'avais planqué une bouteille de Bowmore en cas d'extrême urgence. Je l'avais fourrée sous un tel fatras et je détestais tellement chercher les choses, je m'étais toujours dit qu'elle ne servirait que le jour où je ne pourrais vraiment pas faire autrement. Et ce jour était arrivé. J'avais froid. Dans mes veines coulait un glacier qu'il fallait dégeler. Et pour ce faire, je ne voyais qu'un Islay, quelle que soit l'heure du jour. J'ai fini par dénicher la bouteille sous une tonne de futons, chaussures, vêtements hors d'âge et sacs de voyage. Je me suis servi un verre haut comme une pinte et je me suis enfoui sous les couvertures. J'ai bu en ruminant ce que m'avait dit Alain au sujet de mes livres, du mal qu'ils faisaient. Toutes ces années je ne m'étais jamais posé la question. J'écrivais pour me tenir en vie, pour ne pas chuter. J'écrivais parce que c'était la seule manière que j'avais trouvée d'habiter le monde. Mais je n'avais jamais pensé aux lecteurs. Je m'en tenais à l'idée que la beauté, la vérité, la justesse, ne pouvaient abîmer quoi que ce soit. Je n'étais pas certain de les atteindre un jour mais il me semblait que même de simples bribes ne pouvaient que donner de la force, c'était du moins l'expérience que j'en avais. Les livres, la musique, les films, si déprimants qu'ils soient en apparence, me transcendaient, me tiraient vers le haut, m'incitaient à la vigilance, me commandaient de me tenir vivant, debout, les yeux et les sens grands ouverts. Ils agissaient comme des électrochocs me sortant du sommeil qui nous guette tous, du vide-poches dans lequel menace de se loger notre vie si on n'y prend pas garde. J'ai bu mon verre en méditant sur tout cela. D'une seconde à l'autre j'hésitais entre considérer Alain comme un abruti fini et lui donner raison. D'une seconde à l'autre j'hésitais entre rayer Sophie de ma mémoire et aller la chercher dans cette chambre d'hôpital. Au bord de sombrer j'ai repensé à Alain planté au bord de l'eau sans rien faire tandis que je nageais vers elle. Ce type m'avait pourri pendant des heures mais il n'avait pas fait le moindre geste alors que sa femme se noyait... J'ai fini par m'endormir d'un sommeil lourd et noir. Je ne me suis réveillé que le lendemain en début d'après-midi. La plage brillait sous la lumière franche et les oiseaux glissaient sur les courants porteurs.

Pendant les semaines qui ont suivi, j'ai passé le plus clair de mon temps penché sur mon ordinateur, à me débattre avec ce foutu scénario. De temps à autre j'ouvrais un document vierge, faisais mine de croire que j'allais m'atteler à mon nouveau roman. Je savais combien j'en avais besoin à ce moment précis. Je savais comme écrire m'avait toujours sauvé, toujours tiré d'affaire. Mais je n'en avais tout simplement pas la force. Les mots d'Alain, m'accusant de jeter du sel sur les plaies de mes lecteurs dans le seul but d'apaiser les miennes, pour ineptes qu'ils fussent, me tournaient dans le crâne, m'obsédaient, me tiraillaient. Je savais qu'ils n'avaient aucun sens, aucune portée générale, ne correspondaient à aucune réalité sinon à celle de Sophie, mais cela suffisait à me briser les pattes, à me scier les ailes. Je fermais le document sans y avoir ajouté la moindre phrase et retournais à celles qu'un cinéaste attendait que j'arrange un peu, pour au final n'en tenir que très vaguement compte : les scénarios n'étaient jamais que de vagues partitions, bien plus destinés à convaincre les chaînes, les producteurs et les pouvoirs publics de lâcher un peu d'argent qu'un véritable portrait du film à venir. Je travaillais pendant trois ou quatre heures d'affilée, puis sortais marcher le long de la mer, finissais toujours par y plonger, priant pour que de nouveau elle me passe au Kärcher, me lave et me délivre. Mais rien ne se produisait vraiment. Le charme était rompu. La magie inopérante. Je rentrais chez moi et passais de longues heures solitaires et silencieuses. Je laissais le ressac envahir l'appartement. Je ne voyais plus personne. Je désertais La Goélette. « On ne te voit plus », lançaient les uns et les autres quand je les croisais par hasard, mais ça semblait n'être un regret pour personne. Juste un constat. Comme si au fond je n'avais jamais été vraiment là, jamais vraiment acteur, juste un spectateur assis dans un coin, un verre à la main. Un type de passage. J'étais en pleine confusion. J'avais beau consulter un psy deux fois par semaine, j'avais beau me gaver des médicaments qu'il me prescrivait, rien n'y faisait. La Maladie était revenue, elle avait repris ses aises. Et je me refusais à parler de Guillaume à ce type. Je savais pertinemment que ça ne réglerait rien. Je ne lui disais rien de Sarah non plus. Je la croisais parfois au bras de son médecin et n'arrivais pas à m'y faire, chaque fois c'était comme si on m'arrachait le cœur pour y planter les dents. Elle me laissait les enfants la plupart des weekends. Je ne crois pas qu'elle faisait ça pour moi, par pitié, par compassion, non. Je crois surtout que ça l'arrangeait. Qu'ainsi elle pouvait passer du temps seule avec Clooney.

La première fois que je les avais eus avec moi après la tentative de noyade de Sophie, Manon n'avait pas desserré les dents. Elle semblait contrariée. En colère contre moi. Je n'avais pas besoin de ça. Subir ses regards froids me mettait plus bas que terre, et je ne voyais vraiment pas ce que j'avais fait pour mériter ça. Je les avais emmenés au cinéma, puis manger des pizzas dans la station voisine, leur avais offert des combinaisons neuves pour profiter des vagues qu'habituellement Manon n'aurait loupé pour rien au monde et dont elle n'avait fait que très peu cas, tout ça en vain. Au matin du second jour, tandis que son frère dormait encore, j'avais fini par lui demander ce qui n'allait pas. Le visage fermé, le regard fuyant, elle était restée muette et s'était contentée de fixer la plage, où la mer passait en un éclair du gris au bleu-vert, sous un ciel de traîne filant à toute allure. Le vent faisait vibrer les vitres. Il fonçait droit sur nous, terrassait l'eau, la chargeait d'algues arrachées aux lointains récifs.

— Manon, ma petite fleur. Dis-moi ce qui ne va pas. C'est déjà assez dur comme ça. Je ne peux pas supporter que tu me fasses la gueule sans savoir pourquoi.

J'avais vu ses yeux s'embuer et sa mâchoire se contracter. La voir à ce point rongée d'angoisse m'anéantissait. Il faudrait bien que je me résolve un jour à me dire que oui, mes enfants pouvaient souffrir, se sentir mal, être griffés par la vie, par ma faute ou par celle d'un autre, mais pour le moment c'était tout simplement impensable, insupportable même.

— Je vous ai vus.

C'est tout ce qu'elle avait fini par lâcher. Et aussitôt mon cœur s'était mis à sauter dans ma poitrine.

— Je vous ai vus. Toi et l'autre pute, là.

Je ne reconnaissais ni sa voix ni ses mots, ni même son visage. Soudain elle me semblait avoir cinq ou six ans de plus et je nous voyais plongés dans un film glauque, cauchemardesque, le genre de situation pathétique et poisseuse que je m'étais toujours juré de ne jamais vivre.

— Écoute. Elle est partie. C'est juste une amie d'enfance. Elle passait dans le coin. Elle est venue me voir. C'est tout. Il ne s'est rien passé, je t'assure.

— Arrête, papa. Arrête de mentir. Je vous ai vus sur la plage. Je vous ai vus vous embrasser. Et je sais tout. Je sais que tu as voulu la larguer et qu'elle a failli se noyer.

— Qui t'a raconté ça ? C'est ta mère ?

— Non. C'est pas maman. C'est Léa. Son père est pompier. C'est lui qui vous a tirés de l'eau. Toi et ta pouf. Je te déteste.

Elle s'était levée pour se réfugier dans le canapé-lit, ravagée par la colère et le chagrin. Une adolescente en pleine crise. Je l'avais poursuivie à travers l'appartement. Clément s'était réveillé et observait sa sœur, le visage tendu, inquiet.

— Qu'est-ce que t'as, Manon, pourquoi tu pleures ? répétait-il en boucle, de sa petite voix froissée du matin.

Assis près d'elle, je n'osais pas la toucher.

— Écoute, Manon. Ma petite fleur. Écoute. Elle est partie. C'est fini. Ce sont des choses qui arrivent entre adultes. Maman m'a quitté. Je sais que ça te rend triste. Mais moi aussi ça me rend triste. J'ai tout fait pour que ça n'arrive pas. J'ai tout fait pour qu'elle me reprenne mais ça ne s'est pas produit. Alors c'est comme ça. On a chacun notre vie maintenant. Ta mère aussi a quelqu'un. Et elle ce n'est pas fini du tout...

— Quoi ?

Elle s'était redressée en hurlant. Je n'étais pas vraiment fier de moi. C'était un coup bas, je le savais pertinemment. Sarah allait m'en vouloir à mort. Manon allait la haïr. Mais je n'avais plus rien à perdre. Son visage était si contracté qu'il en devenait méconnaissable.

— Maman a quelqu'un ?

— Oui. Je lui ai même cassé la gueule si tu veux savoir. Je lui ai pété le nez. Et ta mère est en colère contre moi à cause de ça. Tu l'aurais vu ce grand con, avec son costume, ses pompes vernies et son nez en sang...

— Papa... C'est pas drôle.

Elle avait dit ça mais ses yeux affirmaient le contraire. Soudain je la retrouvais. Elle essayait de se contenir, de masquer le sourire qui pointait sur son visage, mais ces yeux-là, je les connaissais par cœur. Je l'avais serrée dans mes bras et elle s'était enfin laissé faire, avant de fondre en sanglots.

— Si maman a quelqu'un alors c'est foutu, vous vous remettrez plus ensemble. En tout cas il a pas intérêt à mettre les pieds à la maison...

— Je crains que ce ne soit trop tard, tu sais. Il doit y être en ce moment même.

Clément s'était blotti contre moi, le visage défiguré par l'inquiétude. Je n'avais pas fait attention à lui. Depuis le début de la conversation, Manon et moi nous parlions comme s'il n'était pas là. Quel piètre père j'étais... Parfois je me faisais honte. J'avais envie de m'arracher les yeux et de les filer à bouffer au premier chien venu.

— Je veux pas qu'il vienne à la maison. Je veux pas qu'il te remplace. Je veux pas d'autre papa.

— Mon petit prince. Je serai toujours ton papa. Et lui ne le sera jamais. Et je ne crois pas que ta mère ait l'intention de le faire vivre à la maison pour l'instant.

— Je la hais. Elle t'a fait du mal. Elle nous fait du mal. Tout ça pour s'amuser avec un autre type. Elle est tellement égoïste, avait lâché Manon avant de disparaître sous son oreiller, d'où me parvenaient des hoquets énormes.

J'avais pris Clément avec moi et nous nous étions allongés près d'elle. Nous étions restés serrés tous les trois un long moment. Jusqu'à ce que ses pleurs s'éteignent. Le soir même je les avais remmenés chez leur mère et ils étaient montés directement dans leurs chambres.

— Qu'est-ce qu'ils ont ? Qu'est-ce qui se passe ? avait demandé Sarah, un peu inquiète, un peu suspicieuse aussi.

J'avais haussé les épaules. C'était mesquin mais quelque chose en moi se réjouissait. Ça lui fait les pieds, pensais-je. La vengeance n'était jamais une solution. Mais parfois ça défoulait. Il fallait bien l'admettre. Deux heures plus tard mon téléphone s'était mis à vibrer. Le nom de Sarah s'affichait. Je n'avais pas répondu. Je savais ce qu'elle allait me dire. Je n'avais pas besoin de l'entendre. Je n'avais même pas écouté ses messages. Ça ne m'intéressait pas de l'entendre me traiter de tous les noms, me maudire et me rappeler combien j'étais immature, infantile, inconscient. Combien je gâchais toujours tout. J'avais pris deux anxiolytiques, mis un disque de Tindersticks et éteint les lumières. La nuit réduisait le paysage à des masses plus ou moins sombres, plus ou moins mates, oscillant entre le bleu pétrole, l'anthracite et l'ardoise. Tout semblait calme mais je ne perdais rien pour attendre. Le lendemain, une fois les enfants déposés à l'école, avant de prendre son poste à l'hôpital, Sarah m'avait tiré du sommeil. J'aurais voulu éviter ça mais j'avais dû lui ouvrir, les cheveux en bataille et dans mes vêtements de la veille, la table basse couverte de cendriers pleins, de bouteilles vides et de plaquettes de médicaments, une odeur d'herbe flottant encore dans l'air. Bien sûr elle était furieuse. Comment avais-je pu ? Je ne l'écoutais pas vraiment, une trentaine d'éléphants piétinaient mon cerveau, j'avais juste envie de la serrer dans mes bras et de fourrer ma langue dans les replis de son sexe. Elle a quitté l'appartement en me maudissant, les yeux brillant de colère, des sanglots étranglés dans la gorge.

Après ça, les jours avaient défilé et Sarah ne m'avait plus adressé la parole que pour le strict nécessaire. Le rappel des instructions concernant les médicaments de Manon et de Clément quand je venais les chercher pour le week-end, les « et n'oublie pas de leur faire faire leurs devoirs », les « et si tu pouvais les ramener à l'heure pour une fois », les « si tu pouvais faire en sorte qu'ils se couchent à une heure décente, quand je les récupère ils sont crevés », les « Clément m'a dit qu'il s'était bourré de chips et de bonbons tout le week-end, si tu pouvais les faire manger normalement une fois ou deux… », « il paraît que tu les as laissés se baigner dans l'eau pendant trois quarts d'heure, bon Dieu Paul, elle est à quatorze ! Après je les récupère enrhumés », « il y a une réunion à l'école, si pour une fois tu pouvais y aller, ça fait onze ans que je me les tape... ». Toutes ces phrases qu'on se jure de ne jamais prononcer ni entendre, toutes ces formules qui font que parfois la vie ressemble à son propre cliché, figée d'avance dans des schémas éculés, si rebattus qu'on a du mal à croire qu'on la vit vraiment, au premier degré. Nous nous enfoncions dans le sordide, et j'avoue qu'à ce moment précis je ne donnais plus cher de notre famille, de la possibilité qu'elle se reconstitue un jour. J'avoue aussi que durant ces semaines je n'ai lésiné ni sur l'alcool ni sur les médicaments. Je ne m'étais jamais senti si profondément enterré depuis les années parisiennes, celles où la Maladie m'avait pris à la gorge, où je m'enfermais dans des placards pour tenter de lui échapper, terrorisé par le moindre coup de téléphone, la moindre obligation, le moindre contact humain, quand bien même il s'agissait de Sarah qui grattait doucement à la porte et me proposait de la rejoindre sous les draps. Le psy m'écoutait patiemment, accédait à toutes mes demandes en matière d'anxiolytiques et d'antidépresseurs, ça ne m'amusait pas de m'y remettre mais je ne voyais pas d'autre issue, j'avais deux enfants et je devais tenir, je n'avais pas le droit de quitter le terrain de jeux, et dans cet objectif tout était bon, tout était légitime.

— Mais Paul, ça fait combien d'années que vous reprenez régulièrement des médicaments ? Combien d'années que vous fuyez ? Vous n'avez rien réglé vous le savez bien. Zoloft et compagnie vont vous aider à surmonter cette énième rechute, mais pour combien de temps ? Vous vous êtes terré ici pour semer la bête et elle vous a rattrapé.

Ou irez-vous maintenant ? Il va falloir que vous vous lanciez dans ce travail que vous refusez depuis trop longtemps.

— Attendez. Et mes livres ?

— Vos livres, ils tournent autour, ils creusent à l'aveugle. Ils se mentent à eux-mêmes. Ils s'arrangent, ils composent. Et le plus souvent, pour ce que j'en ai lu, j'ai plutôt l'impression qu'ils jettent de l'huile sur le feu. Vous n'avez jamais pensé à écrire un jour quelque chose qui vous fasse du bien ? Et qui fasse du bien autour de vous ?

J'en étais resté bouche bée. Dès la première séance, sa manière de parler, les mots qu'il prononçait, les regards pénétrés avec lesquels il me considérait, tout m'avait laissé penser que ce type avait trouvé son diplôme dans une pochette-surprise et qu'il n'était pas plus psy que je n'étais champion de ski acrobatique, et pourtant quelque chose dans nos échanges m'avait incité à poursuivre. Comme si en dépit de son amateurisme manifeste et de ses méthodes iconoclastes une partie de ses mots touchait juste, cheminait jusqu'à la zone la plus sensible et la plus nue de mon être. La semaine suivante j'avais abordé la question « périphérique » avec lui.

— Voilà, lui avais-je dit. Je suis un être périphérique. Et j'ai le sentiment que tout vient de là. Les bordures m'ont fondé. Je ne peux jamais appartenir à quoi que ce soit. Et au monde pas plus qu'à autre chose. Je suis sur la tranche. Présent, absent. À l'intérieur, à l'extérieur. Je ne peux jamais gagner le centre. J'ignore même où il se trouve et s'il existe vraiment. La périphérie m'a fondé. Mais je ne m'y sens plus chez moi. Je ne me sens aucune appartenance nulle part. Pareil pour ma famille. Je ne me sens plus y appartenir mais elle m'a définie. C'est un drôle de sentiment. Comme une malédiction. On a beau tenter de s'en délivrer, couper les ponts, ça vous poursuit. Je me suis rendu compte de ça le mois dernier. Mon enfance, les territoires où elle a eu lieu, la famille où j'ai grandi m'ont défini une fois pour toutes et pourtant j'ai le sentiment de ne pas leur appartenir, de ne pas leur être attaché. Les gens, les lieux. Du coup c'est comme si je me retrouvais suspendu dans le vide, condamné aux limbes. C'est étrange, non ?

— Paul. Tout ça, c'est la conséquence. Pas la cause. Les lieux ne définissent personne. Ou en tout cas pas d'une façon aussi radicale que vous le décrivez. Mais que vous en soyez persuadé est intéressant. Symptomatique.

— De quoi ?

— C'est ce qu'il vous faut découvrir. Tout ce que vous ressentez à l'égard des lieux, des gens, de la classe sociale dont vous êtes issu, tout ça ne précède pas. C'est une conséquence. L'environnement, la famille, les classes sociales, tout ça interagit, frotte. Mais c'est vous le noyau. Et vous n'êtes pas un élément neutre, un bloc de glaise. Ou du moins, il y a un moment dans votre vie où vous ne l'étiez pas encore. Et c'est là que quelque chose s'est produit. Quelque chose qui vous a prédisposé à vivre les choses ainsi. Et à les interpréter de cette manière.

La fois d'après je ne m'étais pas présenté au rendez-vous. Ce type avait fini par me taper sur les nerfs, avec sa barbe bien taillée et ses petites lunettes qu'il plaçait très bas sur son nez, comme Eva Joly. À vrai dire je ne suis plus retourné le voir les semaines suivantes non plus. Je ne voyais pas l'intérêt de lui parler de Guillaume. Je savais très bien ce qu'il allait dire, comment il allait s'engouffrer dans la brèche et en faire l'alpha et l'oméga de mon être, la source de la Maladie, et l'explication des neuf dixièmes de mes névroses, le reste revenant à la dureté de mon père, à la pudeur et à la nature dépressive de ma mère, et à leur incapacité à me témoigner l'amour ou la tendresse nécessaires par des gestes ou même des mots. Il me l'avait répété à chacune de mes visites. La plupart de ses patients ne souffraient de rien d'autre que cela : ne pas s'être sentis aimés par leurs parents, ou ne pas l'avoir été, avait suffi à faire d'eux des êtres fragiles à l'extrême, qu'un simple coup de vent pouvait faire flancher. « Ah le manque d'amour », répétait-il en caressant sa barbe, d'un air qui en savait long.

Toutes ces semaines, quand je ne m'escrimais pas sur mon scénario, que je ne passais pas de longues heures à glisser sur les eaux en kayak, parmi les îlots piqués de cormorans, les eaux lisses d'un bleu tendre, je consacrais de nombreuses heures à me renseigner sur tout ce qui pouvait toucher à la perte d'un jumeau à la naissance. La littérature sur le sujet était plus abondante que je ne l'avais cru au premier abord. On parlait même d'un syndrome plus souterrain, lié à la perte d'un frère ou d'une sœur *in utero*, et du manque, de la blessure qui en résultait. Pour ce que je pouvais en lire, les choses concordaient de manière affolante. Nombre de mes traits de caractère, de mes manquements, de mes empêchements semblaient communs à ceux qui avaient perdu leur moitié et lui avaient survécu, dotés de parents faisant l'expérience du deuil et de la naissance dans un même mouvement, avec tout ce que cela pouvait supposer de traumatisme pour eux, et concernant leurs rapports avec le survivant. Cela aussi était désespérant. Combien nous étions prévisibles et déterminés. J'avais beau remuer tout cela dans ma tête, j'avais beau être désormais capable de trouver une origine à mon mal, si abstraite fût-elle, j'avais beau pouvoir la nommer, en connaître les mécanismes, ça ne changeait rien. Que pouvais-je en faire ? Après tout les faits étaient irréparables. Guillaume n'allait pas ressusciter, je n'allais pas mourir à sa place, le temps que nous avions passé collés dans le ventre de notre mère était inoubliable bien qu'oublié. Et les premiers temps de ma vie, auprès de parents sans doute heureux de m'avoir mais meurtris d'avoir perdu un enfant, ce que cette épreuve, ce deuil avaient éteint en eux – puisque nombre de photos en témoignaient ils avaient été vivants un jour, joyeux et pleins d'allant, jeunes et beaux et soudain quelque chose les avait fanés, éteints, rendus froids et durs, secs et fermés – n'allait pas s'effacer d'un coup de gomme. Cela avait fait son œuvre et c'était irréversible.

J'appelais mes parents tous les cinq ou six jours, prenais des nouvelles de ma mère. Elle se remettait doucement. C'est tout ce que j'arrivais à en tirer. Quant à mon père, il ne me livrait que le strict minimum. Nous n'avions jamais parlé tous les deux. Ce n'était pas maintenant que ça allait commencer, et encore moins au téléphone. Mon frère aussi m'appelait régulièrement. Il avait pris le relais, passé quelques jours chez eux et semblait de plus en plus inquiet pour ma mère, dont l'état physique s'améliorait doucement mais qui souffrait toujours de sévères accès de confusion mentale. Même si François mettait ça sur le compte du « traumatisme », il avait tout de même fini par convaincre notre père de prendre rendez-vous avec un spécialiste. Bien sûr le médecin ne les recevrait pas avant plusieurs semaines. Il était débordé. Et aucun cas ne lui paraissait assez sérieux pour légitimer la tenue d'un rendez-vous en urgence.

— De quel traumatisme parles-tu ? avais-je alors demandé à mon frère.

— Le déménagement.

Je ne voyais pas de quoi il voulait parler. En quoi ce déménagement pouvait être un traumatisme. Cela faisait des années que j'encourageais mes parents à vendre. Bien sûr ils avaient trop attendu et le rêve d'une petite maison de bord de mer où couler une retraite paisible avait fait place au cauchemar d'un appartement dans une résidence pour personnes âgées, dans cette ville de banlieue sans identité ni âme où nous avions grandi, mais sur ce sujet comme sur d'autres ils n'avaient à s'en prendre qu'à eux-mêmes.

— Des fois, ton cynisme, ta sécheresse de cœur me dégoûtent, avait lâché François.

J'en étais resté sans voix. Ce n'était pas la première fois qu'il me faisait ce genre de reproche. Ce n'était pas la première fois qu'il me considérait comme un monstre à sang froid et s'attaquait à mon maigre sens de la famille. Je devinais que prononçant ces mots il tenait un genre de revanche sur notre enfance, où les rôles avaient longtemps été répartis à l'inverse : il était l'aîné un peu raide, rationnel et froid comme l'était notre père, et bien sûr j'étais l'artiste torturé, hypersensible, le préféré de sa maman disait-il, quand bien même je n'avais pas souvenir qu'elle m'ait un jour serré dans ses bras, adressé un mot tendre, une marque d'affection, un geste d'amour. Tout ça était rebattu, reposait dans les vieux dossiers moisis de notre enfance. Mais là, vraiment, je ne voyais pas où il voulait en venir.

— Tu ne te rends pas compte. Pourquoi maman n'a jamais pu se résoudre à partir à ton avis ?

— J'en sais fichtre rien.

— Mais c'est sa vie cette maison. Elle y a tous ses souvenirs.

— Souvenirs de quoi ? De toutes ces années où on s'est fait chier comme des rats morts ? De toutes ces années à filer doux pour éviter d'entendre papa gueuler comme un putois et de se prendre des coups de pied au cul ? De toutes ces années à déprimer en regardant par la fenêtre de sa cuisine, avant de passer la serpillière pour la sixième fois en deux jours ?

Il m'avait raccroché au nez après m'avoir traité de connard. La date du déménagement approchait. Je m'étais engagé à venir les aider, François aussi, et l'idée même de retourner à V. et de repasser quelques jours dans cette maison, avec lui de surcroît, à faire du tri ressemblait d'assez près à ce que j'imaginais de l'enfer ici-bas.

À part le temps de ces coups de téléphone, et de ceux que je tentais de passer à Sophie sans jamais l'avoir au bout du fil, n'obtenant sur son mobile que sa messagerie, ne tombant quand j'appelais chez elle que sur son répondeur, ou pire sur son mari au nez duquel je fus contraint de raccrocher à trois reprises, quand ce n'était pas sur un de ses enfants, dont je n'obtenais à la question « est-ce que tu peux me passer ta mère ? » que la réponse « elle n'est pas là, est-ce que vous voulez parler à mamie ? », à part les journées que je passais avec les gosses, je menais des jours sombres et studieux. Le scénario avançait vite, j'avais du mal à m'y intéresser vraiment mais la perspective d'amasser de quoi vivre un an de plus sans me soucier de mes revenus en échange d'une quinzaine de jours de travail effectif suffisait à alimenter la machine. D'autant que le texte souffrait de déséquilibres assez classiques. Au fond, dans ce métier, on était un peu comme des médecins de famille : on avait beau en savoir long sur les différentes maladies existant en ce monde, les symptômes, les traitements, le plus clair de notre activité se limitait à détecter et soigner des angines, des grippes ou de simples rhumes. Le patient repartait toujours avec quelques Doliprane, un simple corticoïde, un antibiotique léger dans le pire des cas. La seule différence, c'est qu'on me payait la consultation en chèques à trois ou quatre zéros. Les jours passaient ainsi, à travailler ou à arpenter la plage où, le temps demeurant étonnamment doux pour la saison, un été au cœur du printemps, affluaient les familles et les groupes de jeunes étudiants rennais. Soudain la ville avait des airs de vacances, et quelque chose de plus gai, de plus ouvert, circulait dans l'air. Certains se risquaient à la baignade en poussant des cris aigus au moment de pénétrer dans l'eau, je prenais un malin plaisir à y entrer comme dans un bain chaud, d'un coup, sans même frémir, avant de m'éloigner en longues brasses qui me dessaoulaient en une seconde. Tout ce temps, la rumeur du monde ne me parvenait plus qu'à peine. Je n'écoutais plus la radio, ne lisais même plus la presse. Aux devantures des kiosques les gros titres m'alertaient sur la Syrie, le Yémen, la Libye. On ne parlait plus du Japon, rien ne semblait réglé là-bas mais vu d'ici c'était comme si le pays avait été englouti une seconde fois, recouvert par une vague d'actualités diverses qu'alimentaient chaque jour les déclarations des uns et des autres : Untel et les Roms, un second et les allocataires du RSA, ces assistés, ce cancer, même. Tant de bêtise, d'impunité, de mépris, ne me faisait plus rien. Tout cela m'atteignait à travers une épaisse couche de coton, une ouate douloureuse, étranglée, étouffante. Le dégoût ne s'ajoutait que mollement à mon état général, une nausée que même l'horizon qui mangeait ma fenêtre ne réussissait à endiguer. Apparemment on parlait moins de la Blonde, aussi. Il faut dire que les membres du gouvernement l'égalaient en indignité, convoquant à tout propos l'identité française, le « problème » musulman et toutes ces bassesses destinées à flatter la fibre raciste du peuple qu'ils espéraient bientôt reconquérir et ravir au FN. Les entendant je ne pouvais m'empêcher de penser à mon père, à mes oncles quand j'étais enfant, tous communistes, tous syndiqués, tous de gauche, sauf ceux qui étaient dans le commerce, ce qui occasionnait d'homériques engueulades aux dîners, et soudain voilà qu'ils s'étaient tous réconciliés, votant pour l'actuel Président cinq ans plus tôt comme un seul homme, et s'apprêtant maintenant à bénir la fille du Borgne, réunis par-delà leurs divergences historiques par la haine des élites, des gouvernants, des partis officiels qui, en rayant la notion de classe de leur vocabulaire, et celle de lutte plus encore, les avaient de fait abandonnés, ne se souciaient plus de leur sort, de leurs paroles, de leur vie. Je pensais à eux et ne pouvais m'empêcher de me dire qu'au fond même les plus à gauche d'entre eux n'avaient jamais été véritablement gênés par le racisme qui suintait depuis toujours du discours du Front national et contaminait désormais celui de l'UMP. Ils n'y avaient jamais adhéré, bien sûr, mais enfin, il n'était plus un obstacle, s'il l'avait jamais été. Il me suffisait pour m'en convaincre de me remémorer tous ces repas, ces discussions de famille, durant lesquels s'épanouissait cette xénophobie ordinaire, inconsciente, qui leur sortait par la bouche à la moindre occasion, au bout d'un verre ou deux, ou même sans boire la plupart du temps. Un racisme de bistrot qui n'avait jamais été une raison suffisante pour voter à l'extrême droite quand cette dernière n'arborait que cette corde à son arc, mais qui ne les retiendrait plus de voter pour elle maintenant qu'elle prétendait parler en leur nom et être la seule à le faire, maintenant qu'elle se targuait de les défendre contre les « autres » : les financiers, les technocrates, l'Europe de Bruxelles, les dominants, les immigrés, le monde entier... Évidemment il ne s'agissait pas tout à fait de ces discours haineux qu'on prêtait habituellement à cette frange de l'électorat, mais bien plutôt d'une sorte d'évidence, de connivence, qui passait par des regards entendus, des allusions, des amalgames : les immigrés, les allocations familiales, l'aide sociale, la délinquance, les trafics, la drogue, l'insécurité, la violence, le travail volé aux Français, tout cela comme des certitudes, des faits incontestables et incontestés, indiscutables. Les Noirs et le sens du rythme, les prédispositions pour le sport, la fainéantise, le sexe bestial, les capacités intellectuelles limitées, d'ailleurs il suffisait de regarder où en était l'Afrique, les années de retard qu'affichait ce continent, et ici ce n'était pas mieux, combien d'entre eux avaient le bac, faisaient de grandes études, menaient des carrières intellectuelles, accédaient aux plus hautes fonctions – discours qu'ils ne s'étonnaient pas un seul instant de mener, alors qu'aucun d'eux n'avait poursuivi l'école au-delà du collège, mais ce n'était pas là le moindre de leurs paradoxes. Les Arabes et la saleté, la malhonnêteté congénitale, culturelle, les moutons égorgés dans la baignoire, le fondamentalisme, la violence envers les femmes et les enfants – alors que dans ma famille on distribuait les baffes à tour de bras –, les prédispositions pour le vol, l'arnaque, les trafics, d'ailleurs comment expliquer qu'ils soient si nombreux à finir en prison ? Les juifs et l'argent, les affaires, la victimisation, le complot israélo-américain, le lobby sioniste, l'exagération du « traumatisme » lié à la Shoah, le communautarisme exacerbé, et comment expliquer sans cela qu'ils soient si nombreux à détenir les plus hauts postes des secteurs les plus stratégiques, finances et médias, enseignement et culture, politique et tutti quanti ? Toujours me resterait en mémoire le visage convulsé de mon père le jour où j'avais fait allusion au fait que nous portions un nom juif, qu'historiquement nous l'étions sans doute, qu'en Alsace ils n'étaient pas rares et qu'il avait nécessairement fallu un coup du sort, une mésalliance ou autre chose, pour que la famille finisse par se convertir au protestantisme : j'aurais aussi bien pu l'avoir giflé ou lui avoir craché à la gueule. Il y avait également les Chinois, leur mafia, la viande avariée dont ils fourraient leurs nems, leur manière sournoise de tout envahir, et les populations musulmanes dans leur ensemble, que mon père jugeait archaïques, moyenâgeuses, extrémistes, menaçantes et dont la culture et les valeurs lui paraissaient définitivement inconciliables avec celles que portait l'Occident. Me revenaient aussi ses considérations au sujet des femmes noires ou arabes : il les trouvait, objectivement, moins belles que les Blanches, et ne voyait pas ce qu'il pouvait y avoir de raciste à l'affirmer. Il en allait de même pour la musique et l'art en général, qu'il jugeait moins évolués là-bas qu'ici, sans jamais avoir étudié ni les uns ni les autres : tout cela n'était au fond qu'une affaire de goût et qui pouvait le lui reprocher ? Me remémorant ce minuscule épisode m'en revenait un autre, plus récent : mon père à l'hôpital, au chevet de ma mère, celle-ci désignant au creux d'un magazine quelconque deux photos où se tenaient côte à côte Michelle Obama et Carla Bruni. Ma mère, parlant de la première : « ah, ça, c'est pas Carla... » Et mon père acquiesçant : « Ça c'est sûr. Elle vient directement de la planète des singes celle-là. » Évidemment, si j'avais osé un jour lui dire en face qu'il était raciste, ce dont j'avais accumulé un nombre de preuves incalculable au fil des années, avant même de saisir ses regards et ses grognements quelques semaines plus tôt tandis que je l'accompagnais à la résidence pour retraités où il s'apprêtait à emménager, il se serait mis en colère, aurait nié avec cette véhémence qui le portait toujours aux portes de la violence, dès lors qu'on le contrariait, qu'on lui tenait tête, qu'on affirmait son désaccord, bref qu'on « l'emmerdait ». Et j'étais bien placé pour savoir qu'il en fallait peu pour qu'on « l'emmerde ».

Mon père ne m'avait jamais aimé. Voilà ce qui me sautait soudain au visage, et cette révélation avait la force de l'évidence, la texture inquestionnable d'une lapalissade. Mon père ne m'a jamais aimé. Voilà ce que j'aurais dû dire à ce psy d'opérette, pensais-je, avant de lui parler des bordures géographiques et sociales, et sans doute étaient-ce les mêmes, où j'avais grandi. Mon père ne m'a jamais aimé. Et j'ai perdu mon frère au moment de naître au monde. Tout est là. Voilà à quoi je pensais en faisant de nouveau le trajet qui devait me mener des finistères où je vivais aux banlieues où j'avais grandi.

Mon père ne m'avait jamais aimé. Mon frère non plus du reste. Mais c'était un peu la même chose, tant il m'apparaissait tout d'un coup qu'il avait toujours été, lui, le préféré, le « vrai » fils en quelque sorte, quand moi je n'avais été, ainsi qu'il me l'avait lancé à la figure au téléphone l'autre jour, que celui de maman, selon le vieux schéma qui veut qu'une mère préfère toujours un peu son plus fragile enfant, même si elle est infoutue de le lui dire, de le lui faire sentir, même si elle est incapable, ou empêchée, de seulement lui montrer, lui faire comprendre, qu'elle l'aime un peu.

Mon père ne m'avait jamais aimé. Et il aurait aimé Guillaume. Et il m'en voulait pour ça. D'être celui qui avait survécu. Celui qui avait pompé toute la force, au détriment de l'autre. Voilà à quoi je pensais en roulant dans ces rues grises et pareilles, et brusquement je me sentais comme un gamin geignard, je n'avais plus quarante ans et des poussières, je n'étais plus le père de deux enfants, j'étais juste un fils et je détestais ça. Je roulais vers la maison, et plus je roulais, plus cette pensée envahissait mon crâne : mon père ne m'avait jamais aimé, et ma mère n'avait jamais su le faire, ce qui au fond revenait au même, tant en la matière seuls comptent les preuves, les actes, les gestes, les mots, autant de choses qui avaient fait défaut tout au long de mon enfance. Ils ne m'avaient jamais aimé et je n'ignore pas qu'en me disant cela je tentais aussi de justifier l'horreur que j'avais d'aller les voir, de les entendre au téléphone, Sarah en savait quelque chose, au moment de lui rendre les enfants je n'avais rien eu besoin de lui dire, elle me connaissait si bien qu'en scrutant mon visage elle m'avait dit « toi, tu pars voir tes parents, je reconnais cet air que tu as », c'était le même exactement que j'arborais depuis vingt ans chaque fois que je devais me rendre dans cette maison, et d'année en année c'était de pire en pire. Ils ne m'avaient jamais aimé et c'était la seule manière de m'expliquer que je me sente à ce point étranger à eux quand je les croisais, qu'ils m'exaspèrent et me dépriment à ce point, que leur sort m'indiffère autant. En leur présence je me demandais toujours ce qui me liait à eux, pourquoi je m'infligeais de les côtoyer, et je ne trouvais pas de réponse, aucune, si ce n'est un obscur sentiment d'obligation « morale ».

Mon père ne m'avait jamais aimé, il suffisait pour m'en convaincre de me rappeler cet air irrité et déçu qu'il avait toujours quand il posait, rarement, les yeux sur moi, ou que, plus rarement encore, il m'adressait la parole. Tout en moi lui déplaisait, lui avait toujours déplu. Ma « sensibilité », comme disait ma mère, ma santé fragile quand j'étais gamin, mon côté rêveur, solitaire, ma manie de m'enfermer dans ma chambre pour lire et écouter des chansons tristes et qui n'étaient pas de mon âge, mes réflexions, mes gestes même : il se foutait toujours de mon « style ». Que je mange, marche dans la rue, joue au tennis de table, c'était toujours la même chose : il trouvait que je faisais des manières. Et je ne pouvais pas m'empêcher aujourd'hui de penser qu'au fond, ce qu'il détestait alors, c'était la connotation féminine de mes attitudes : il devait redouter que je sois homosexuel. Du reste, je crois qu'il ne l'aurait pas supporté. Les choses ont empiré à l'adolescence. Je portais les cheveux longs, passais mon temps à lire de la poésie, dédaignais le cinéma populaire et ne jurais plus que par les « auteurs ». J'étais en train d'échapper à leur monde. À leur classe, même. Je n'en avais pas conscience alors mais je m'éloignais sous leurs yeux, sous leur toit. Je les reniais en quelque sorte. En prenant ce qu'il appelait « mes grands airs ». Pour qui me prenais-je avec mes manies d'intello, me croyais-je au-dessus d'eux ? À cette époque, je m'inventais, comme l'ont fait la plupart d'entre nous à cet âge de la vie. J'étudiais chacun de mes gestes, que je voulais affectés, élégants, chacun de mes goûts, que je voulais pointus, avant-gardistes, modernes, élitistes. Je me gargarisais de noms qui en jettent, Godard Duras Bacon Basquiat Lou Reed Nico Gould Cassavetes Ginsberg Tarkovski Pialat Manset Ferré Cohen Joy Division, je jouais au tennis et ne jurais que par Edberg l'esthète, méprisais le football que je déclarais « vulgaire », le cyclisme que je jugeais « plouc ». Je délaissais la bière, le bricolage et tout ce qui relevait du « manuel » ou du « masculin » pour les mêmes raisons, laissais pousser mes cheveux, ne m'habillais plus qu'en noir, refusais la viande, paraissais en mauvaise santé, sans doute mon père pensait-il que je me droguais, et je voyais bien combien tout ça l'irritait. Et je voyais comme il regardait mon frère, moins fragile, moins sensible, moins torturé, moins efféminé, plus sportif, plus solide, moins rêveur, moins intello, moins inapte à la vie pratique, moins bêcheur, comme disait ma mère. Elle non plus n'aimait pas me voir leur échapper ainsi, me construire non pas contre eux, mais loin d'eux, de leur univers, de leur vie, de leurs références, de leurs goûts, de leurs croyances. Mais je crois qu'au lieu de me détester pour ça – ce qui chez mon père se traduisait à la fois par une froideur extrême et une colère sans objet, toujours au bord de déborder, et qui explosait parfois pour rien – elle se contentait d'en être triste, et vaguement incrédule.

Après ça je m'étais éloigné pour de bon, dans tous les sens du terme. J'avais gagné Paris, m'étais lié à des gens venus d'horizons tout autres, avais vécu au milieu de livres, de films, de musiques dont ils ignoraient même l'existence, ne leur prêtant qu'une maigre attention, faisant l'acquisition d'habitudes, de modes de pensée, de faire et d'être qui signalaient d'emblée l'appartenance à un autre monde, actaient la trahison, et qu'ils interprétaient comme un rejet, un mépris. Pourtant, tout dans mes livres tentait de rendre hommage aux lieux et au milieu où j'avais grandi, à ceux qui m'avaient fondé, dont je m'étais éloigné mais qui m'avaient défini, même par opposition. Ils n'aimaient pas que je les écrive, et encore moins que je les publie, qu'on en parle, qu'on parle de moi et, à travers moi, qu'on parle d'eux. Ils n'aimaient pas ce que disaient les journalistes de mon parcours, de mes personnages et des endroits qu'ils traversaient, ces endroits et ces vies qu'ils jugeaient banals, sordides, ces gens qu'ils qualifiaient de « petits », cette France qu'ils disaient d'en bas, si bien qu'à force il me semble que mes parents me prêtaient ces jugements, pourtant à mille lieues de mes intentions et qui me blessaient autant qu'eux. Mais par-dessus tout ils n'aimaient pas mes livres eux-mêmes, trop crus, trop intimes, et dont les narrateurs excédaient mon père. Il me l'avait dit presque à chaque fois. Comment interpréter ce dernier aveu ? Ces narrateurs qu'il détestait tant, qu'il m'avait maintes fois confessé avoir envie de gifler, ces types faibles qui s'écoutaient, enculaient les mouches et le répugnaient n'étaient autres que moi. Pas au niveau des faits, bien sûr, mais de l'être. Ils étaient plus moi que quiconque. Plus moi que moi-même. Ils étaient moi dépouillé des convenances, des obligations, un moi délivré du social, tout à fait libre d'être lui-même, pour le meilleur et pour le pire.

Je me suis garé devant la maison. La voiture de mon frère était déjà là. Je suis resté longtemps assis sans bouger. Qu'est-ce que je foutais là ? D'où venait que de nouveau je me sente à ce point étranger aux miens ? D'où venait que l'amour en moi était à ce point enfoui, inaccessible, jusqu'à douter qu'il ait jamais existé ? Car si je réalisais soudain combien mes parents m'avaient peu ou mal aimé, et combien cela avait conditionné ma vie, mon incapacité à être au monde, ma soif inextinguible de reconnaissance, d'affection, de preuves, de gestes, de signes, de mots, l'inverse était sans doute tout aussi vrai. D'aussi loin qu'il m'en souvienne je n'avais jamais été un enfant affectueux, expansif, j'avais toujours été froid, absent, renfermé, agressif, verrouillé, mutique. Et ma façon de les fuir, de fuir les lieux de mon enfance, et de me fuir moi-même avait un goût de reproche sûrement amer, que parachevaient mes livres où leurs avatars n'avaient pas toujours le beau rôle. Au fond, ce qui restait de tout cela, c'était un sentiment de tristesse glacée. De part et d'autre. De fatigue et de tristesse. Et jamais je ne saurais, croyais-je, quelle en était la raison. Guillaume en était une hypothèse plus que plausible. La vie de labeur qu'ils avaient menée également. Mais je ne pouvais m'empêcher de me dire que je n'y étais pas pour rien, que j'y avais aussi ma part, que c'était aussi une conséquence, un aveu de déception face à un fils pareil, inapte au bonheur, à la tendresse, ingrat et « bêcheur ».

Une fois de plus, garé face à la maison où j'avais grandi, j'ai été tenté de fuir. Y pénétrer me semblait au-dessus de mes forces. Affronter le visage sec et froid de mon père, le rictus plaintif et usé de ma mère, le mépris de mon frère, passer quelques jours dans cette ville, sur les traces de mon enfance, tout cela m'étranglait. J'ai démarré et j'ai roulé jusqu'à l'orée de la forêt. J'ai garé la voiture le long des premiers arbres et me suis enfoncé dans les bois. Le soleil traçait de grandes flaques dorées parmi les ombres. Des odeurs montaient, de terre gorgée d'eau, de mousse et de lichen. Partout bruissait un règne animal et invisible. J'ai marché jusqu'à « notre » clairière. Mon cœur battait jusque dans mes doigts. Une part de moi espérait y croiser Sophie. L'autre le redoutait plus encore. Mais elle n'y était pas. Je me suis allongé parmi les fougères naissantes, déployant leurs premières crosses, les yeux rivés sur le réseau des branches perlées de feuilles d'un vert translucide, et j'ai fermé les yeux. Je me suis endormi, rêvant d'arbres engloutis, dont ne dépassaient que les cimes, d'animaux morts emportés par la boue. Un monde noyé, effacé, recouvert. Quand je me suis réveillé le ciel s'était assombri. On aurait dit qu'on l'avait éteint. J'ai marché jusqu'au cimetière où reposaient mes grands-parents maternels. C'était la première fois que je m'y rendais. J'ignore ce que je venais chercher là. Ce que je comptais y trouver. Sans doute quelque chose qui avait à voir avec la mémoire. Après tout elle ne s'ouvrait qu'à la mort de ma grand-mère. C'était mon premier souvenir, les premières images que je possédais de mes parents, de moi-même, de ma vie. J'ai parcouru toutes les allées. J'ai fini par trouver sa tombe. Leur tombe puisque désormais mon grand-père reposait avec elle. Mais je n'ai pas trouvé celle que je cherchais vraiment, sans me l'avouer. Non, il n'y avait pas dans le coin réservé aux enfants, aux nouveau-nés, de croix au nom de Guillaume. Où pouvait-il bien reposer ? Qu'avait-on fait de son corps minuscule et violet ? Je l'imaginais à jamais dans la brume, patientant dans un lieu éternellement provisoire. J'ai erré encore un moment parmi les stèles grises, les monuments tristes. Les gravillons sales s'écartaient parfois pour laisser apparaître un peu de terre. Trois vieilles se recueillaient au beau milieu des allées désertes et silencieuses. Tout sentait la forêt et la pierre. J'ai marché longtemps encore dans les rues avoisinantes. À l'étage du pavillon de Sophie, les volets étaient clos. Aucune voiture n'était garée devant. J'ai sonné. Une gamine d'une dizaine d'années est venue m'ouvrir. Je n'ai pas eu besoin qu'elle se présente. Elle ressemblait trait pour trait à sa mère, à celle que j'avais connue au collège. Dans son dos, provenant d'une autre pièce, me parvenait la voix d'une autre femme, répétant « qui c'est ? ».

— Ta mère est là ? ai-je demandé.

— Non. Pourquoi ?

— Je suis un ami. Je voulais juste prendre des nouvelles. Elle va bien ?

Soudain le visage de l'enfant est devenu grave. Un voile est passé dans ses yeux. Elle a juste eu le temps de me dire que sa mère était à l'hôpital et qu'elle ne savait pas quand elle allait sortir, pas avant plusieurs semaines en tout cas. Une femme d'une soixantaine d'années a fait irruption et s'est interposée entre nous.

— Vous êtes ? m'a-t-elle dit d'un ton sec.

— Un ami de Sophie.

— Et qu'est-ce que vous lui voulez ?

— Je venais juste lui dire bonjour.

Elle me fixait d'un air méfiant. Derrière elle, la gamine me lançait des regards ravagés. On aurait dit qu'elle me conjurait de la sortir de là, de la sauver de sa vie. Elle avait les yeux de sa mère. La même soif. Le même appel. Après m'avoir précisé qu'elle était la belle-mère de Sophie, la vieille m'a demandé mon nom. Je lui ai répondu et elle s'est mise à hurler.

— Comment osez-vous ? Comment osez-vous ? Après le mal que vous lui avez fait. Après le mal que vous avez fait à ses enfants, à cette famille ?

Elle a saisi la gamine par le bras et m'a désigné d'un geste hystérique.

— C'est lui, c'est lui, c'est de sa faute, c'est de la faute de cet homme si ta maman est de nouveau à l'hôpital, regarde-le bien, c'est de sa faute.

La gamine semblait terrorisée. Elle ne comprenait rien à ce que racontait sa grand-mère. J'aurais tellement voulu pouvoir la serrer dans mes bras et lui parler doucement, tout doucement. De sa mère. De la Maladie. Des forêts. De l'enfance et de la peur. La vieille m'a craché à la gueule. J'ai senti sa salive chaude dégouliner sur ma joue. Qu'une femme de cet âge et si bien mise, vêtue de vêtements choisis, impeccablement coiffée, parée de bijoux, aux traits si nets et sévères, puisse faire ça m'a sidéré. J'ai essuyé ma joue et j'ai fait demi-tour. J'ai marché hébété jusqu'à la voiture. Je pouvais encore sentir l'impact du crachat sur ma peau, comme une brûlure ancienne, une cicatrice. Assis au volant j'ai tenté de retrouver mon calme. Avalé deux Xanax. Respiré profondément. Monté le chauffage. Enclenché le dernier Bonnie Prince Billy. La chaleur. Le souffle. Les médicaments. La musique. Je ne connaissais pas d'autre recette dans ce genre de situation. À l'abri de l'habitacle et de la voix du maître, j'ai appelé tous les hôpitaux du coin. J'ai fini par retrouver sa trace dans la clinique psychiatrique d'une ville voisine. Aucune visite n'était tolérée, autres que celles de son mari et de ses enfants. À l'autre bout de fil, personne n'a voulu répondre à la moindre de mes questions. Elle était en vie, elle se reposait, c'est tout ce que j'avais à savoir. Dans les haut-parleurs, ce bon vieux Will Oldham gémissait, à bout de souffle ou de nerfs on ne savait pas très bien, on aurait dit une lente agonie. J'ai démarré et j'ai roulé jusqu'au centre-ville. La lumière gris pâle annihilait les contours, les contrastes. Tout se fondait en un morne crépuscule. Nous n'étions pourtant qu'au début de l'après-midi. Le jour allait être long à mourir. Au bar-tabac, c'étaient toujours les mêmes malgré l'heure précoce. Stéphane a souri de toutes ses dents en me voyant, et à sa façon de me tomber dans les bras et de me demander ce qui me ramenait là j'ai compris qu'il avait déjà pas mal de verres dans le nez.

— T'es pas au travail ? lui ai-je demandé en faisant signe au serveur de me servir un demi.

Son sourire s'est fait plus acide. On pouvait entendre ses molaires grincer.

— Ils m'ont pas gardé. J'ai pas l'esprit maison, il paraît. On sent pas que t'as envie de porter la veste Simply, on sent pas que tu en es fier, ils m'ont dit.

Autour de nous les autres ont rigolé mais il n'y avait pas de quoi. Stéphane m'a présenté Jean-François, est-ce que je me souvenais de lui, pas vraiment, enfin je n'étais pas sûr, dans ce genre de circonstances je n'osais plus trop être affirmatif. Jean-François me disait vaguement quelque chose, mais j'ai été soulagé quand il m'a confirmé que nous n'avions jamais été dans la même classe, ni même au même niveau. Il avait un an de plus que nous mais il était sorti avec Magali, une de nos copines, plutôt sportive et assez jolie, dont le père était maître-nageur à la piscine municipale. Il nous faisait entrer gratis et assurait ainsi la popularité de sa fille. Jean-François travaillait à Orly comme bagagiste. Mais depuis le lycée, lui aussi avait connu une vingtaine d'emplois différents. Partout c'était la même chose, a poursuivi Stéphane, des petits chefs relayaient auprès d'encore plus petits qu'eux des instructions, des objectifs et des techniques de management débilitantes que ces derniers appliquaient avec zèle pour satisfaire leur hiérarchie, et tout cet empilement de zèle finissait sur le dos des plus petits, qui assuraient les tâches les plus anodines, les plus ingrates, mais à qui on demandait malgré tout de s'investir, d'avoir toujours plus « l'esprit maison », ce qui revenait surtout à toujours fermer sa gueule, ne jamais rien demander, ni augmentation ni congé, ni horaires aménagés ni jours chômés consécutifs, ni la moindre faveur – partir dix minutes plus tôt pour exceptionnellement aller chercher les enfants à l'étude et les emmener chez le médecin, arriver à l'hôpital avant la clôture des visites quand sa mère tombait malade, ce genre de choses –, ni bien sûr le début du moindre CDI.

— L'attitude, l'investissement, l'esprit maison, ils te font le coup à chaque fois. Parce qu'ils n'ont rien à redire sur ton boulot. Je veux dire, merde, le boulot, à la caisse, aux cuisines de McDo, n'importe où, bien sûr que tu le fais bien. « J'ai rien à redire sur vos compétences », qu'ils te disent. Putain encore heureux ! De quelles compétences j'ai besoin pour encaisser des articles ou foutre un steak entre deux tranches de pain ? Alors pour te virer ils invoquent toujours la même connerie. L'attitude. L'enthousiasme. La motivation. La niaque. Le sourire au travail. L'esprit maison. Leur putain d'esprit maison de mes couilles.

— OK, ai-je dit. Mais pourquoi ils te virent alors ?

— Parce qu'ils savent qu'au bout de plusieurs mois dans la même boîte, un type va commencer à réclamer. Un salaire décent. Ne plus travailler le dimanche. Surtout s'il a des gosses, une famille à nourrir. Des horaires qui lui permettent de voir ses enfants, de les embrasser avant qu'ils se couchent, pas plus. Le type commence à réclamer ce qu'ils appellent des « privilèges ». Sans compter qu'un de ces jours, tu vas voir qu'il aura le toupet de demander si on ne pourrait pas envisager un CDI. Alors ils te virent et ils en prennent un plus jeune, plus gentil, moins « exigeant », un type qui rampe et a l'air fier de porter le maillot, qui est toujours prêt pour le dimanche, qui trouve même qu'il est payé trop cher. Ou alors un semblable à toi exactement, mais ils savent déjà que c'est juste pour quelques mois, qu'ils le vireront pareil dès qu'il se sentira suffisamment installé pour un jour oser poser une question sur son avenir dans la boîte, faire une remarque même minime sur tel ou tel aspect du management, sur la propreté des locaux, ou même tomber malade une fois de trop – c'est-à-dire une fois tout court.

Les autres autour acquiesçaient. Stéphane a demandé un autre verre, l'œil vitreux, la bouche amère. Tout dans son attitude disait le découragement, la vie qui vous scie les pattes, vous brise les os pour rien, juste parce que c'est comme ça, que le monde marche sur la tête et que vous êtes né du mauvais côté. Pas du plus mauvais, non. Mais pas du meilleur non plus. Un instant j'ai pensé à la poignée d'anciens camarades dont j'avais retrouvé les noms dans Google, ceux qui étaient partis loin, les ingénieurs, les médecins, les avocats. Oh ils n'étaient pas nombreux. Et venaient tous du même quartier : celui où avait grandi Thomas. Pour la plupart, leurs parents étaient cadres supérieurs, hauts fonctionnaires. Ou ils exerçaient les professions libérales habituelles. J'avais même trouvé la trace de deux types dans l'annuaire des anciens de Sciences Po. Bon Dieu, comment était-ce seulement possible ? Je veux dire : Stéphane, David, Christophe, Yann, Éric, Fabrice et les autres, même les très bons élèves comme moi, nous ne savions pas que ça existait, Sciences Po. Même ceux qui avaient obtenu leur bac avec mention. Les grandes écoles, les classes préparatoires nous n'avions aucune idée de ce que ça voulait dire. Khâgne, Hypokhâgne, les prépas commerce, Math Sup, Math Spé, tout ça, c'était quelque part dans le brouillard. Des mots qui ne nous disaient rien, mais qui avaient une signification bien précise pour d'autres, mieux informés, mieux préparés, mieux nés, du meilleur côté de la barrière. Pour nous, du moins ceux d'entre nous qui avaient pu aller jusqu'au lycée, sortir avec le bac, même au rattrapage, même un bac G, c'était déjà quelque chose. Et qu'on s'inscrive à la fac, pour nos parents, pour nous-mêmes, c'était une consécration, une entrée dans le grand monde. On y croyait ferme, aux voies de l'excellence, au mérite, à la République. On y est tous allés comme un seul homme, dans ces voies de garage, ces sections surchargées qui ne menaient nulle part. On y est tous allés en se tapant des heures de RER quand les autres louaient des appartements à deux pas de la fac, on y est tous allés en ratant la moitié des cours parce qu'il nous fallait bosser pour nous les payer ces études, on y est tous allés sans personne derrière pour nous pousser parce que pour nos parents, aller à la fac, avoir un BTS, deux ans d'études supérieures, et même trois ou quatre, c'était presque inespéré, pour eux on était sauvés, on avait fait des études, on en faisait, on était tranquilles pour la vie, on aurait pas à se salir les mains ni à courber l'échine. Et même ceux dont les parents avaient saisi quelque chose dans tout ça, mieux renseignés, ou parce qu'ils connaissaient quelqu'un qui connaissait quelqu'un qui leur avait dit que la fac, les filières surchargées, tout ça, il fallait quand même se méfier, ceux à qui les parents avaient conseillé d'éviter les filières littéraires, sciences humaines, psychologie ou autres pour s'orienter vers des formations qui « apportaient un vrai métier », l'économie, la gestion, ceux-là ignoraient tout d'HEC, de l'ESSEC, et si jamais ils en avaient entendu parler, les frais d'inscription suffisaient à leur rappeler que ce n'était pas pour eux. Du reste l'argent ne jouait pas tant que ça dans ce domaine. Normale Sup, Sciences

Po, Polytechnique, ces filières d'excellence n'étaient pas pour nous. Le mot « excellence » suffisait d'ailleurs à nous indiquer qu'elles étaient réservées à d'autres, dont nous aurions bien peiné à définir l'identité. « Les autres ». « Réservé aux autres ». Ces mots-là m'accompagnaient toujours. Il y avait encore des endroits qui me semblaient leur être dédiés et où il m'était impossible d'entrer. Cafés, restaurants, hôtels, boutiques, boîtes, cercles divers... Certaines rues, certains quartiers, même. Autant de lieux que fréquentaient sans complexe la plupart des écrivains de ma génération et que je fuyais comme la peste, ce qui me valait une réputation de sauvage que mon exil breton et mon allure n'avaient fait qu'entretenir – la seule question qui demeurait en suspens alors était de déterminer s'il s'agissait là d'une pose ou d'un calcul, d'une incapacité ou d'un complexe, d'un manque de goût ou d'un dégoût. Et sans même m'en rendre compte je tenais mes enfants aussi éloignés que possible de ces lieux ou des usages que je continuais à considérer comme propres à ces « autres ». Quelque chose en moi refusait qu'ils se distinguent, se différencient, suivent les sentiers du privilège : écoles privées, équipements culturels élitistes, sports de riches, vêtements de marque connotés. Cela étant je n'avais jamais eu à les détourner de quoi que ce soit. Manon avait un instinct très sûr pour ces choses-là. Elle identifiait immédiatement les lieux d'entre-soi, les activités du même tonneau, mettait un point d'honneur à ce qu'on l'inscrive dans l'école de danse du quartier, le cours de théâtre du centre social, m'aurait lancé des regards mortifiés si je l'avais obligée à monter dans une voiture plus luxueuse que notre vieille Scenic, et avait semblé réellement déçue le jour où j'avais évoqué la possibilité qu'elle aille au collège catholique situé à cinquante mètres de chez nous, pour de pures raisons pratiques, quand le collège public était caché dans un autre coin de la ville, mal desservi par les transports collectifs, et seulement accessible par une route fréquentée où je redoutais qu'elle s'aventure deux fois par jour à vélo. Elle refusait tout ce qui pouvait la distinguer par la seule grâce de l'argent ou de l'appartenance sociale. Seul le particularisme de ses goûts en matière de musique, de livres ou de films – et elle était trop jeune pour comprendre qu'il s'agissait là aussi de marqueurs impitoyables, plus sournois, plus pernicieux – la différenciait de ses camarades, dont les parents avaient, en général, un mode et un niveau de vie plus ordinaires que les nôtres. Là où nous vivions, il suffisait de peu pour appartenir aux classes les plus privilégiées de la ville. En dépit des apparences, de ces grandes villas alignées surplombant la mer, qui en grande partie n'étaient que secondaires, des flots de touristes argentés qu'amenaient les week-ends ensoleillés et les vacances, des curistes pleins aux as qui venaient se prélasser aux Thermes et logeaient au grand hôtel affichant ses quatre étoiles, l'immense majorité de la ville vivait modestement. Le plus gros de l'activité économique était lié, de près ou de loin, au tourisme, au port de commerce, à la pêche et à la conchyliculture. À part quelques professions libérales et employés du public, la plupart des gens que je croisais travaillaient dans l'un ou l'autre de ces secteurs. Hôtels, restaurants, boutiques de la vieille ville, commerces de bouche, parcs à huîtres de Cancale, parcs à moules de la baie du Mont-Saint-Michel, ateliers de conditionnement de fruits de mer et de crustacés, usine de fabrication d'engrais à base d'algues, laiteries, chantier naval, entreprise de traitement du bois, entreprise de textile établie à quelques kilomètres de là, compagnie de ferries, tous y occupaient des emplois moyennement rémunérés, ne nécessitant que peu de qualifications et un faible niveau d'études. Les cadres étaient rares, les notables se comptaient sur les doigts d'une main, les médecins, dentistes, notaires, avocats composaient le gros de la bourgeoisie locale. Et les gens qui faisaient vivre la ville n'auraient bientôt plus les moyens d'y loger. L'attrait jamais démenti des catégories les plus aisées du pays pour les villégiatures en bord de mer faisait monter les prix à des niveaux extravagants, à moins de dix kilomètres de l'eau les maisons s'arrachaient à des prix inabordables et ne servaient plus que deux ou trois semaines par an. La ville vieillissait, se vidait peu à peu de ses habitants, qui comme à Paris étaient désormais contraints de s'éloigner, de gagner ces zones improbables où la périphérie se fondait dans la campagne, ensembles pavillonnaires flambant neufs bâtis au milieu de nulle part, munis d'une boulangerie d'une pharmacie et parfois d'un arrêt de bus, cernés de champs de choux et de pâturages.

Nous nous sommes tous resservi un verre. Jean-François parlait de sa femme, il était content pour elle, pour eux : elle venait de prendre un emploi de caissière dans une station-service au bord de l'autoroute. Il y avait même un petit café où l'on vendait des sandwiches, elle ferait aussi la serveuse et ça lui plaisait bien, les collègues étaient sympas, même le responsable de la station avait l'air d'un type honnête.

— Avant ça elle était dans un guichet au péage de Saint-Arnoult. Au moins, là, elle peut aller pisser quand elle veut...

Stéphane s'est encore servi un demi. Je voyais bien qu'il avait l'œil mauvais et que son humeur virait au maussade. Un instant je me suis même demandé s'il n'allait pas se mettre à pleurer.

— Tu comprends, disait-il, avec le salaire de Marie on s'en sort pas. Et là côté chômage j'ai plus droit à rien, je vais passer au RSA, tu sais, ce truc qui ronge la société comme un cancer, tu sais ce sale con qu'a sorti ça l'autre fois tu peux pas savoir comment ça a foutu les boules, ici, ailleurs, partout. Les mecs quand ils sortent ça du haut de leurs beaux appartements ils savent pas ce qu'ils dégoupillent, la même semaine ou presque ils allègent l'impôt sur la fortune, alors que partout ailleurs on bloque les salaires on les réduit même pour faire plaisir à ces putains de marchés financiers, à ces saloperies d'agences de notation qui commandent aux États et font tourner la planète dans le but unique de s'en foutre plein les pognes. Tu sais un jour tout ça va leur sauter à la gueule.

Il avait haussé la voix et dans le bar tout le monde acquiesçait, il fallait voir comment ça acquiesçait, et avec quel sentiment d'usure, de nerfs à bout. Il fallait voir comment les yeux brillaient à l'idée que tout ça explose enfin, même si on savait qu'il n'en serait jamais ainsi, que tout allait continuer encore et encore, que tout allait continuer à tourner pendant des siècles aux bénéfices d'une poignée de gens qui s'essuyaient les pieds sur la gueule de milliards d'autres. Un type est entré en saluant le patron. Il s'est installé au bar et a commandé un demi. Au visage de Jean-François j'ai compris qu'il se passait quelque chose. Soudain j'ai vu Stéphane se lever et se ruer vers le nouveau venu. Sur le moment je n'ai rien compris. Ni moi ni personne d'ailleurs. Nous nous sommes contentés d'assister à la scène, sidérés, pétrifiés. Il a fallu que Stéphane lui enfonce son poing dans la gueule et que l'autre se mette à hurler pour qu'on se décide à intervenir. On a dû s'y mettre à plusieurs pour les séparer. Stéphane écumait, respirait comme un bœuf. La rage semblait couler dans ses veines et exsuder de sa peau. L'autre avait le nez en sang. Il se tenait le visage entre les mains et regardait ses doigts comme s'il n'en revenait pas. Il avait l'air sur le point de tomber dans les pommes. Le contenu de son verre s'était répandu sur le comptoir et commençait à lui couler sur les chaussures. Le patron s'est mis à gueuler : il nous donnait trente secondes pour déguerpir sans ça il appelait les flics et nous faisait coffrer tous autant qu'on était il ne voulait pas faire le tri. On s'est tous retrouvés sur le trottoir, le mec qui pissait le sang et Stéphane qui refusait de se calmer et voulait lui en refoutre une, Jean-François et les autres qui essayaient tant bien que mal de le retenir. Moi là-dedans je m'efforçais de saisir : qui était ce type ? Qu'est-ce qui avait bien pu pousser Stéphane à se jeter sur lui comme ça ? Qu'avait-il fait pour mériter ça ? J'ai compris quand j'ai vu deux femmes et un homme en gilet rouge sortir du Simply et courir vers lui, l'entourer et lui porter assistance, lui tendre un mouchoir et lui proposer de l'emmener aux urgences. Soudain mes yeux se sont troublés de rouge. Du sang me coulait du front. Je m'étais pris un coup en tentant de mettre un terme au combat. J'ai attrapé Stéphane par le bras et nous nous sommes éloignés tandis qu'un cercle se formait autour du blessé.

— C'est le patron du Simply, c'est ça ? ai-je demandé.

Il a hoché la tête en maugréant.

— Oui c'est ce putain de fils de bâtard. J'aurais dû lui péter le nez et lui refaire la face à cet enculé.

— Je crois bien que c'est exactement ce que t'as fait mon pote. Alors maintenant le mieux c'est encore de rentrer chez toi et d'aller t'occuper de ta femme et de tes enfants.

— Chez moi il n'y a personne.

— Comment ça ?

— Marie est partie chez ses parents avec les gosses. On s'est engueulés.

— Pourquoi ?

— Mais parce qu'on s'en sort pas, c'est tout. Parce que j'ai perdu mon job, parce qu'on a pris deux crédits à la consommation et que chaque mois, avant même d'avoir payé le loyer y a déjà six cents euros qui partent en fumée. Parce que quand la télé a lâché elle en a racheté une et que j'ai gueulé et qu'elle m'a dit : mais Stéphane, si on peut même pas offrir une télé aux gamins on est qui ? On est quoi ? Parce que le soir où je suis rentré en lui disant que c'était fini, que je ne leur convenais pas, que ce connard m'avait dit que mon attitude ne cadrait pas avec la politique de la boîte que j'avais pas l'air d'être fier de porter le gilet elle m'a dit ben voilà, t'as encore dû ouvrir ta grande gueule, tu peux jamais t'en empêcher, tu peux pas faire un effort non, pour nourrir tes gosses tu peux pas ? Tu peux pas savoir comment ça peut bouffer tout ça. Le boulot, le chômage, les crédits. Je veux dire : c'est pas juste des soucis. C'est quelque chose qui vient te manger le cœur. Qui te le rogne. Qui prend toute la place et à la fin t'es plus qu'un tout petit noyau tout sec et rabougri. Et tout ça pourquoi ? Parce qu'on a pas fait les bonnes études, qu'on a pas le bon diplôme, qu'on a pas pris le bon embranchement au bon moment, et qu'il y a jamais aucun moyen de rattraper ça. Tu peux pas savoir.

« Tu peux pas savoir. » Cette phrase me tournait en boucle dans la tête. Cette phrase on me la ressortait tout le temps : je ne pouvais pas savoir ce que c'était de vivre ici, alors que j'y avais vécu, mais je ne pouvais quand même pas, ça avait changé, ça non plus je ne pouvais pas savoir à quel point, je ne pouvais pas savoir ce que c'était de venir d'ici, alors que j'en venais, je ne pouvais pas savoir ce que c'était de travailler, de manquer d'argent, alors que je venais d'une famille de travailleurs où l'argent avait toujours manqué, alors que j'avais moi-même travaillé et manqué d'argent, je ne pouvais pas savoir ce que c'était que d'être au chômage, de vivre dans des apparts minuscules avec deux ou trois enfants, de voir ses gamins se faire racketter par les caïds du quartier, de vivre au milieu des Arabes et des Noirs, non je ne pouvais rien savoir, et pourtant j'écrivais des livres où je parlais de tout ça, de ces gens-là, de ces lieux-là, de ces problèmes-là, je prétendais savoir mais je ne pouvais pas. J'ai pensé à mon père, au nombre de fois où il avait prononcé cette phrase, j'étais encore à la maison que je l'entendais, et mon frère aussi, nous ne pouvions pas savoir parce que nous faisions des études, parce que lui et ma mère s'étaient saignés pour qu'on ne manque de rien et qu'on ait une bonne éducation, parce qu'on nageait dans les livres et la musique, parce qu'on n'avait jamais travaillé de nos mains, parce qu'on n'avait jamais reçu de vraie raclée, parce qu'on avait le droit de parler à table, de sortir et de rentrer quand bon nous semblait.

J'ai raccompagné Stéphane jusqu'à son appartement. Il s'est écroulé dans le canapé avant de fondre en larmes. D'où j'étais j'avais la sensation que le meuble allait finir par l'engloutir. Entre deux sanglots il répétait « mais comment je vais m'en sortir, putain, comment on va s'en sortir ? J'ai même pas de quoi payer le loyer ce mois-ci ».

— Comment tu vas faire ?

— Je sais pas. Emprunter. Prendre un troisième crédit revolving et mettre des années à leur rembourser seulement leurs putains d'intérêts.

— Je peux te prêter tu sais.

— Arrête. Je dois déjà suffisamment de pognon comme ça.

— Tu crois pas qu'il vaut mieux que tu me les doives à moi plutôt qu'à eux ?

— Non. Je sais pas. Au nom de quoi tu me les prêterais d'ailleurs ?

— Je sais pas. J'en sais rien, Stéphane. Du bon vieux temps.

— Du bon vieux temps ? Putain. Quel bon vieux temps Paul ? De quel bon vieux temps tu parles ?

— Je sais pas. T'avais l'air tellement bien, tellement à l'aise quand on était gosses. T'attirais la lumière. Je me souviens de ça. On aurait dit que tu aimantais le ciel. Dans la cour on ne voyait que toi, les filles ne voyaient que toi. T'avais toujours ce grand sourire lumineux aux lèvres, toujours le bon mot au bon moment, toujours l'exacte attitude, toujours aussi cool qu'il le fallait quand il le fallait, tout le monde t'aimait, tout le monde voulait être ton ami.

— Ouais. Ben les choses ont bien changé. Les choses se sont drôlement retournées il faut croire.

— Attends. C'était quand même le bon vieux temps pour toi, non ? Le lycée le collège.

— Ouais. Si ça te fait plaisir de croire ça. Tu sais tout le monde se complaît pas à tirer une gueule de huit mètres de long et à s'habiller en noir et à faire son grand artiste torturé et solitaire à longueur de journée pour bien montrer à quel point il est malheureux. Je veux dire : on peut aussi garder ça pour soi, ne rien montrer aux autres, donner le change, faire cet effort-là. Mais qu'est-ce que tu sais de ce qui se passait quand je rentrais à la maison ? Rien. Tu n'as jamais mis les pieds chez moi. Ni personne du reste. Et pour cause. Non, mon vieux, je peux te dire que dès que je rentrais chez moi, alors non, c'était plus du tout le bon temps... Il n'y a pas que Christophe qui en chiait. Il n'y a pas que ton père qui foutait tellement les jetons à tout le monde qu'on préférait encore rentrer à pied plutôt que monter dans votre voiture quand par hasard il venait te chercher au lycée le samedi matin. Tu sais, le mien, mon connard de père à moi, un jour qu'il avait trop bu, il m'a demandé pardon. Pour toutes les trempes qu'il nous avait foutues. Ouais. Il nous a demandé pardon, sans même nous regarder en face. Et je ne sais pas, on n'y croyait pas, ni moi

ni ma sœur, on n'y croyait pas. Ça sonnait faux.
Comme si notre mère lui avait demandé de le
faire et qu'il s'exécutait, comme on fait ses
devoirs. Mais dans ses yeux je te jure, j'ai vu
aucun remords. D'ailleurs la seule fois où je lui ai
jamais parlé de ça il a nié. Il a juré qu'il n'avait
jamais levé la main sur nous. Tu le crois ça ? Il a
juré cet enfoiré. Ce gros enfoiré qui nous foutait
des trempes pour dix minutes de retard, le couvert pas mis à temps, un mot plus haut que
l'autre, un verre cassé. Et ma mère aussi elle a nié.
D'abord elle a nié. Et puis après ça, des semaines
après, elle m'a dit tu sais il faut le comprendre,
son père lui filait des coups de ceinturon juste
parce qu'il rompait le silence à table, il faut le
comprendre quand il rentrait du boulot il était à
bout et tu peux pas savoir ce qu'il a enduré toute
sa vie, la colère que ça vous fout dans la gorge de
bosser comme ça, d'être traité comme un chien,
payé une misère, la colère qu'il faut évacuer
quelque part et qu'est-ce que tu crois elle m'a dit,
moi aussi je m'en suis pris quelques-unes mais
c'est comme ça, c'étaient les hommes de cette
époque, c'étaient sûrement les derniers comme
ça, ils avaient pas les mots, ils savaient pas faire
avec les gosses, mais lui il vous aimait. À sa façon.
Ouais. À sa putain de façon, en nous foutant des
trempes comme ça pour rien. Juste pour évacuer
sa colère.

Je l'ai laissé vider son sac. J'ai sorti mon carnet
de chèques de ma poche et je lui ai demandé de
combien il avait besoin pour être tranquille pendant quelques mois. Il n'a pas répondu. Il m'a
juste dit qu'il fallait qu'il dorme un peu, après quoi
il appellerait Marie. J'ai signé un chèque et je l'ai

laissé sur la table basse. Il l'a ramassé et l'a fourré dans la poubelle sans prononcer le moindre mot. Après quoi il est entré dans sa chambre en refermant la porte derrière lui. Deux minutes plus tard j'entendais s'élever son ronflement.

La maison était dans un état de bordel indescriptible. Le lit trônait toujours dans le salon et tout autour s'ouvraient des cartons que mon frère et mon père remplissaient de vaisselle sous les ordres de ma mère, plantée dans son fauteuil coincé entre le buffet et la télévision. Près d'elle trônait un déambulateur. D'après mon père elle n'en avait plus vraiment besoin mais c'était un de ses trucs de toujours minimiser la douleur des autres, de considérer qu'il s'agissait de maux imaginaires, psychologiques comme il disait, et disant cela il avait tout dit, comme si l'origine prétendument psychologique d'un mal en relativisait la portée, comme si tout ce qui était psychologique relevait de la chimère. Combien de fois l'avais-je vu lever les yeux au ciel tandis que ma mère était clouée au lit, torturée par son dos ? Tandis que mon frère restait dans le noir de sa chambre, terrassé par une de ces migraines qui le prenaient chaque mois et le mettaient au supplice ? Et je ne parle pas du mépris que lui avaient inspiré les différentes manifestations de la Maladie qui me rongeait depuis toujours. Que j'arrête de manger, que je maigrisse jusqu'à devenir translucide, que je traverse de longues phases de douleur dont seuls les médicaments parvenaient à me sortir relevait à ses yeux, au mieux de la complaisance, au pire d'une volonté suspecte de faire le malin, de se faire remarquer. « Toujours à se faire remarquer celui-là », disait-il à tout propos, un livre que je lisais et dont il ne connaissait pas le nom de l'auteur, un film que tout le monde aimait et que je qualifiais haut et fort de sombre merde, ma collection de disques de musique classique, mon aversion pour le foot, le cyclisme et les sports violents – mais sur ce point précis, au fond, il n'avait pas tort : comme beaucoup d'adolescents je surjouais le rôle que je m'étais choisi, et il me semblait inconciliable d'aimer la poésie, la musique et le cinéma d'auteur et de s'enflammer pour le sport. D'ailleurs en société je ricanais dès que quelqu'un abordait ces frustes activités, ce qui ne m'empêchait pas de lire *L'Équipe* dès qu'un exemplaire traînait, ni de jeter un œil aux matches dès que je me trouvais seul dans un endroit doté d'un téléviseur, et pas seulement ceux de tennis, ainsi que je le prétendais pourtant, persuadé que l'élégance et la sophistication de ce sport atténuaient ce que je tenais alors pour une sorte de péché honteux. Et j'avais été éberlué quand, des années plus tard, j'avais découvert que nombre de mes écrivains de chevet s'enflammaient pour la Ligue 1, le Top 14 ou les championnats de boxe.

En me voyant, le visage de ma mère s'est tout à coup décomposé. J'ai soudain retrouvé ses traits de mère silencieuse et inquiète. Quelque chose n'allait pas mais sur le coup j'ignorais quoi, et il ne faudrait pas compter sur elle pour me le dire : ma mère s'inquiétait en silence et persuadée qu'elle n'en montrait rien, face à n'importe quel problème elle s'efforçait de rester stoïque et droite, mais tout dans son visage, sa voix, trahissait sa fébrilité et l'effort qu'elle faisait sur elle-même. Il suffisait de croiser quelques semaines plus tard une voisine, ou d'avoir brièvement une tante ou même une vague connaissance au téléphone, pour comprendre qu'elle avait parlé du « problème » au monde entier, que la moindre écorchure avait pris la dimension d'un drame national. Tout le monde sauf nous, mon frère et moi. Ma mère était ainsi. Elle nous aimait et s'inquiétait pour nous mais jugeait indécent de nous le dire ou de nous le montrer. Combien de fois avais-je été sidéré de constater que des gens que je tenais pourtant pour de parfaits étrangers étaient au courant du moindre de mes faits et gestes, y compris au cours de ces années où j'avais cessé de m'alimenter, période où elle n'avait jamais abordé le problème ni même semblé le voir, mais durant laquelle toute la famille et les connaissances du quartier savaient que je ne touchais pas mon assiette, me faisais vomir dans les toilettes, maigrissais à vue d'œil. Beaucoup lui conseillaient de m'emmener chez un psy ou à l'hôpital, ce qu'elle ne fit jamais, sans doute pour ne pas s'attirer les foudres de mon père. Se lever tôt, travailler, faire du sport, se tenir droit, constituait la seule ordonnance qui trouvât jamais grâce à ses yeux.

— C'est rien, ai-je dit en comprenant soudain ce qui la chiffonnait.

Dans la salle de bains j'ai examiné mon visage. Le sang avait séché mais l'arcade suintait encore un peu. J'ai fouillé à la recherche de coton et de désinfectant. L'armoire à pharmacie débordait des produits qu'absorbait ma mère. Médicaments pour le cœur, la tension, la thyroïde, pommades anti-inflammatoires et antidouleurs en tous genres. Tandis que je me tamponnais le front j'ai entendu des pas dans l'escalier. Dans le miroir a surgi le visage de mon frère.

— Avec qui tu t'es battu ?

— Un directeur de supermarché.

— Un directeur de supermarché ?

— Ouais, je peux pas les piffer, ces types.

— T'as jamais pu piffer grand monde, de toute façon.

Nous sommes sortis de la salle de bains. J'ai jeté un œil aux trois chambres. Celle de mes parents était devenue une pièce fantôme. Le lit était dans le salon, la table de nuit aussi. Ne restait que la penderie. Je l'ai ouverte et elle était remplie de vêtements dont la plupart semblaient dater de plusieurs siècles. Tout sentait la lavande et l'antimite.

— On n'a pas encore commencé. On a juste enlevé tous les cartons de maman.

— Les cartons de maman ?

— Ben oui. Tu sais qu'elle garde tout. Nos carnets de santé, nos vêtements d'enfant, nos dessins de maternelle, nos dents de lait, tout.

Je n'ai pas répondu. Non je ne savais pas. Et François ignorait ce qu'elle comptait en faire. D'abord elle avait émis le souhait de les emmener tels quels mais notre père avait gueulé : il n'y aurait pas assez de place là-bas, au minimum il faudrait faire du tri. Il avait acheté une petite caisse chez Castorama. Tout devrait tenir à l'intérieur.

— Tu feras ça avec maman, hein. Nous on s'est déjà occupés de la vaisselle. Demain je vais porter tous les meubles qu'ils ne gardent pas chez Emmaüs. J'ai loué une camionnette pour la journée. Si tu veux récupérer des trucs, c'est le moment de le dire.

— Et toi ? T'en as pris ?

— Qu'est-ce que tu veux que je prenne ? C'est juste des meubles de merde. Il y a aussi les bouquins, les BD. J'ai mis les miens de côté. T'as qu'à prendre ce qui t'intéresse et mettre le reste dans un carton. J'irai porter ça chez un bouquiniste.

François avait visiblement pris les choses en main, dirigeait les opérations en aîné responsable et organisé qu'il était. Avant de regagner le salon je lui ai demandé comment il trouvait maman.

— Difficile à dire. Avant-hier on a passé la journée à l'hôpital. Ils lui ont fait toutes sortes de tests. Pour l'instant on ne sait rien. Le médecin devrait nous appeler d'ici trois ou quatre jours. Parfois, on dirait que les choses lui échappent. Qu'elle s'absente. Elle me confond avec papa. Ou avec toi. Ou bien elle raconte n'importe quoi. Ou encore elle oublie ce qu'on vient de lui dire. Et puis hop, ça redevient normal. Hier, je l'ai retrouvée pieds nus dans le jardin, un peu hagarde, sans son déambulateur ni rien. J'étais à la cave en train de démonter un meuble, papa était parti faire une course, maman était censée trier des photos sur son lit, mais quand je suis remonté boire une bière il n'y avait plus personne. J'ai jeté un œil au jardin et elle était là, au milieu du carré de pelouse, les bras ballants, à regarder vers le sol. Je lui ai demandé ce qu'elle faisait et elle n'a rien répondu. Je l'ai ramenée dans le salon, et elle s'est remise à trier des photos comme si de rien n'était, et là tu peux me croire que de la mémoire elle en a à revendre, elle se souvient des moindres faits et gestes du moindre de nos cousins. Pendant trois heures on a passé en revue toute la famille. Toi qui détestes ça t'aurais adoré, la plupart des gens dont elle me parlait je suis sûr que tu saurais à peine dire leur prénom. Tiens d'ailleurs, hier, il y a Gilles qui est passé, il te dit bonjour.

— Gilles ?

— Ben oui. Gilles. Notre cousin.

— Ah oui. Et qu'est-ce qu'il devient ?

— Toujours pareil. Chauffeur routier.

— Et sa femme, ses enfants ?

— Quoi sa femme, ses enfants ?

— Ben je sais pas. Ils vont bien ? Ils font quoi maintenant ?

— Putain Paul. Sa femme est morte. Il y a cinq ans. Et ils n'ont jamais réussi à avoir de gosse. Me dis pas que t'étais pas au courant. Toute façon qu'est-ce que t'en as à foutre ? Fais pas semblant de t'intéresser. Tu serais déjà incapable de me donner le nom et l'âge de mes gosses alors...

J'ai haussé les épaules et nous avons dévalé l'escalier. Bien sûr je n'allais pas m'abaisser à lui répondre. Quelle gloire pouvait-il bien tirer de connaître parfaitement notre arbre généalogique ? Un instant j'ai tenté de fouiller dans mon cerveau pour remettre la main sur les prénoms de ses trois enfants. Il m'en manquait un. Celui de la fille. Je ne l'avais même pas sur le bout de la langue. Non. Il semblait enfoui si profondément que je doutais de l'avoir su un jour.

Le déménagement avait déjà bien avancé. Au fond je ne savais pas trop ce que je foutais là. Mon père et mon frère s'occupaient du plus gros, j'étais chargé des tâches subalternes et « féminines », serais-je tenté de dire. Le sentimental était ma partie, le démontage de meubles, le déplacement de cartons lourds, le déblaiement de la cave, la location de la camionnette, la sélection de ce qu'on ne gardait pas étaient de leur ressort. De fait, pendant ces trois jours, je n'ai qu'à peine croisé mon père et mon frère. Nous étions affairés chacun de notre côté, et je restais auprès de ma mère la plupart du temps. Sur le lit s'étalaient toutes sortes d'objets, de documents qu'il nous fallait trier, tentant de déterminer parmi eux ceux qu'il était « indispensable » de conserver, alors que bien sûr aucun ne l'était, il n'y avait là que des traces, des souvenirs, et ma mère aurait surtout voulu ne rien jeter. Déjà qu'elle devait quitter la maison de sa vie, disait-elle, les larmes presque aux yeux. Je crois n'avoir jamais tant parlé avec elle que durant ces trois jours autour du lit, dans le salon, tandis que mon frère et mon père s'activaient sans relâche. Quand, trop fatiguée, ma mère sombrait dans le sommeil je montais dans ma chambre faire le tri de mes propres affaires, tri rapidement fait puisqu'il ne s'agissait que de fourrer tout ça dans d'immenses sacs-poubelle et de ranger les livres dans des cartons dont mon frère se débarrassait aussitôt. Ou bien je sortais faire un tour, j'allais marcher un peu en forêt, me garant toujours près de chez Sophie, passant par notre clairière. Ou encore je longeais les berges de la Seine, les entrepôts et les usines désaffectées, puis c'étaient des champs et la rive était soudain bordée d'arbres et trouée de petites plages sablonneuses. Inconsciemment j'évitais le centre-ville et le bar où je craignais de croiser Stéphane rivé au comptoir, accompagné d'anciens camarades dont les visages et les noms ne me disaient rien, qui m'accueillaient comme un des leurs quand mon nom ravivait le souvenir de classes où nous avions fait chaises et enseignants communs, de boums que nous avions fréquentées ensemble, d'anecdotes censées nous réunir, et qui me signifiaient que j'étais un étranger dès qu'il était fait mention de la profession que j'exerçais et du type de vie qu'ils m'imaginaient aussitôt mener. Ma place n'était plus parmi eux, pas plus que dans cette ville, pas plus que dans cette maison me disais-je, mais où pouvait-elle bien être, puisque à Paris non plus je ne l'avais pas trouvée, pas plus qu'au sein du milieu professionnel dans lequel j'étais supposé évoluer, puisque fuyant aux bords extrêmes du pays j'avais fini par être expulsé de chez moi, puisque au Japon erraient des colonnes de réfugiés, puisque là-bas la terre tremblait sans relâche, puisque là-bas tout paraissait en attente d'être englouti.

Ma mère prenait chaque objet, chaque document dans sa main, le contemplait longuement, semblait laisser affluer des souvenirs, les inhaler presque, comme si chaque photo, chaque papier, chaque objet, chaque vêtement, émettait une sorte d'effluve, de vapeur. La plupart du temps elle n'en disait rien, ou si peu, et finissait par décider ou non de garder la chose, selon une logique dont j'aurais été bien incapable de déterminer les principes directeurs. Tout cela me faisait un drôle d'effet, remuait de vieux souvenirs que j'avais depuis longtemps enterrés et détestais voir réapparaître. Tout ce temps j'ai eu l'impression que maman faisait ses adieux. Pas seulement à cette maison. Mais à sa vie elle-même. Comme si ce qui l'attendait à la résidence n'en faisait déjà plus partie, comme si les choses allaient s'arrêter là et que la suite ne serait qu'une vague zone d'attente, des limbes où son âme allait flotter quelque temps avant de gagner l'au-delà pour de bon. Ma mère faisait le bilan. Quelque chose lui disait que c'était fini, qu'il était temps.

François avait raison. Ma mère avait tout gardé. Elle avait tout entreposé dans ses placards, à la cave, sous son lit. Rien ne manquait. Nos vêtements, à tous les âges de notre vie, nos accessoires de bébés : tétines, biberons, bavoirs, pyjamas, hochets. Au fil des années tout s'accumulait : dents de lait, paquets de cheveux coupés, dessins d'enfant, cahiers d'écolier, carnets de notes, photos, et j'en passe. Parmi les choses les plus étranges qu'elle avait en sa possession figuraient nos appareils dentaires. Celui de mon frère était destiné à laisser de la place aux dents de sagesse à venir et à corriger la superposition des dents de devant. Ma mère m'a avoué que mon père avait eu recours à un énième crédit pour financer la chose, alors qu'il était persuadé de son inutilité, soutenant à qui voulait l'entendre que l'orthodontie était une pure fiction, une discipline ayant inventé ses propres règles médicales, fondant ses interventions sur un avenir dont personne ne pouvait assurer qu'il se déroulerait bien comme prévu, des présomptions, des hypothèses hasardeuses, à quoi s'ajoutaient des règles nouvelles quant à la dentition qu'il fallait dorénavant arborer – pendant des siècles les gens n'avaient pas eu les dents parfaitement alignées et, qu'il sache, personne ne s'en était jamais plaint, jusqu'à ce que ces charlatans décident qu'il s'agissait vraiment d'un problème majeur – dans le seul but de remplir les caisses de praticiens qui s'en sortaient déjà fort bien... Pour tout dire je n'étais pas loin de penser comme lui sur ce sujet, et c'était bien là l'un de nos rares points d'accord. Mon appareil était un engin barbare destiné à m'empêcher de sucer mon pouce. Je l'avais porté vers l'âge de neuf ans et en le redécouvrant j'ai été interloqué que mes parents aient pu me fourrer ça dans la bouche. C'était un fil de fer courbé de telle manière qu'il vous entrait dans le palais si vous tentiez d'intercaler votre pouce entre la langue et les dents. Un engin véritablement barbare. Un instrument du Moyen Âge.

— Ben oui, m'a dit alors ma mère, mais qu'est-ce que tu veux, tu suçais toujours ton pouce, il n'y avait pas d'autres moyens.

— Mais vous avez essayé de m'expliquer au moins ?

— Tu parles, ton père n'arrêtait pas de te gronder et de te dire d'arrêter. Alors tu vois, c'est pas faute d'avoir essayé.

Je ne me souvenais qu'à peine d'avoir porté ce truc. Et si je m'efforçais de revoir ce jour précis où, sur le bord d'un précipice alpin, j'avais été sur le point de basculer dans le néant, non, il ne me revenait pas qu'un tel appareil obstruait ma bouche. Sans doute me l'avait-on enlevé quelques semaines plus tôt.

— Tu veux le garder ?

J'ai haussé les épaules. Ma mère l'a jeté dans un grand sac-poubelle où s'entassaient déjà des dizaines de coloriages, de *Journal de Mickey*, ainsi que les trois raquettes que j'avais cassées au cours de ma « carrière » tennistique, des paires de chaussures de sport usagées, des générations de patins à roulettes réglables, de carnets de correspondance, de jeans troués, de sweats délavés et de surprises Kinder. Je n'ai pas osé lui demander si l'idée les avait effleurés de m'emmener voir « quelqu'un » et de le laisser me parler de cette histoire de pouce, tenter de comprendre pourquoi à mon âge j'avais encore besoin de le téter. La réponse aurait été non, évidemment. Jamais une telle initiative ne leur serait venue à l'esprit, je le savais bien. Et plus, il me semblait que c'était bien au milieu dans lequel ils évoluaient qu'ils le devaient.

Au chapitre des objets insolites que conservait ma mère, je dois aussi mentionner la planche que j'avais découverte au pied du sapin l'année de mes sept ans. Là encore je ne m'en souvenais pas mais l'anecdote, si drôle n'est-ce pas, avait tellement été répétée au long des années que le récit hilare qu'en faisait mon père s'était substitué à la mémoire que j'en avais, à tel point qu'il m'arrivait de voir s'imprimer dans mon cerveau l'image enfuie de ce moment. J'étais donc âgé de sept ans, et dans mon inconscience d'enfant, tandis qu'on m'interrogeait sur mes vœux pour Noël, j'avais paraît-il réclamé un piano, en vue d'apprendre à en jouer. À cet âge, je ne devais pas voir où était le problème, c'est certain. Je n'avais sans doute aucune conscience de ce que cela coûtait. Tout ce que je savais, c'est que j'aimais la musique et que rien ne m'impressionnait plus que ces chanteurs assis à leur piano le samedi soir, dans les émissions de Michel Drucker, Elton John en tête. Et puis à l'école, il y avait deux ou trois élèves qui suivaient des cours au conservatoire et je voulais y aller moi aussi. Bien sûr il s'agissait toujours des mêmes, ceux du Parc, ceux-là mêmes qui étaient inscrits dans un atelier d'arts plastiques ou un club de sport autre que le foot, qui portaient des vêtements achetés dans des boutiques et non au marché ou dans les rayons d'Auchan, mais qu'en savais-je alors ? Que pouvais-je en savoir ? Mon père ne s'était pas contenté de trouver ça beaucoup trop cher, et ça l'était sans aucun doute, il trouvait aussi très comique ce choix si « féminin », si « précieux ».

— C'était déjà tout toi, ça, tes goûts d'intello distingué, le piano, le tennis, la poésie, tes émissions culturelles à minuit, tes films suédois en noir et blanc... m'a dit ma mère, assise sur son lit, en découvrant la planche avec moi.

Puis Noël était arrivé et j'avais déballé le plus grand cadeau. Sous le papier à motifs se cachait une longue planche de bois sur laquelle mon père avait tracé les touches d'un clavier de sept octaves. J'ignore quelle réaction j'ai bien pu avoir alors. Ai-je fait mine de me réjouir ? Ai-je fondu en larmes ? Mon père prétend que j'ai commencé à appuyer sur les « touches » et que, devant l'absence de sons, j'ai simplement demandé où était le bouton. Tout ce que je sais c'est que j'ai gardé cette planche pendant des années et qu'à l'adolescence encore il m'arrivait d'y poser les mains et de jouer, sans produire aucun son, les mélodies dont j'avais réussi à déchiffrer les notes sur le vieux livre de chansons que j'avais trouvé à la cave, parmi les objets qu'entassait déjà ma mère, et qui provenait de sa propre vie, de sa vie d'avant, de sa vie sans nous. Et quelques années plus tard, quand mon frère s'était payé son saxophone avec son propre argent, quand mes parents l'avaient aidé à régler les frais que demandait le conservatoire dont il payait plus de la moitié, je n'avais malgré tout pas pu m'empêcher de l'envier, d'en être jaloux et, sans doute un peu meurtri, de lui en vouloir.

Mais de toutes ces choses, qui s'amoncelaient autour de nous, celle qui m'a surpris le plus fut certainement cette pochette me concernant, où étaient consignés des tas d'articles sur mes livres.

— Ah ça, c'est ton père.

— Comment ça ?

— C'est ton père. Il garde tout. Depuis le début. Évidemment, il ne te le dira jamais, mais il est fier tu sais. Pourtant, tes livres, il n'y comprend pas grand-chose. Enfin il comprend bien sûr, mais il n'aime pas ça. Ça le gêne. Ça lui paraît trop intime. Trop impudique. Trop vulgaire aussi. Mais il est fier. De ta réussite. Quand Pivot a écrit son premier article sur toi, tu l'aurais vu. J'ai cru qu'il allait faire le tour de la ville pour le montrer à tout le monde. Il a tout gardé. Tout ce qu'il a pu trouver. À chaque fois qu'un de tes livres sort, pendant deux mois il va à la presse tous les matins et il regarde tout. Ça lui prend presque une heure certains jours. Dès qu'il voit un truc sur toi, il l'achète, il le ramène ici, il le découpe et il jette le reste parce que tu sais, lui, à part la télé... Tu sais, ton père n'a jamais su vous dire les choses, c'est comme ça, les hommes de sa génération, tu sais.

— Et toi, maman ?

— Quoi, moi ?

— Toi, tu crois que tu as su nous les dire les choses ?

— Je... Je sais pas. Non... Sans doute que non. Mais enfin, vous le saviez, non ? Vous l'avez toujours su.

— Que tu t'inquiétais, que tu t'angoissais pour nous, oui, ça, nous l'avons su, nous le sentions, même si, parce que nous étions des enfants, des adolescents ingrats et préoccupés d'eux-mêmes, des jeunes gens plongés dans leur propre vie, soucieux de leur indépendance, de leur envol, soucieux de s'inventer, de se réinventer, nous n'en avons jamais vraiment tenu compte, nous ne nous en sommes jamais vraiment préoccupés, nous n'avons jamais vraiment pensé à ton angoisse, et peut-être même à ta souffrance tandis que tu nous voyais grandir, nous éloigner, vous mépriser parfois, vous détester souvent. Non nous n'y avons jamais pensé mais oui, bien sûr, nous savions.

— Alors. C'est la même chose, non ?

Après ça elle n'a plus dit un mot pendant long-temps. Entre ses mains les photos se succédaient, faisant défiler des jours ordinaires que le temps avait rendus vaguement émouvants pour elle, quand pour moi il s'agissait de rasoirs qui me lacéraient les chairs. Sans que je sache bien pour-quoi, la nostalgie m'était depuis toujours une tor-ture. Je n'y voyais aucun réconfort. Au fond j'aurais préféré qu'on m'efface au fur et à mesure, j'aurais préféré qu'on dissimule les traces, que les lieux s'effondrent, tombent en poussière. J'aurais voulu me retourner et ne rien voir, que tout soit pareil à mes dix premières années, contenu dans une boîte noire introuvable et dont je ne voulais plus rien savoir. J'aurais voulu cela et son contraire. J'aurais voulu que tout s'éclaire. J'aurais voulu trouver la source, guetter le moment où apparaissait la Maladie, comprendre comment on peut vouloir mourir à dix ans, s'effa-cer à seize, se détruire à vingt-cinq ou à trente, se relever puis tout perdre à quarante. Maman ne bougeait plus. Entre ses mains elle tenait une photo quelconque et regardait autour d'elle. Puis soudain elle m'a demandé ce que tous ces cartons faisaient là, pourquoi tout était en bazar comme ça, et son lit au milieu du salon.

— Qu'est-ce que tu veux dire ?

— Tout ça, là, pourquoi c'est comme ça ? Pour-quoi on range tout comme ça ? Et qui a mis le lit ici ?

— C'est papa, ai-je répondu. Parce que tu as du mal à te déplacer. Et les cartons c'est pour le déménagement.

— Le déménagement ?

— Tu sais bien. Vous avez vendu la maison.

Son visage s'est décomposé d'un coup. Elle avait l'air d'une tout petite chose perdue.

— Mais où on va aller ? Je ne veux pas partir d'ici moi.

Elle a répété ça en boucle. J'ai eu beau lui expliquer qu'ils allaient emménager dans un appartement confortable, dans une résidence pour personnes âgées, que de la fenêtre on voyait de beaux arbres où couraient des écureuils, elle n'a rien voulu savoir et ses yeux se sont voilés de larmes.

— Guillaume… a-t-elle lâché. Ne les laisse pas faire je t'en prie. Je ne veux pas qu'ils m'emmènent là-bas.

— Mais qui ça ?

— Ton père et ton frère. Je ne veux pas qu'ils m'emmènent. Tu m'entends, Guillaume ?

— Maman. Moi c'est Paul.

— Ah Paul. Pardon. Mais vous vous ressemblez tellement. Vous n'avez pas le même caractère, mais vous vous ressemblez tellement.

— On n'a pas le même caractère ?

— Oh non, a-t-elle répondu en souriant, en riant presque, et son visage avait soudain rajeuni, la vie y avait fait un retour spectaculaire, oh non vous n'avez jamais eu le même caractère, Guillaume a toujours été aussi affectueux que toi lointain, aussi plein d'assurance et d'allant que toi de mal-être et de doutes, aussi solide que tu étais fragile et tourmenté. C'est bien simple vous étiez le jour et la nuit. Deux faces d'une même personne… Des fois je me dis que pour bien faire il aurait fallu vous réunir, pour faire une personne entière tu vois, une moyenne, quelque chose d'équilibré…

— Il est où ?

— Qui ça ?

— Guillaume ? Il est où maintenant ?

À nouveau la vie a paru déserter son visage. On aurait dit qu'elle voulait s'enfuir pour de bon. Regardant ma mère à cet instant, j'ai soudain eu la sensation de voir son visage de morte, celui qu'elle aurait dans son cercueil.

— On était tellement heureux quand il était là, tu sais. Tellement heureux. Et puis il est parti et après plus rien n'a jamais été pareil. Attention je ne dis pas que c'était pas bien de vous avoir toi et ton frère, mais avec le départ de Guillaume quelque chose s'est écroulé tu vois. Tu sais c'est comme ça. Avec ton père on a fait tout ce qu'on a pu. Mais on ne se console jamais d'avoir perdu son enfant. Jamais.

— Maman. Réponds-moi. Il est où maintenant ?

— Qui ça ?

— Guillaume. Il est où ?

— Tu vas arrêter de faire chier le monde avec ça. Il n'y a jamais eu de Guillaume. Laisse ta mère tranquille, elle a besoin de se reposer. Va faire un tour, putain. Sors d'ici et va faire un tour.

Je me suis retourné et mon père fulminait. Mon frère se tenait derrière lui, le visage fermé, me lançant des regards noirs. Près de moi ma mère fixait le vide, perdue dans les limbes. Son esprit errait quelque part, dans des contrées incertaines, brumeuses et floues, où les époques et les visages semblaient se superposer et se confondre. J'ai serré sa main et je suis sorti, j'ai quitté le salon puis la maison sans un regard pour François ni pour le vieux. J'ai marché dans les rues alentour, des rues pareilles et bordées de prunus, aux trottoirs lie-de-vin. Les rues que j'arpentais à vélo enfant, la morve au nez et les yeux rivés sur les façades des maisons, sur les fenêtres allumées où se laissaient deviner des silhouettes, des vies menues et concrètes dont j'enviais le calme, la sécurité, la régularité. Je voyais des adultes exécutant des gestes d'adultes comme s'ils allaient de soi, comme s'ils savaient exactement ce qu'on attendait d'eux et qu'ils savaient parfaitement comment répondre à cette attente, et cette vision me sidérait. Depuis tout gosse les fenêtres allumées m'aimantaient, aujourd'hui encore je ne pouvais m'empêcher de les regarder tandis que je marchais, que je roulais en voiture ou qu'un train m'emmenait. Me fascinaient ces vies alignées qui n'étaient pas la mienne. Tout me paraissait toujours plus réel et plus sûr derrière ces vitres, dans le carré jaunâtre où dînaient les familles, où se couchaient les parents, où jouaient les enfants, où l'on veillait devant le téléviseur. Souvent je rêvais que ces salons, ces chambres et ces cuisines étaient les miennes et que j'y vivais, et les regardant j'avais toujours l'illusion que c'était là qu'aurait été ma place. Peu m'importait l'allure du salon de la chambre de la cuisine, peu m'importaient les gens qui y vivaient, il me semblait souvent que ma place était là, parmi eux, plus que nulle part ailleurs, plus que chez moi. Aussi loin que me portaient mes souvenirs me revenait ce sentiment de ne pas habiter ma propre vie et de regarder celles des autres comme si elles m'attendaient. J'avais l'impression qu'il serait alors aisé de m'y fondre, de m'y couler. N'importe quelle vie. Coulant dans n'importe quel sens. J'avais l'impression que tout était plus réel, plus solide, moins équivoque, moins friable, moins incertain.

Je suis rentré pour le dîner et ce fut un moment aussi étrange que ceux qui avaient précédé : nous nous sommes retrouvés dans la cuisine, tous les quatre comme trente ans plus tôt, le père la mère et leurs deux enfants, mangeant dans un silence mêlé de gêne, que trouait parfois une tentative de discussion dont le seul objet était de détourner l'attention de ce qui s'était passé plus tôt et menaçait de tourner au vinaigre. Tout cela était si typique, ces tentatives de noyer le poisson sous des tonnes de propos annexes, considérations pratiques sur tel ou tel modèle de voiture, telle émission de télévision, puis un commentaire sur tel fait d'actualité – en l'espèce sur l'ancien directeur du FMI, dont la veulerie prouvait bien, une fois de plus, que tous ces gens étaient pourris –, mon frère attrapant la balle au bond et se braquant aussitôt contre moi, laissant entendre qu'ils étaient tout de même nettement plus pourris à gauche qu'à droite, plus dépravés, plus corrompus, moins moraux, et ma mère, qui semblait avoir retrouvé ses esprits, se tassant sur sa chaise en espérant que passe l'orage, tandis que j'égrainais les faits prouvant plutôt le contraire, les dizaines d'affaires de corruption, de prise illégale d'intérêt et de conflits du même nom dans lesquelles trempait la majorité actuelle. Sans faillir la discussion dégénérait et pas plus que vingt-cinq ans plus tôt mon frère et moi n'étions d'accord. Ni sur l'école ni sur l'éducation des enfants, ni sur la sécurité ni sur l'immigration, pas plus que sur les mérites de telle ou telle personnalité politique. J'évitais soigneusement de mentionner la Blonde, mais la manière dont mon père s'agaçait dès que j'évoquais la première secrétaire du Parti socialiste (selon lui les trente-cinq heures avaient tué le pays, j'avais beau lui rétorquer qu'il avait été le premier à en profiter et lui rappeler que sous la gauche le chômage avait diminué comme jamais, il n'en démordait pas : la mesure avait désorganisé le pays et bloqué les salaires. Mais enfin, répondais-je, tu crois vraiment que les patrons les auraient augmentés si la mesure n'était pas passée ? Tu le crois vraiment ? Tu ne crois pas plutôt que ça a été pour eux une bonne excuse ? Une aubaine. Une justification bidon, qui leur tombait toute cuite dans la bouche. Franchement, tu ne crois pas que sans les trente-cinq heures tout serait resté exactement pareil ?), son principal concurrent pour les primaires qui allaient bientôt se tenir (qu'il continuait à surnommer Flamby, en dépit de son amaigrissement, de ses nouvelles lunettes, d'un ton grave et d'une gestuelle qui se voulait dorénavant présidentielle. Et comment pouvait-on faire confiance à un type qui avait passé vingt-cinq ans avec l'autre cruche et lui avait fait quatre enfants ?), ou pire encore la probable candidate des Verts pour la présidentielle (qui n'avait qu'à se présenter dans son pays), le mépris teinté de déception qu'il arborait dès lors que l'on parlait du Président et de sa clique (que mon frère continuait à défendre, louant son attitude face à la crise, son volontarisme et sa stature d'homme d'État), tout cela ne laissait plus aucun doute sur ses préférences et ses intentions lors des prochaines élections. Les entendre tous les deux me glaçait le sang. Leur alliance avait quelque chose de l'ordre de l'émulation. Ensemble ils ne se retenaient plus et se livraient à tous les amalgames possibles.

— De toute façon, pourris, là-haut, ils le sont tous. Tous à la solde des marchés, à la solde des riches ou à leur propre compte. Qu'est-ce qu'ils en ont à foutre de nous ? Qu'est-ce qu'ils en ont à foutre, des gens du peuple ?

Mon frère opinait et à son acquiescement je sentais qu'il s'incluait dans ce nous, malgré son salaire de vétérinaire et son pavillon cossu des banlieues chics du 78, tandis qu'il me déniait le droit d'en être. Comme des années plus tôt j'ai prié pour qu'on passe au dessert, pour que je puisse enfin sortir de table et m'isoler dans ma chambre, alors qu'au rez-de-chaussée résonneraient les premières notes de l'émission du soir sur TF1. Ce qui n'a pas manqué d'arriver et tenait à la fois de la désespérance et de la bénédiction.

Il était trois heures du matin quand mon frère est venu me réveiller. Maman avait disparu. Visiblement elle était sortie pendant que mon père dormait. Ses vêtements étaient pliés sur la chaise près du lit, sa veste et ses chaussures rangées dans la penderie. Selon toute vraisemblance elle était partie en robe de chambre et chaussons. En sortant dans le jardin il avait trouvé le portail entrouvert et la rue déserte. Je me suis habillé en vitesse et j'ai suivi François. Notre père était déjà parti vers la droite en direction du centre-ville, même si cela ne voulait rien dire, même si cette appellation ne s'attachait à rien de plus qu'un arrêt de bus jouxtant l'église, un bar, une boulangerie, un Simply et une agence de la BNP. Nous nous sommes séparés. Mon frère a disparu dans le dédale des rues pavillonnaires. J'ai pris la direction du lotissement voisin. Tout était désert et calme. Il faisait tiède et les réverbères plongeaient les allées dans une lumière irréelle. On aurait dit une ville de carton-pâte, de maisons en papier, un décor dans lequel on s'attendait à voir se faner les géraniums, surgir des femmes somnambules et dépressives en chemise de nuit marchant sur l'herbe, des hommes bras nus contemplant la lune une bière à la main, usés et baignés de lumière céleste, implorant quelqu'un ou quelque chose. On se serait cru dans une photo de Gregory Crewdson. Mais rien ne se produisait. Ici un chien se mettait à aboyer à mon passage, ailleurs une fenêtre laissait passer le halo du téléviseur ou d'un écran d'ordinateur. Aucun adolescent échappé d'un film de Larry Clark ou de Gus Van Sant, bonnet sur le crâne, skate sous les pieds, ne jaillissait d'aucune ruelle. J'ai laissé les pavillons derrière moi, marché vers la cité des Bosquets, où rien ne bougeait non plus. Sous les tours se garaient des voitures qui n'allaient pas brûler de sitôt. Au milieu des pelouses mitées, on aurait dit que les jeux pour enfants ne serviraient plus jamais à quiconque. Tout était plongé dans un silence profond. La ville semblait n'avoir été jamais habitée, et ma mère s'être évaporée.

Quand je suis rentré à la maison, mon frère et mon père étaient là eux aussi. Chacun pendu à un téléphone, l'un appelant les hôpitaux, l'autre la police. Mon père a raccroché visiblement soulagé. Les flics l'avaient retrouvée assise sous un abribus, perdue et incapable de leur dire autre chose que son nom. Ils se rendaient au commissariat lorsque mon père avait appelé, et pensaient nous la ramener d'ici quinze à vingt minutes. Nous avons attendu en silence. Mon frère nous a servi trois verres de vin, enfin ce qu'il appelait du vin, un truc des bords de Loire, on sentait bien en y trempant les lèvres qu'aucun grain de raisin n'avait vu le soleil de toute sa courte vie. Au bout d'un quart d'heure on a frappé à la porte. Deux flics encadraient ma mère, son visage absent, ses cheveux défaits. Elle avait l'air épuisée, dormait debout et ne tenait qu'appuyée au bras des policiers. Mon frère l'a prise par la main et accompagnée jusque dans son lit.

— Elle attendait le bus. C'est ce qu'elle nous a dit. Qu'elle attendait le bus et qu'elle allait voir un certain Guillaume.

François m'a fusillé du regard. Il n'a pas eu besoin de prononcer le moindre mot, je savais bien ce qu'il pensait : tout était de ma faute, j'avais ajouté à la confusion en lui reparlant de mon jumeau mort qui n'était jamais né, qui n'avait jamais existé que dans ma tête. À son regard j'ai compris qu'il était au courant de l'affaire. Mon père avait dû l'alerter quelques semaines auparavant. Derrière lui, le visage du vieux s'était décomposé. Il signait les papiers que le plus grand des policiers lui tendait. Le plus petit m'a demandé si elle était suivie. J'ai répondu qu'elle l'était, plus ou moins, mais que c'était la première fois que ce genre de chose arrivait. On attendait les résultats d'analyses.

— Elle est très fatiguée ces temps-ci. Elle prend des antidouleurs qui lui mettent la tête dans le coton, c'est tout, a coupé mon père.

Décidément, le déni était une religion dans la famille. Guillaume n'avait jamais existé. Maman n'avait d'autres problèmes qu'osseux. Mon frère et moi nous adorions. Je n'avais jamais voulu me suicider à dix ans. Je n'avais jamais arrêté de m'alimenter à seize. Et mon père était un homme doux et aimant, juste un peu maladroit avec les mots, ce qui sans aucun doute tenait à l'époque, venait de son éducation et du milieu social dont il était le fruit. Bien évidemment il n'avait jamais voté pour le Front national, et ne le ferait jamais. Tout allait pour le mieux dans le meilleur des mondes. À part moi, qui bien sûr n'avais pas suivi le bon chemin, qui avais toujours été bizarre, m'imaginant des choses, coupant les cheveux en quatre, me torturant l'esprit pour rien, m'inventant des histoires pour faire le malin, écrivant des livres sombres et impudiques, des livres où je me répandais sans dignité.

J'ai raccompagné les policiers à la porte. Le grand m'a conseillé de mieux la surveiller dorénavant. On aurait dit qu'il parlait d'une enfant. On aurait dit qu'il s'adressait au père d'un adolescent qu'il aurait ramassé au moment même où le gosse achetait de l'herbe à des types en survêtement bourrés de tics nerveux.

— Elle vous a dit où elle voulait aller exactement ?

— À Villeneuve-Saint-Georges. Mais elle n'était pas rendue. Le premier bus doit passer vers six heures et il y a au moins trois changements. Elle aurait eu plus vite fait en RER. Mais c'est comme ça. Les vieux préfèrent prendre le bus. Ils flippent dans le métro et le RER, la gare, tout ça. Remarquez, moi-même, je ne suis pas toujours rassuré là-dedans.

J'ai refermé la porte en me demandant ce qui pouvait bien l'inquiéter là-dedans, à part la présence de Noirs et d'Arabes. Je me suis rappelé combien mon père était tendu l'autre jour, près de la cité des Acacias lorsque nous étions passés devant l'arrêt qui desservait la gare. Il s'était mis à fixer le sol et à raser les murs, comme si un de ces types comptait vraiment s'en prendre à lui, comme ça sans raison, comme si on traversait une zone sauvage, non civilisée, où la violence était sinon omniprésente, du moins une possibilité parmi d'autres, comme si cet endroit ressemblait véritablement à ce qu'en disait la télévision, le soir après vingt-trois heures, sur M6 ou TF1.

Quand je suis retourné dans le salon, mes parents s'étaient recouchés et les lumières étaient éteintes. Mon père m'a demandé si j'avais bien pensé à fermer à clé cette fois. J'ai senti un reproche se faufiler dans sa voix. Bien sûr, c'était encore de ma faute, avec ma manie de ne jamais fermer derrière moi, ma manie de ne pas avoir peur que quelqu'un entre et vienne nous égorger, ma manie de n'être pas paranoïaque, ma manie de ne pas vouloir admettre qu'on vivait dans un monde dangereux. Bien sûr tout ça n'avait rien à voir avec la fugue de maman, mais tout de même, si la porte avait été bien fermée, rien ne se serait produit. Je suis remonté dans ma chambre et mon frère m'attendait dans le couloir.

— T'es content ? T'as encore bien foutu ta merde ?

— Comment ça « encore » ? Comment ça « foutu ma merde » ?

Il m'a toisé en secouant la tête. C'était toujours pareil, je faisais mon innocent, peut-être même que je croyais l'être, je foutais ma merde et je n'étais jamais responsable de quoi que ce soit. Et après qui allait réparer les pots cassés, ramasser les morceaux et tenter de les recoller ? C'était lui bien sûr.

— Tu es irresponsable. Tu agis comme s'il n'y avait que toi qui existais, qui avais des problèmes. Tu ne tiens jamais compte de rien, ni des circonstances, ni des autres. Tu balances des tas de saloperies sur nous dans tes bouquins et tu ne te soucies pas un instant du mal que ça peut nous faire. Tu viens voir les parents une fois par an, tu leur soustrais leurs petits-enfants et tu te fous du mal que ça peut leur faire. Tu repars avec cette histoire de frère jumeau alors que maman est en pleine confusion mentale et tu te fous des conséquences. C'est tout toi ça. Tu fous la merde, tu la remues et tu te barres. Et c'est moi qui nettoie. Moi qui dis aux parents, mais non, vous vous faites des idées, c'est pas qu'il s'en fout de vous, c'est pas qu'il ne veut pas que vous puissiez voir et connaître et aimer vos petits-enfants, c'est juste qu'il est très occupé, qu'il a besoin de se retirer en lui-même pour écrire ses bouquins et quand ils sortent vous savez comment c'est, les librairies les radios les journalistes, tout ça doit l'épuiser le vider il a besoin de repos, de calme, et puis vous le connaissez il a toujours été sauvage et solitaire ; c'est moi qui leur dis, mais non, vous vous faites des idées, c'est pas de vous dont il parle dans ses romans, c'est pas de moi non plus, mais non quand il écrit qu'il se souvient pas de son enfance, qu'il a eu une adolescence de merde et qu'il n'a commencé à vivre que quand il est parti de la maison ça ne parle pas de vous, vous avez été de bons parents, et même si ça parlait de vous, vous n'êtes pas responsables de sa santé mentale, vous avez fait tout ce que vous pouviez, les parents ne sont pas responsables du cerveau de leurs enfants, de leur malheur, de leur mal-être, de leur douleur. Et quand dans les articles ils parlent de notre petite maison de merde dans notre banlieue de merde et des parents qui ont arrêté l'école à quatorze ans et de cette vie que tu as voulu fuir avec tes bouquins tes grands airs et tes poses de « gens des arts et des lettres », c'est moi qui leur dis, mais enfin vous savez bien, les journalistes, ils écrivent du haut de leurs apparte-ments parisiens, pour eux tout ce qui ne res-semble pas à leur vie bourgeoise et chic et branchée est forcément sinistre et méprisable, Paul n'a jamais dit ce genre de trucs, c'est eux qui déforment ses propos, vous savez bien que c'est pas son genre de cracher sur les siens, sur le milieu dont il est issu, c'est pas son genre d'avoir honte des siens, hein c'est pas son genre. C'est pas son genre ? C'est bien vrai ? C'est pas ton genre, ça ?

Ses yeux allaient sortir de leurs orbites. Il avait débité tout ça à voix basse, entre ses dents serrées, vidant son sac en caleçon et tee-shirt dans l'enca-drement de la porte de sa chambre d'enfant.

— Tu ferais mieux d'aller te coucher, ai-je lâché. T'es fatigué. Tu racontes des conneries. Comme toujours quand t'es fatigué.

— C'est ça. Je suis fatigué. Espèce de petit connard.

Sur ce j'ai tourné les talons et je suis allé m'étendre sur mon lit. Un instant j'ai repensé à tout ce que mon frère venait de m'envoyer à la figure, j'ai repensé au mari de Sophie, les deux se superposaient, se complétaient, semblaient vouloir me dire que je n'étais bon à rien, que j'abîmais tout, que le peu de vie que je m'autorisais était encore trop, que la seule manière que j'avais trouvée d'être présent aux autres et au monde était néfaste, inutile, superflue, négative. Je ne me suis pas déshabillé. Je me suis endormi comme une masse. J'ai rêvé de Sarah et des enfants, nous marchions dans la forêt de bambous de Sagano, aux abords de Kyoto, tout baignait dans une lumière vert et jaune, se déposant sur les champs où poussaient des graminées et que bordait un étang semé de lotus. De l'autre côté de la route étroite où ne passaient que de rares taxis à la carrosserie noir satin se dressait une maison au toit de chaume et cernée de plaqueminiers. Des kakis jonchaient le sol et nous nous tenions par la main sous le ciel poncé. Au cœur du sommeil j'ai joint les doigts pour que ce ne soit pas un rêve. Je savais que c'en était un. J'étais conscient de rêver et de prier pour que ce ne soit pas le cas. Mais j'ai prié quand même.

Au matin j'étais encore là-bas, flânant au milieu des jardins, somnolant sur la terrasse que soutenaient des pilotis plantés dans les eaux lisses de l'étang du Daikaku-ji. Sarah tenait ma main, le visage tendu vers le soleil, Manon dormait la tête sur mon ventre et Clément jetait du pain aux canards. L'air avait une fraîcheur agréable, et de l'autre côté de l'eau les arbres tanguaient doucement, laissant entrevoir des parcelles cultivées et semées de camionnettes, de vélos munis de paniers et des cabanes à outils. Au réveil j'ai appelé la maison. Sarah était déjà au travail. C'est Clément qui a décroché. On était mercredi et il avait une petite voix chiffonnée. À l'arrière-plan j'entendais le son des dessins animés. Je l'imaginais très bien en pyjama avec son bol de céréales sur le lit qui servait de banquette, fixant l'écran en se frottant les yeux de temps en temps. Je lui ai demandé comment ça allait. Il est resté évasif. Je le connaissais par cœur et à sa manière empruntée de me donner des nouvelles de l'école j'ai compris qu'il me cachait quelque chose et que sa mère lui avait intimé l'ordre de ne m'en parler sous aucun prétexte. Ça aussi je le sentais d'ici. De cette chambre vidée dont ne subsistaient que le lit et aux murs les traces laissées par des étagères maintenant démontées, prêtes à être embarquées dans la camionnette de location qui stationnait déjà devant la maison, à bord de laquelle François allait multiplier les allers-retours, jusqu'à ce que ne restent plus dans la maison que les meubles destinés au nouvel appartement et les cartons qui allaient suivre mes parents ; les autres étaient destinés aux coffres de nos voitures, aux deux brocanteurs qu'avait contactés mon frère, et à la déchetterie pour ce qui ne trouverait aucun preneur. Oui je voyais ça d'ici, Sarah expliquant à Clément qu'il ne fallait rien répéter, sans quoi son père allait encore faire des histoires. Au fil des années c'était devenu courant ces cachotteries que je découvrais sur le tard, un problème avec un prof, un camarade, un voisin, Sarah avait peur que je ne m'échauffe et ne vienne foutre un bordel qui ne ferait qu'aggraver la situation, et Manon n'était pas loin de penser comme elle : depuis plusieurs années déjà elle ne voulait pas que je me mêle de la plupart de ses affaires. J'en avais suffisamment fait comme ça.

— Qu'est-ce qui s'est passé ?

— Mais rien papa

— Passe-moi ta sœur.

Manon n'a pas été longue à cracher le morceau. Cette gamine avait toujours été incapable de mentir. Elle était profondément inapte à la manipulation, aux faux-semblants, à l'hypocrisie, au cynisme, ce que je considérais comme une force mais qui, je le voyais bien, lui attirait parfois des ennuis, déconvenues et autres peines dont la vie sociale sait vous inonder à cet âge. Aux yeux de certains, elle passait pour indécrottablement gentille et naïve mais il n'en était rien. Elle avait juste un goût sévère, implacable, pour la clarté, la franchise, la vérité et la justice. Je la voyais bien devenir juge d'instruction, un de ces juges qui irritent les puissants de ce monde par leur probité extrême, leur dégoût du mensonge et des petits arrangements.

— C'est l'autre. Hier il a engueulé Clément et il y est allé un peu fort.

Elle n'a pas eu besoin de préciser. J'ai immédiatement compris qu'elle parlait de Clooney.

— C'est-à-dire ?

— Il lui a filé une fessée.

— Quoi ?

— Il lui a filé une fessée. Mais bon, Clément ne l'avait pas volé. Je ne sais pas ce qu'il avait, il piquait sa crise pour une histoire de dessert...

— Et maman était là ?

— Non. Elle est rentrée un peu après.

— Maman n'était pas là et l'autre était à la maison ?

Un silence un peu gêné s'est faufilé entre nous. Manon n'a pas voulu me faire de peine. Elle savait combien apprendre que Clooney avait la clé de chez nous et qu'un jour il s'y installerait, dînerait avec eux en attendant que Sarah rentre de l'hôpital, regarderait la télé avec eux, superviserait les devoirs, ferait tout ce que je faisais il n'y avait pas plus d'un an encore, me flinguait au-delà de toute mesure.

— Ta mère est au courant ?

— Qu'il était là ?

— Non, Pour la fessée.

— Ben oui. Clément lui a dit. Mais seulement ce matin, avant qu'elle parte au boulot. L'autre était déjà parti.

On a continué à bavarder un moment comme ça. Je suis descendu au salon tandis qu'elle me détaillait le programme de la journée (les copines, un ciné l'après-midi, son cours de danse, etc.). Mon père scotchait les derniers cartons pendant que ma mère rangeait le lave-vaisselle. Quand elle m'a vue elle m'a lancé un grand sourire. Elle semblait avoir parfaitement récupéré de la veille. J'ai raccroché et je l'ai embrassée sur la joue.

— Bien dormi ? lui ai-je demandé sans malice.

— Oh tu sais, je dors jamais bien. Je pense trop. Les soucis c'est comme les moustiques. Dès que la lumière s'éteint ils se mettent à voleter partout en faisant ce bruit horrible et alors c'est fini, tu peux plus dormir.

Je ne lui ai pas demandé de quels soucis il pouvait bien s'agir. Maintenant que nous ne lui en causions plus. Maintenant que le travail faisait partie pour elle d'une vie ancienne et presque oubliée. Je suis sorti dans le jardin pour appeler Sarah. Mon frère avait ouvert en grand la porte de la cave et faisait des allers-retours vers la camionnette, la bourrant de chaises, de guéridons, de tables, de tapis, de planches de bois qui une fois assemblées donneraient un lit, des étagères, une commode.

— Tu m'aides pas, là ?

— Non. Pas là, non.

Il a souri. C'était un de nos échanges typiques d'autrefois. Un gimmick parmi d'autres, issu de notre adolescence et emprunté à un épisode des *Bronzés*, dont les deux premiers numéros contenaient, aux côtés des dialogues de Michel Audiard et des films du trio Zucker Abraham Zucker, l'essentiel de notre répertoire. Prononcer ces mots revenait pour lui à fumer le calumet de la paix. C'est ainsi que se tassaient toujours nos engueulades. Ainsi que nous avions coutume de nous accorder une trêve. Je me suis éloigné et j'ai composé le numéro de mobile de Sarah. Elle a répondu en soupirant. Elle était à l'hôpital et je la dérangeais, du reste elle connaissait parfaitement le motif de mon appel, Manon venait de la prévenir, la petite n'avait jamais su tenir sa langue et avait compris dès le départ que les choses allaient finir ainsi.

— Je vais lui casser la gueule, Sarah. Dès que je rentre, je lui casse la gueule. J'appelais juste pour te prévenir. C'est tout.

— Écoute, Paul. Lui casser la gueule, tu l'as déjà fait. Et à part t'envoyer pour de bon chez les flics cette fois, je ne vois pas très bien à quoi ça va te mener.

— Il a levé la main sur Clément.

— Peut-être. Mais pour la police ce n'est pas un motif suffisant pour casser la gueule à quelqu'un. Tu es bien placé pour le savoir. Pour la plupart des gens non plus d'ailleurs, tu le sais bien.

— Attends. Qu'est-ce que t'essaies de me dire ? Que j'ai tort d'être en colère ?

— Non. Tu n'as pas tort. Et moi aussi je suis en colère. Et je vais le lui faire savoir. Et ça ne se reproduira plus. Paul, je dois te laisser.

La communication s'est interrompue et j'ai senti un petit filet de joie circuler dans mes veines. Elle lui en voulait. Ça se sentait rien qu'à sa voix. Elle lui en voulait vraiment et ce connard allait passer un sacré mauvais quart d'heure. Habituellement, je n'étais pas homme à me réjouir du malheur des autres, mais pour lui j'étais prêt à faire une exception. Je n'étais pas loin de souhaiter qu'il crève. Ça pouvait sembler cher payé pour avoir le droit de baiser ma femme, de s'installer chez moi, de s'occuper de mes enfants et de les maltraiter à l'occasion, mais à mes yeux c'était le minimum. J'ai laissé mon frère et mes parents s'affairer. Après tout je n'étais dans tout cela que d'une utilité relative.

À ce moment précis, j'ignorais que je n'allais pas revoir ma mère autrement que dans un lit d'hôpital. Et qu'elle ne mettrait jamais les pieds dans son nouvel appartement.

J'ai roulé en direction de Villeneuve-Saint-Georges. Si Guillaume y résidait, c'était forcément sous terre. J'ai visité tous les cimetières de la ville, ratissé les allées, examiné chaque tombe, chaque inscription dans le marbre. C'étaient des endroits laids et nus pour la plupart, des allées de gravillons grisâtres d'où ne s'élevait pas le moindre arbre, pas la moindre fioriture, un simple alignement de pierres tombales, un quadrillage macabre d'une tristesse infinie. Ces lieux semblaient seulement conçus pour ranger et entasser les défunts. Rien n'y disposait au recueillement, au souvenir, à l'hommage aux disparus. Chérir les absents, communier avec les fantômes n'avait aucun sens ici. Maintes fois j'avais fait part à Manon de mon désir d'être brûlé après ma mort et que mes cendres soient dispersées sur la plage des Chevrets. Je lui disais qu'ainsi elle et son frère pourraient penser à moi en contemplant la mer, les dunes et les falaises, la presqu'île et les oiseaux qui nichaient là-bas par centaines, mais Manon n'en démordait pas, elle préférait une tombe, un cimetière, imaginer mon corps brûlé était pour elle insoutenable, m'imaginer mort tout court de toute façon, elle fondait en larmes et je devais la consoler en me demandant ce qui avait bien pu nous pousser à avoir cette conversation. Marchant parmi ces tombes laides et froides, je pensais aux morts du Japon, à leurs corps qu'on conservait dans des frigos en attendant de les incinérer. Des semaines, des mois seraient peut-être nécessaires avant d'épuiser le flux. Je pensais à ces corps inanimés et froids, à ces milliers d'âmes errantes qui attendaient d'être rassurées, qui attendaient les prières et sacrements censés leur montrer la voie et les apaiser. Entre-temps, elles flottaient au milieu de nulle part, au creux de ténèbres glacées par l'effroi, rongées par le désarroi, et leurs proches les pleuraient plus encore, impuissants, mortifiés de les savoir ainsi en déshérence, de faillir, de ne pas être en mesure d'accomplir les gestes, de prononcer les mots qui étaient à leur charge. Rien de tout cela ne dépendait d'eux mais ces gens s'en voulaient, tremblaient de peine et de colère ; assis sur des tapis de fortune, dans des gymnases frigorifiés, sans plus de maison ni de travail, sans plus aucun abri, aucune possession, aucun statut, ils n'en finissaient plus de pleurer leurs morts et de s'inquiéter pour leurs âmes égarées.

J'ai fini par trouver Guillaume, au fond du sixième cimetière, le plus petit, le seul à posséder quelques arbres. Sa tombe était minuscule et nappée d'ombre par un grand pin jonchant la terre environnante d'un tapis serré d'épines blondes. Le soleil entre les branches dessinait des taches dorées un peu partout. En la découvrant j'ai eu la sensation très nette qu'une part de moi était enterrée là, au fond de ce cimetière de banlieue. Qu'une part de moi était morte et reposait là pour toujours, parmi ces tombes encerclées de vieux murs de pierre mangés par le lierre, au beau milieu d'un assemblage hétéroclite de pavillons crépis et munis de jardins carrés, d'immeubles mal entretenus et séparés par des pelouses mitées où plus personne ne jouait depuis des siècles, cernés de routes et de voies ferroviaires filant vers le centre. Une part de moi était là pour toujours, dans une de ces villes semblable à mille autres, floue, comme en attente de quelque chose qui n'arriverait jamais.

Je ne suis pas rentré chez mes parents. J'ai garé ma voiture près de la gare et j'ai pris un RER pour Paris. J'ai regardé défiler le paysage périurbain, abscons, sans logique, qui demeurerait à jamais mon territoire, ma terre d'origine. La rame était presque déserte. Quelques Blacks, écouteurs sur les oreilles, se lançaient des vannes et effrayaient sans rien faire trois petits vieux qui en entrant avaient cherché les places les plus éloignées possible. Je suis descendu aux Halles, j'ai quitté le Forum par la rue du Pont-Neuf, où j'avais travaillé durant une période : c'est là que j'avais rencontré Alex et Lorette, avant que la société ne déménage aux abords de la place Franz-Liszt. C'est là que j'avais écrit mes premiers romans et fait brûler pas mal de poubelles en y laissant tiédir la cendre des cigarettes que je fumais à la chaîne. J'ai traversé le pont qui menait à Saint-Germain-des-Prés. J'ai jeté un œil à la pointe de l'île de la Cité, les berges formant un triangle autour du petit square où Sarah et moi nous étions embrassés pour la première fois ; j'étais enrhumé et me mouchais toutes les trois secondes, Sarah avait les mains gelées et je tentais en vain de les réchauffer, sa bouche m'aspirait et me projetait dans une contrée tiède et d'une douceur insensée que je fouillais du bout de la langue. Un peu avant nous avions passé deux heures dans un cinéma, durant tout le film j'avais eu l'intention de l'embrasser mais je n'avais pas osé, pendant deux heures j'avais contemplé son visage tendu vers l'écran où Jacques Dutronc jouait Van Gogh, de temps en temps elle se tournait vers moi et me souriait, et son visage incroyablement net et lumineux à cet instant n'est jamais sorti de ma mémoire. Quatre ans plus tard nous irions voir *Le Garçu* du même Pialat, et j'en sortirais bouleversé au-delà de toute mesure, ignorant alors que quinze ans après je serais pareil à Gérard Depardieu allant chercher son gosse chez son ex-femme et croisant Dominique Rocheteau à la place qui était la sienne quelques mois plus tôt, ignorant que notre histoire finirait ainsi, prévisible et banale, ignorant qu'à l'image de Marlène Jobert et de Jean Yanne dans un autre film encore nous ne vieillirions pas ensemble. J'ai marché dans les rues animées qui menaient vers la place Saint-Germain-des-Prés. Aux terrasses paradaient des types portant au moins deux mille euros de vêtements sur le dos, des filles qu'on aurait dit sur le point de se rendre à un casting pour devenir actrices ou mannequins peu importe, elles se foutaient bien du cinéma ou de Christian Lacroix, la seule chose dont elles ne se foutaient pas c'était d'elles-mêmes, derrière la façade arrogante et tellement consciente de leur beauté et de leur propre valeur, de leur supériorité innée ne se lisait pas la moindre faille, aucune vulnérabilité. Au fond ces gens ne semblaient pas exister vraiment, me paraissaient appartenir à une autre espèce que la mienne, une espèce dont je voulais surtout ne rien savoir, avec laquelle je ne voulais surtout rien avoir affaire. J'ai longé le boulevard jusqu'à l'église. À l'intérieur il faisait sombre et frais, un parfum de bois ciré et d'encens saturait l'air. Au premier rang deux vieilles priaient, à genoux face au Christ endolori. Sous les vitraux l'air vibrait orange à la lueur des cierges alignés. J'en ai allumé un, j'ignore pourquoi j'ai accompli ce geste, je n'avais jamais été croyant, j'avais toujours été rétif aux rituels et au fatras catholiques, seuls me fascinaient quelques mystiques, seuls me troublaient les rites shinto et bouddhique tels qu'ils se pratiquaient au Japon, où tout, me semblait-il, avait à voir avec notre finitude, notre dérisoire petitesse face au monde et à la vie, notre appartenance au vivant, à la nature, ce sentiment océanique dont j'étais si souvent la proie, contemplant la mer ou la voûte du ciel, perdu dans le cœur noir des forêts. J'ai regardé la bougie se consumer. Aucune pensée particulière ne parcourait mon cerveau. J'avais juste la sensation d'être profondément relié à Guillaume, à une part morte, enfouie de moi-même. Tout ce temps des larmes ont dévalé mes joues, sans hoquet, sans douleur, comme on ouvre des vannes pour que se déverse ce qui était retenu depuis trop longtemps, comme on se vide d'un trop-plein. Je ne sais pas combien de temps j'ai passé ainsi. Une heure. Peut-être plus. Dans mon dos les gens allaient et venaient, des touristes, des croyants, des badauds venus s'abriter, se reposer un peu, ainsi que je l'avais fait l'été où j'avais travaillé dans le quartier, face à l'église était encore sise une librairie fameuse où je passais un bout de mes pauses, avant d'entrer ici et de m'asseoir pour griffonner quelques mots que mon écriture rendait immédiatement illisibles à qui que ce soit d'autre qu'à moi. Quand je suis sorti, la lumière du jour m'a aveuglé. Il n'était pourtant plus si tôt. J'ai marché jusqu'à l'immeuble abritant la société d'édition qui publiait mes textes depuis bientôt quatorze ans. Une fête s'y donnait pour célébrer l'anniversaire de la maison et j'avais promis d'y faire une apparition. Je n'étais jamais à l'aise dans ce genre de circonstances, que j'évitais au maximum : c'était comme si elles exacerbaient et portaient à son point de douleur maximale le sentiment d'étrangeté qui était le mien dans ce milieu où j'étais accueilli pourtant depuis pas mal d'années et où on m'offrait une place que je n'avais jamais osé espérer occuper un jour. Je n'avais aucune envie de me retrouver au milieu de ces journalistes dont une partie, même congrue, me méprisait, de ces auteurs dont j'aimais parfois les textes mais avec qui j'étais incapable d'échanger plus de deux mots, ni même de croiser le patron de la maison : quatorze ans de cheminement commun n'avaient pas réussi à faire de nous autre chose que des collaborateurs, des relations de travail. Je n'avais envie de rien de tout cela mais moins encore de rester seul, et Lorette serait là, elle travaillait dans la maison depuis plusieurs années maintenant, j'espérais qu'elle n'allait pas s'attarder, qu'après quelques verres nous prendrions congé pour rejoindre Alex, Olivier et les autres dans leur salon, où les verres se rempliraient à un rythme régulier et rassurant, où la musique jouerait suffisamment fort pour que personne ne se sente obligé de parler ou de lancer une conversation, plongés dans cette atmosphère d'affection non feinte, d'intelligence rieuse, de chaleur humaine qui était tout ce dont j'avais besoin ce soir-là. Dieu merci, c'est ce qui s'est produit. Bien sûr il m'a fallu tout de même passer deux heures à occuper mes mains avec une cigarette, descendre des gobelets de champagne trop vert. Bien sûr il a fallu sourire à tous ces gens qui venaient me saluer. Journalistes parfois mielleux dont certains avaient descendu un de mes livres (il y avait notamment cette femme qui avait écrit un jour au sujet d'un de mes romans qu'il n'était pas crédible au prétexte que je faisais entrer dans le crâne de mon héroïne, caissière au chômage, mariée à un chauffeur de bus, vivant à Calais et ayant grandi dans une cité HLM, « des pensées, une clairvoyance et une intelligence incompatibles avec son milieu d'origine »... Le plus drôle était que cette femme venait elle-même de la banlieue et de la classe moyenne. En la matière, les transfuges étaient parfois les plus zélés. S'en prenant à tout roman traitant des classes populaires avec empathie, fustigeant ce qu'ils qualifiaient d'éloge de la médiocrité, d'apologie de la beauferie, raillant la démagogie bien-pensante de leurs auteurs, tentant à tout prix d'effacer les stigmates de leurs origines populaires, rejetant des lieux, dont ils voulaient surtout faire oublier qu'ils y avaient grandi, et des gens qu'ils avaient fuis, c'était me semblait-il avec leur propre enfance, leurs parents qu'ils réglaient leurs comptes. Et je ne voyais pas ce que mes livres venaient faire là-dedans.) Critiques ne manquant jamais de louer en moi l'auteur « social » que j'étais à leurs yeux, pas un auteur tout court mais un auteur « social », comme si, à l'heure où la plupart des romans prétendant parler de la société française portaient sur les traders, les patrons, les cadres supérieurs, les gens de télé, les mannequins, la jet-set, les pubeux, les artistes surcotés – comme si vraiment la France n'était composée que de ça –, écrire sur les classes moyenne et populaire, la province, les zones périurbaines, les lieux communs, le combat ordinaire que menait le plus grand nombre était paradoxalement devenu une particularité, un sous-genre. Écrivains de la maison et d'ailleurs, fils et filles de grands bourgeois, cultivés, distingués et spirituels, normaliens ou agrégés, quand ce n'était pas les deux – et pour la plupart ils ne pouvaient s'empêcher de rappeler à tout propos qu'ils l'étaient, normaliens ou agrégés ou que sais-je, ce rappel puéril ne laissait pas de m'étonner, venant de personnes aussi intelligentes, dont les livres témoignaient d'une si grande acuité, d'un regard si acéré sur les relations sociales et humaines. Farouchement de gauche, ils considéraient pourtant unanimement, parfois sans oser le dire, qu'au-delà du périphérique ne régnaient que chaos, barbarie, inculture crasse et médiocrité moyenne et pavillonnaire. Quant à la province, qu'ils ne fréquentaient que pour les vacances ou lors de tournées en librairies toujours un peu glauques, elle rimait nécessairement avec enfermement, sclérose, conformisme, plouquitude, conservatisme bourgeois, pesanteur, travail, famille et patrie. Beaucoup me regardaient de biais, trouvaient étrange que je sois allé « m'enterrer » en Bretagne – j'avais à cet égard remarqué depuis longtemps que les écrivains, et les artistes en général, vivant en province étaient toujours ramenés à leur localisation, sans qu'on pense à mal d'ailleurs en général, c'était même parfois plutôt bien vu, comme un gage d'authenticité, d'imperméabilité aux modes, au milieu, aux strass, au superficiel, mais enfin c'était toujours mentionné quelque part, comme une particularité, comme si tous ces gens des médias avaient oublié depuis des lustres que vivre en province ou en banlieue n'était pas une particularité, que la majorité des Français ne vivaient pas, quoi qu'ils en pensent, à Paris. Que je vive une vie banale, m'occupe de mes enfants et qu'on ne me voie jamais nulle part (à quoi je répondais toujours qu'on me voyait partout au contraire : au bar du coin, au supermarché, à la sortie de l'école, partout, comme tout le monde) n'arrangeait pas mon cas. Je les regardais et ils me semblaient tous si sûrs d'eux et de leur supériorité – j'avais remarqué depuis longtemps combien les écrivains considéraient d'emblée que leur statut d'auteurs et d'amoureux de la littérature les plaçait d'emblée au-dessus de la moyenne, de la médiocrité banale et rebutante de la moyenne, possédant cette assurance que donnent l'argent et la culture, et face à quoi je me sentais toujours si mal, traînant mes vieux complexes de fils d'ouvrier banlieusard que rien ne pourrait jamais guérir, traînant à jamais ce sentiment d'appartenir à une autre race dont parlait si parfaitement Annie Ernaux. Sentiment qui ne faisait que croître à mesure que progressaient les rares conversations auxquelles je prenais part, avant de m'éclipser pour aller remplir mon verre au bar tenu par des stagiaires, dont la compagnie m'était toujours un précieux réconfort. Pourtant, j'ai eu beau faire, je ne suis pas parvenu à éviter le patron de la boîte jusqu'au bout. J'allais sortir des bureaux quand nous sommes tombés nez à nez. Il n'était pas seul. Plusieurs journalistes l'entouraient, une coupe à la main. Il fut bien obligé de me saluer. Quatorze ans n'avaient pas réussi à l'habituer à ma présence, ni moi à la sienne. Pour tout dire, j'avais envers lui les mêmes difficultés que je rencontrais avec la plupart des hommes de son âge, en qui, étrangement, je reconnaissais mon père. Je redoutais leur froideur, leur dureté minérale, leur solidité autoritaire, leur absence de tendresse. Je redoutais la distance qu'ils mettaient entre eux et moi et que j'interprétais comme un défaut d'amour, d'estime, d'affection, qui me blessait plus que de raison. Bien sûr, dans ce cas précis, la distance qui nous séparait n'était pas seulement due à ce sentiment particulier, ni même à la méfiance réciproque et instinctive que nous avions toujours éprouvée l'un pour l'autre. Jouait aussi, j'en étais convaincu, notre pedigree. Sur ce point nous n'avions rien en commun et, comme nombre des acteurs de ce milieu, s'il faisait mine d'aimer mes textes au point de les publier, il ne pouvait s'empêcher, à son corps défendant, inconsciemment sans doute, de signifier en permanence que je n'étais pas des leurs, que je portais les stigmates de mes origines et que cela me distinguait, en bien ou en mal peu importe, mais que cela me distinguait. Nous n'avions jamais grand-chose à nous dire et le peu que nous échangions tombait toujours à côté, qu'il me parlât de ma supposée sauvagerie (la banlieue enfante forcément des sauvages, d'ailleurs mon exil breton, en terre non moins sauvage, le montrait bien), d'écrivains « primitifs » ou « prolétariens » auxquels il ne manquait jamais de me comparer (comme si je ne pouvais avoir lu que ceux-là et pas les autres aussi, comme si je ne pouvais écrire que comme eux, comme s'il lui était d'ailleurs inconcevable que je puisse avoir lu autant que lui à son âge, pas nécessairement les mêmes auteurs, mais autant que lui malgré tout), mais ce soir-là des sommets furent atteints. Faisant référence à mon dernier roman, situé au Japon et mettant notamment en scène le rapport physique qui me liait à la nature, il me demanda, avec le plus grand des sérieux et devant trois journalistes qu'intéressait ma passion pour Kyoto, si j'avais déjà vu des films de Miyazaki. Comme si, venant d'où je venais, les seules références que je puisse posséder en la matière ne pouvaient être que celles d'un enfant. Comme s'il lui était inconcevable que j'aie pu lire tout Dazai et Soseki, Kawabata et Oé, Issa et Bashô, Yoshimura Ogawa Kawakami et la fine fleur du roman contemporain japonais. Comme si je n'avais pu me nourrir depuis des années des films d'Ozu et du cinéma de Naomi Kawase ou de Kore-eda. Comme si les volumes des maîtres du manga ne remplissaient pas ma bibliothèque. Comme si je ne m'étais jamais penché sur les écrits des grands moines bouddhistes. Comme si je n'avais pas passé de nombreuses semaines dans le Kansai… Je n'ai pas eu le loisir de répondre, Lorette m'a tiré par la manche et nous nous sommes enfuis de cette fête qui n'en avait que le nom. Tout suintait cet esprit de sérieux, cette tristesse froide particulière au

monde de l'édition littéraire. Les rares membres
à tenter de s'extraire de cette poisse, à mettre un
peu d'élan et de joie dans tout cela n'étaient malheureusement qu'une bande de dandys narcis-
siques qui ne rêvaient au fond que de télévision.
Ils ne publiaient que pour y assurer une présence
quasi continue, dont ils espéraient qu'elle les
mènerait jusqu'à leur graal : une chronique, puis
plusieurs, et pourquoi pas une émission à eux.
J'avais déjà beaucoup bu et somnolais à l'arrière
du taxi qui nous emmena chez elle, où l'apéro n'en
finissait pas de finir en vue d'un dîner qui ne serait
sans doute jamais servi. Il y avait là une petite
dizaine de personnes, sans compter les enfants
qui n'étaient pas couchés et couraient d'une pièce
à l'autre. Alex était là, dans les vapeurs de l'alcool,
rendu sentimental par la fatigue. J'ai pensé qu'il
était mon vrai grand frère, puis qu'il était
Guillaume, j'ai pensé que j'étais lié à lui par
Guillaume, confusément. Il avait déjà beaucoup
bu et ses yeux se plissaient jusqu'à lui donner l'air
asiatique, sur sa bouche un sourire qui ne le quitterait plus jusqu'au coucher et qui pouvait se
transformer en fou rire à la moindre connerie, au
moindre calembour foireux, à la moindre de ces
séries absurdes dont nous étions friands lui et
moi, quand on pense que Nathalie Baye, quand
on pense que Julien Lepers, et qui laissaient les
autres interloqués... Olivier était là lui aussi, et
Cécile et Pierre et leur fille qui ressemblait à un
ange, ils n'étaient pas à Londres pour une fois, en
les regardant tous j'ai pensé c'est eux ta famille,
c'est eux ton territoire, tous ces gens sont tes vrais
frères et sœurs, tes enfants tes parents, puisque
c'est eux que tu as choisis. Nous avions tous en

commun d'avoir dû nous inventer, nous réinventer. Nous avions tous en commun d'avoir rompu, ou d'avoir été rompus, d'avoir fait sécession, de nous être extraits de quelque chose, ou d'en avoir été expulsés, d'avoir dû faire avec. Cécile et Pierre étaient comme moi des transfuges, passés des anciennes cités minières aux salles de montage, aux galeries d'art londoniennes. La première avait grandi dans un bar-tabac, le second avait été élevé par une mère ouvrière et seule, avec ses six frères et sœurs. Alex et Olivier, chacun à leur manière, avaient rompu avec la bourgeoisie de province dont ils refusaient d'être les produits, à dix-huit ans l'un comme l'autre étaient montés à Paris avec pour seuls viatiques la littérature, la musique et le cinéma. Quant à Lorette elle avait perdu sa mère à dix ans, son père à dix-sept, elle était l'aînée et avait dû tout prendre en charge. J'avais les larmes aux yeux en les regardant tous, en les écoutant, enfoncé dans le canapé vert sirotant un vin du Languedoc, bercé par la musique j'étais bien, à bout de nerfs, à fleur de peau mais j'étais bien, Sarah et les enfants me manquaient mais j'étais bien, je me suis endormi sans même m'en rendre compte. Au milieu de la nuit je me suis réveillé et j'étais toujours sur le canapé, recouvert d'une couette d'enfant sur laquelle paradaient Buzz l'éclair et Woody le cow-boy. Machinalement j'ai sorti mon téléphone de ma poche. Je ne l'avais pas consulté de la journée. Je me disais que peut-être Manon avait appelé, ou Sarah, j'espérais ça, entendre leur voix dans l'appartement calme, jonché de verres, de bouteilles et de cendriers pleins. Les fenêtres laissaient entrer la lumière jaune et diagonale des lampadaires, elle s'en allait mourir sur le parquet ciré, ou dans le vert sapin des plantes. Le répondeur indiquait trois messages. Le premier était de mon frère : l'hôpital avait appelé et les résultats n'étaient pas bons, pas bons du tout, même. Il allait falloir réhospitaliser ma mère au plus vite, d'ici à la fin de la semaine. Ils rappelleraient dès qu'une chambre serait libérée. François ne précisait pas la nature du mal dont elle souffrait, il répétait juste que ce n'était pas bon, pas bon, pas bon du tout. Le deuxième message avait été laissé à vingt-deux heures trente. Ma mère avait de nouveau disparu. Elle était sortie par la cave, tandis que mon père se brossait les dents dans la salle de bains et que lui-même était dans sa chambre, occupé à lire. La porte d'entrée était bien fermée à clé, la clé dans la poche de mon père, mais ils n'avaient pas pensé au rez-de-jardin. Et puis ma mère s'était endormie juste après le dîner, il n'était même pas vingt heures.

— Bon. Là je suis dehors, je la cherche. Papa est parti de son côté. On a plus qu'à espérer que la police patrouille. Tu vois, toi qui râles tout le temps qu'il y a des flics partout, que ça fout les jetons plutôt qu'autre chose, que ça crée le climat d'insécurité que c'est censé apaiser, eh bien non seulement t'as tort, mais en plus ça sert aussi à ça, à te ramener ta mère saine et sauve, ducon.

Il s'énervait tout seul au téléphone, vociférait dans le vide, soliloquait dans la nuit pavillonnaire.

— Bon, de toute façon ils sont prévenus. Ils la cherchent. Rappelle.

Le troisième message était de mon père. On aurait dit qu'il ne savait pas vraiment comment fonctionnait cette machine, que c'était la première fois qu'il s'adressait comme ça au vide. On aurait dit que c'était la première fois qu'il devait me parler, qu'au bout de quarante ans il ne savait toujours pas comment s'y prendre. Les flics avaient retrouvé ma mère. Elle était à l'hôpital. Je pouvais rappeler si je voulais en savoir plus. J'ai composé le numéro de François. Il a décroché immédiatement.

— Ben enfin c'est pas trop tôt, a-t-il gueulé. Qu'est-ce que t'as foutu encore ? Ça sert à quoi de se payer un de ces putains d'iPhone et de le laisser sonner au moindre mail de PriceMinister, de le bourrer d'applications à la con, de se diriger avec, de regarder Internet dessus, d'y avoir toute sa discothèque si t'es juste incapable d'utiliser sa fonction première : le téléphone, ducon.

Mon frère ne pouvait décidément pas s'en empêcher, il fallait qu'il me sermonne à tout propos, à la moindre occasion.

— Maman s'est fait renverser. Elle marchait au milieu de la route. En chemise de nuit. En chaussons et en chemise de nuit. Elle a la hanche pétée. Et là elle est dans le coma. On dirait qu'elle dort mais ils disent qu'elle est dans le coma, que c'est le choc, qu'elle va se réveiller. Bon. Ben on t'attend.

À sa voix j'ai senti qu'il serrait les dents pour ne pas chialer. Dans le salon silencieux, d'où me parvenaient le ronflement de la petite et les apnées de son père, qui semblait toujours retenir son souffle pour plonger dans les abysses quand il dormait, traversant des nuits aquatiques grouillant de poissons et de posidonies, je me suis habillé de tabac froid et de sueur, de bière et de vin rouge. Autour de moi les murs penchaient et le plancher était moins stable qu'il n'aurait dû l'être. En gagnant la porte j'ai renversé quelques jouets qui traînaient là. Dans la chambre d'Alex et Lorette la lumière s'est allumée. Lorette a surgi pas autant vêtue qu'il aurait fallu mais je n'y ai pas pris garde et elle non plus, il était quatre heures du matin, la gueule de bois nous tenait dans sa nasse, et je filais à l'anglaise. En trois mots pâteux j'ai expliqué la situation, elle m'a pris dans ses bras, dans son dos Alex s'enfonçait dans les eaux corses et ne reprenait son souffle que toutes les quatre ou cinq minutes. J'ai claqué la porte et dévalé les escaliers, au sens premier du terme, le bois glissait et je me suis retrouvé sur le cul, endolori, mais à bon port. J'ai marché jusqu'à République. Les rues grouillaient de monde. Que pouvaient bien foutre tous ces gens un jeudi soir à quatre heures du matin dans les rues du dixième arrondissement de Paris, je n'en savais plus rien, j'avais quitté cette ville depuis trop longtemps maintenant, et quitter cette ville c'était quitter la nuit. Paris était à mes yeux une ville fondamentalement nocturne et il me revenait combien l'hiver, quand nous y vivions, Sarah et moi attendions la nuit avec impatience, qui heureusement tombait à dix-sept heures, gommant la lumière grise et laide, repeinte tout à coup d'éclairage municipal et de vitrines allumées, soudain tout brillait, tout luisait, tout sortait neuf et clinquant d'une gangue terne et poussiéreuse. En nous établissant en Bretagne, il nous avait fallu vivre en sens inverse, le matin il nous arrivait de nous lever avant le jour, et nous guettions les lumières roses qui nimbaient la pointe fermant la baie. Parfois à l'aube nous prenions la voiture et roulions vers le soleil levant, le jour pointait sur la presqu'île, les bruyères, les genêts, les arméries, les dunes piquées d'oyats, les falaises couvertes de fougères, et nous ne voulions pas en perdre une miette. La nuit engloutissait tout ça sous un voile de satin noir, d'anthracite et d'acier mat et la ville s'endormait silencieuse et saoulée de vent. J'ai levé le bras pour qu'un taxi s'arrête. Le type a eu l'air ravi quand je lui ai annoncé que nous allions à Villeneuve-Saint-Georges.

— Ah. Enfin une vraie course. À cette heure-là, je vous jure, des fois je prends des gens pour cinq cents mètres. Ils sont tellement bourrés qu'ils s'écroulent sur la banquette. Ils s'endorment en trente secondes. Une minute plus tard je suis devant chez eux et, je vous assure, il faut que je les réveille, que je les aide à se lever, à faire leur code. Il m'est même arrivé d'en ramener jusque dans leur appartement. Ils me disent de fouiller dans leurs poches pour prendre ce qu'ils me doivent... Il n'y a que saouls que les gens vous font confiance comme ça. Vous avez remarqué, personne ne fait plus confiance à personne ? Tout le monde soupçonne toujours tout le monde. On est entrés dans l'ère de la suspicion. Tout est organisé comme ça. Je veux dire, dans le métro, y a des tourniquets de plus en plus sophistiqués, qui font chier tout le monde, les gens avec les poussettes ou avec des bagages, et tout ça pour quoi ? Parce que les gens de la RATP partent du principe que nous sommes tous des voleurs. Tout ça pour trois types qui fraudent. Pour trois types qui fraudent on emmerde tout le monde. Et c'est pareil partout. Dans les magasins, quand vous sortez au milieu des portiques, que vous croisez un vigile, franchement, moi, ça me fout en rogne, je me sens insulté, je ne vois pas pourquoi je devrais supporter d'être considéré d'emblée comme un voleur potentiel. Pareil dans le train, je supporte plus d'être contrôlé. Quand le contrôleur est arrivé l'autre jour et qu'il m'a demandé si j'avais bien mon billet vous savez ce que je lui ai répondu ? Je lui ai répondu « oui, je l'ai », et je l'ai gardé dans ma poche. « Faites-moi confiance, je lui ai dit. Il est là. Dans ma poche. Pourquoi je vous mentirais ? Bien sûr que j'ai mon billet. Pourquoi je ne l'aurais pas ? Pourquoi je monterais dans le train sans payer ? Traitez-moi de voleur tant que vous y êtes... » Vous auriez vu la gueule des types... Et les gens me regardaient comme si j'étais un dingue. C'est fou cette paranoïa générale. Et ça va loin tout ça. Pour trois types qui grugent Pôle emploi, on contrôle tout le monde avec des airs policiers, suspicieux, on traite des pauvres gens qui ont déjà plus de boulot d'arnaqueurs potentiels, de tire-au-flanc putatifs.

Pendant les vingt minutes qu'a duré le trajet, j'ai écouté ce type débiter ces trucs, j'étais à moitié saoul mais c'était bien d'entendre ce type parler tandis que Paris se désagrégeait, ce type me réconciliait avec les taxis en particulier et le genre humain en général. Tout le temps du trajet j'ai pensé à Samir, je me suis demandé comment il s'en sortait ces temps-ci, si son gamin lui manquait, s'il n'allait pas finir par péter un câble, s'il n'allait pas finir par faire une connerie.

— Parce que franchement, moi, qu'on s'incline devant les marchés comme ça, que ces petits branleurs des agences de notation dictent leur loi aux politiques, que des types qui manipulent des produits financiers à haut risque mettent des pays entiers sur la paille pour gagner des milliards et qu'après ça on demande aux classes populaires et aux classes moyennes de faire des efforts pour résorber une crise dans laquelle elles n'ont aucune responsabilité, que les banques qui ont été sauvées par l'État, qui ont mis sur la paille ce même État avec leurs conneries, exigent maintenant de ce même État qu'il fasse des efforts et résorbe une dette dont elles sont la cause, putain, mais on va où ? Moi je dis, il faut remettre les marchés au pas, réaffirmer l'autorité des États sur la finance, remettre l'économie au service du bien public, vous êtes pas d'accord ?

Bien sûr j'étais d'accord, ça a paru lui faire plaisir qu'on soit au moins deux, parce que d'après lui il n'y avait pas grand monde pour parler comme ça chez les politiques, hein, qui disait ça à gauche aujourd'hui, il me le demandait ?

— Je sais pas... Les socialistes ?

— Les socialistes ? Vous rigolez ? Je suis désolé je n'ai rien contre eux mais non. Ces gens ont peur de parler de classes sociales. Ils n'en parlent plus. Ils ont peur de dire haut et fort qu'ils défendent les classes dominées. Ils ne veulent pas se faire d'ennemis. Ils disent c'est plus compliqué que ça, ça ne marche plus comme ça. Mon cul. Rien ne change. Les riches ont jamais été aussi riches et les pauvres aussi pauvres. Les classes moyennes ont jamais été aussi fragilisées. Aussi désemparées.

Sur ces mots nous sommes arrivés devant la gare de Villeneuve-Saint-Georges, où m'attendait ma fidèle Scenic. « Ah, une vraie voiture de père de famille », m'avait un jour ri au nez un journaliste, que j'avais pourtant eu l'amabilité d'aller cueillir à la gare et de promener sur les falaises de la pointe du Meinga, où la moindre bourrasque semblait susceptible de l'emporter. « Eh oui, avais-je répondu, c'est parce que je suis père de famille, justement... » Je n'avais pas ajouté « connard », mais ça m'avait brûlé les lèvres. Je ne lui avais pas demandé non plus si à son âge il était encore assez immature pour trouver intelligent de vouloir se distinguer à l'aide d'une voiture, si par hasard il n'était pas de ces gens qui rêvaient secrètement de s'acheter un 4 × 4 pour crier au monde entier et aux femmes en particulier que oui, ils en avaient une grosse, ou bien une Porsche, ou un putain de coupé Audi noir, pour bien montrer qu'ils gagnaient de l'argent, qu'ils avaient réussi, qu'ils s'étaient extraits de la moyenne, qu'ils dominaient enfin.

Je suis sorti du taxi avec beaucoup de difficulté. Les minutes avaient beau avoir filé agréablement à l'écoute du chauffeur, le sol n'était pas devenu plus stable pour autant. Et j'avais dû faire preuve d'une exceptionnelle maîtrise de moi pour ne pas vomir sur les sièges. J'ai roulé jusqu'à l'hôpital, dans l'habitacle résonnait le *Old Statues* de Other Lives, cette chanson avait le pouvoir de me mettre au bord des larmes en quelques secondes. Le parking était pratiquement désert. Dans les couloirs j'ai croisé la sœur de Fabrice, elle avait les yeux rougis d'épuisement. Je l'ai regardée se diriger vers le bureau des aides-soignantes. Sans doute terminait-elle son service, sans doute allait-elle enlever sa blouse, enfiler une veste et sortir dans la nuit finissante et fraîche. Sans doute allait-elle rejoindre sa voiture et rouler jusqu'à son appartement, où dormiraient encore ses enfants et son mari. Sans doute se ferait-elle un café, tenterait-elle de garder les yeux ouverts jusqu'à leur réveil, sans doute essaierait-elle de tenir debout pour leur servir leur petit déjeuner, habiller les enfants, leur glisser quelques mots avant qu'ils ne partent à l'école, sans doute s'écroulerait-elle de fatigue après leur départ, la porte claquée la laissant dans le silence et la clarté du matin sur l'appartement vide et en désordre.

Mon père et mon frère attendaient sur deux chaises qui paraissaient avoir été placées là par le plus pur des hasards. Tous deux semblaient abandonnés et incongrus au milieu de l'enfilade de portes battantes qui parfois laissaient voir la suite du couloir, s'entrouvraient pour que passent des hommes et des femmes en blouse, avant de se refermer dans un bruit de caoutchouc mat. Ils se sont levés en m'apercevant.

— Elle est là, a fait mon frère en désignant une porte rose. Ils lui font un soin. Il y en a pour dix minutes.

— Comment elle va ?

— Elle est toujours sans connaissance. Et ils l'ont mise sous perfusion d'antidouleurs.

— Qu'est-ce qui s'est passé ?

— Elle marchait au milieu de la route, elle semblait se diriger vers la gare, enfin c'est ce qu'on suppose, elle était au niveau des Rosiers, au croisement, c'est mal éclairé mais quand même, je sais pas, le type n'avait pas bu apparemment, il rentrait du boulot, enfin c'est ce qu'il a dit, qui rentre du boulot à trois heures du matin je te le demande.

— Des gens qui bossent jusqu'à trois heures du matin. Ça existe. Tout existe, tu sais ?

— Ouais, enfin bref, il avait peut-être rien bu mais n'empêche qu'il devait dormir ou je sais pas, mais il l'a renversée.

— Et c'est lui qui a appelé les flics ?

— Oui. Il était complètement paniqué il paraît.

Mon frère levait les yeux au ciel comme s'il lui était inconcevable qu'un type rentrant du travail en pleine nuit et percutant une femme en robe de chambre qui marchait au milieu de la rue puisse vraiment être paniqué, traumatisé.

— Mais qu'est-ce qu'on en a à foutre, hein ? On dirait que tu t'inquiètes plus de ce type que de maman.

J'ai levé les yeux au ciel à mon tour. Comment pouvais-je encore me faire piéger par ce genre de conversation imbécile, c'est ce que je me demandais au moment même où les lèvres de mon père se sont entrouvertes pour articuler : c'était un Noir.

— Comment ?

— Tu as bien entendu. C'était un Noir, a-t-il répété en me fixant dans les yeux, comme si cet accident venait de confirmer tout ce qu'il pensait tout bas depuis trop longtemps et que je réprouvais sans que nous ayons jamais vraiment abordé le sujet. Tout ça reposait sur une telle montagne de silences, d'allusions, d'insinuations, de déductions. Comme toujours dans cette famille. Il fallait couper court. Je ne comptais pas m'engager dans ce dialogue stupide. Le type au volant était noir, et alors, qu'est-ce que ça changeait, qu'est-ce que ça prouvait ? J'aurais peut-être tout simplement dû prononcer ces mots mais je ne l'ai pas fait. À la place, j'ai lâché :

— J'ai vu Guillaume. Je suis allé au cimetière de Villeneuve-Saint-Georges et j'ai vu Guillaume.

Le visage de mon père s'est fermé à double tour, et mon frère a paru se liquéfier. Dans son regard est passée une lueur affolée et douloureuse. À cet instant précis, la porte de la chambre s'est ouverte et deux infirmières en sont sorties. Nous sommes entrés et ma mère semblait simplement dormir, vêtue d'une blouse blanche et couverte d'un drap rose, reliée à différentes poches de liquides, à des engins contrôlant son pouls et recueillant des données prouvant qu'elle était en vie. Je me suis assis près d'elle et mon frère s'est posté dans le grand fauteuil. Il se mordait les joues et fusillait mon père des yeux. Quelque chose dans tout ça m'échappait. C'est ce que je me suis dit quand mon père est ressorti en déclarant qu'il allait se faire un café.

— Qu'est-ce qui se passe ?

— Rien. Je veux pas en parler. Je veux pas en parler, c'est tout.

François était vraiment à bout de nerfs, au bord d'exploser. À son tour il s'est levé et a quitté la pièce.

— J'ai besoin de prendre l'air. Putain. J'ai besoin de prendre l'air.

Je me suis retrouvé seul avec ma mère, seul avec sa respiration difficile qui emplissait la pièce. Quelque chose en elle paraissait disloqué, elle avait encore vieilli de plusieurs années, et à force, la différence entre son âge réel et l'âge qu'elle semblait avoir devenait vertigineuse. Une fois de plus j'ai pensé aux gens que je connaissais et qui avaient le même âge que mes parents mais avaient tracé le sillon de leur vie dans des milieux plus protégés, ou plutôt avaient tracé leur route dans des sillons qu'on leur avait tracés d'avance. J'ai pensé à ces gens, écrivains, éditeurs, parents de mes connaissances issues de la bourgeoisie, personnalités médiatiques s'agitant dans le rectangle des écrans plats, et même les plus âgés d'entre eux avaient l'air de l'être moins que ma mère. J'ai pris sa main. C'était une main de vieille femme. Tachée, lézardée de veines hésitant entre le vert et le bleu. Je me suis approché d'elle et à l'oreille je lui ai murmuré que j'avais vu Guillaume, qu'il reposait à l'ombre d'un grand pin, encerclé d'un tapis d'aiguilles dorées, je lui ai dit que le voir m'avait fait du bien, que savoir qu'il avait existé m'avait fait du bien, je lui ai dit que je comprenais qu'ils m'aient toujours caché ça, à la fois pour m'épargner et pour eux, pour tenter d'oublier, qu'ils avaient eu tort mais que je comprenais, j'ai dit qu'elle n'avait jamais su me dire qu'elle m'aimait mais que moi non plus, et que voilà je lui disais, même si rien ne m'assurait qu'elle entendait, voilà maman je t'aime et je te remercie pour tout.

Je sais ce qu'ont dit les docteurs.

Que c'était tout bonnement impossible.

Mais sa main qui a soudain pressé la mienne, je l'ai sentie. Je jure que je l'ai sentie.

Le déménagement a eu lieu deux jours plus tard. La veille, nous nous étions relayés à l'hôpital et à la maison, attentifs à la fois à ma mère et aux derniers préparatifs. Son état était stationnaire. Elle ne bougeait pas un cil et les médecins, s'ils avaient du mal à cacher que le pronostic vital était engagé, se voulaient confiants. Avec mon frère et mon père, nous ne nous croisions qu'à peine, et le plus souvent en silence. En somme rien ne changeait. Si ce n'est que mon frère semblait troublé, déstabilisé. Bien sûr l'état de ma mère justifiait à lui seul qu'il se retrouve plongé dans cette sorte d'état second, mais je ne pouvais m'empêcher de penser que la mention de Guillaume l'avait touché d'une manière indéfinissable. Quant à mon père il était un bloc de marbre aux dents vissées les unes aux autres. Il se tenait très droit, arborait un regard dur, faisait ce qu'il avait à faire sans jamais se plaindre, en homme adulte, responsable et solide : être auprès de sa femme, s'occuper de la maison qu'il quittait, puis de l'appartement dans lequel il allait désormais vivre – et de ce côté non plus les tâches ne

manquaient pas : électricité, téléphone, pape-
rasse, tout cela engloutissait un temps précieux.
Bref il était celui que j'avais toujours connu, et
son mutisme à mon endroit était égal à la
moyenne. Tout juste avait-il daigné lâcher trois
mots quand pour la dernière fois je l'avais entrepris au sujet de Guillaume.

— Eh bien voilà. Maintenant tu es au courant.
Tu avais un frère jumeau et il est mort au bout de
quelques jours. Ça a beaucoup peiné ta mère. Et
elle tenait à ce que tu ne le saches pas. Elle ne
voulait pas que tu te sentes coupable ou je ne sais
quoi. Moi, je ne vois pas pourquoi tu te serais senti
coupable ou quoi que ce soit, mais c'était sa
volonté et je l'ai respectée. Voilà. Maintenant, je
ne souhaite plus parler de ça. Plus jamais. C'est
compris ?

C'était compris, et au jour où j'écris ces lignes,
cette promesse n'a jamais été prise en défaut.
Une fois les déménageurs partis, nous nous
sommes retrouvés tous les trois dans le nouvel
appartement, à ouvrir les cartons un à un, ranger les vêtements dans la penderie, la vaisselle
dans la cuisine, les produits de première nécessité dans les placards adéquats. Ça ne ressemblait pas vraiment à un endroit où vivre, plutôt
à une location de vacances, un lieu sans
mémoire. Les deux cartons d'archives que ma
mère avait sauvés du naufrage étaient déjà à la
cave, dont la « directrice » des lieux nous avait
vanté maintes fois la sécheresse et la propreté.
« C'est important, vous comprenez, m'avait-elle
confié. Les gens ici ont tous quitté des maisons
plus grandes où ont poussé leurs enfants, tout
ça c'est les souvenirs d'une vie, ici ils n'ont pas

suffisamment de place, alors il faut que ce qu'ils amènent avec eux, ce qu'ils gardent soit conservé dans de bonnes conditions. » Mon père, quant à lui, aurait sans doute préféré tout jeter, à part les photos, qui tenaient dans une dizaine de boîtes à chaussures et qu'il a placées sous le lit, du côté où dormirait ma mère.

— Des fois la nuit, je la trouve en train d'en regarder, avec une lampe sur le front. Elle les regarde pendant des heures, m'avait-il avoué au moment de les disposer ainsi.

Une fois ce travail effectué, tout était net et sans vie. Dans le salon le téléviseur était énorme, et les quelques meubles que mes parents avaient choisi de conserver (la table ronde en acajou, le buffet, l'armoire de la chambre, le lit, les tables de chevet, les deux grands fauteuils que nous avions disposés face aux fenêtres) étaient tous trop lourds et imposants pour la pièce. Tout cela n'avait pas pris plus de trois heures. Une vie entière, d'une maison à un appartement, liquidée en cent quatre-vingts minutes. Un instant j'ai pensé à tous nos dessins d'enfant, nos cahiers, nos dents de lait, nos posters, broyés par les machines de traitement des ordures, aux meubles de nos chambres présentés dans de grands entrepôts poussiéreux, à nos vieux livres, nos BD, les CD que nous n'aurions jamais réécoutés de toute façon et qui témoignaient de nos goûts coupables à dix ou onze ans – A-ha, Vanessa Paradis, INXS, Midnight Oil, Elton John, Depeche Mode, Eurythmics, Jean-Jacques Goldman, Daniel Balavoine, U2, Michael Jackson, liste non exhaustive au sein de laquelle je ne ferais pas l'affront à mon frère de démêler ce qui lui appartenait des galettes qui passaient sur mon

471

propre lecteur –, vendus pour quelques centimes d'euro dans des brocantes, des vide-greniers… J'y pensais sans pincement de cœur, sans serrement de gorge, sur le ton détaché du simple constat. Ce qui me peinait davantage, c'était de voir mon père assis là, dans cet appartement qu'il avait décidé de louer pour ma mère, et où elle ne mettrait peut-être jamais les pieds. Il avait quitté sa maison pour rien. Je l'imaginais finir sa vie seul ici, parmi les vieux. Bien sûr, même dans le pire des cas où ma mère ne pourrait jamais le rejoindre, rien ne l'empêchait de mettre un terme au bail et d'aller voir ailleurs. L'argent de la maison lui offrait un épais matelas pour se payer des voyages, ou tout simplement louer un bel appartement avec vue sur la mer, sur les pics enneigés, sur la Vézère creusant des vallées blondes au creux de la Dordogne, sur ce qu'il voudrait, ou plutôt ne voudrait pas, tant il me semblait acquis qu'il ne ferait rien de tout cela. Il resterait dans cet appartement, dans cette ville à quoi pourtant rien ne l'attachait – je ne lui connaissais pas d'amis, ses deux fils et ses petits-enfants vivaient ailleurs, et il venait de quitter ce que ma mère appelait « la maison de notre vie », si modeste et quelconque fût-elle –, ne sortirait que très peu de son faux deux-pièces, pour une partie de boules, un tour à vélo, quelques courses…

— De toute façon, disait-il, l'argent de la maison, je n'y toucherai pas. Je n'en ai pas besoin. Il sera pour toi et ton frère quand je serai de l'autre côté.

— Mais non. Nous, on n'en a pas besoin. On n'a besoin de rien. On a nos vies. Et puis moi je suis contre l'héritage. L'héritage, c'est la plaie de nos sociétés, c'est les riches riches pour toujours, c'est la reproduction sociale qui ne s'arrêtera jamais, c'est l'inégalité à la racine...

Mon frère haussait les épaules devant ce qu'il nommait toujours mes « discours de gauchiste ».

— De quelle inégalité tu me parles ? De quelle reproduction sociale ? Papa et maman ont travaillé toute leur vie. Des vies d'ouvrier. Ils ont acheté une maison sur trente ans, à la sueur de leur front, en se privant de tout le reste pour ça, pour avoir au moins ça, une maison à eux et qu'ils pourraient nous transmettre à nous, qui avons réussi notre vie malgré tout, d'une façon ou d'une autre, à leur mort. De quelle reproduction tu parles ?

— Non, mais je veux dire : en général. À l'échelle de la société.

— Ouais, c'est ça : en général. Tous vos beaux discours, c'est toujours : « en général ». Mais en pratique, ça ne correspond jamais à rien, ni à personne.

J'allais changer de conversation avant que les choses ne s'enveniment, quand on a sonné à la porte. Une vieille femme, très élégante, aux cheveux blancs légèrement bleutés, encore très mince dans sa robe à fleurs, a pénétré dans l'appartement. Elle portait dans ses mains une grande assiette recouverte de papier d'aluminium. Elle venait se présenter et saluer mon père, elle avait appris pour notre mère, la pauvre, comment elle pouvait être au courant c'était un mystère, mais il fallait s'y habituer, la suite montrerait qu'ici tout se savait, que les couples étaient rares, les hommes seuls en très grande minorité, et les lieux gouvernés par quelques veuves joyeuses, qui se retrouvaient tous les après-midi dans la salle commune, s'invitaient les unes chez les autres à longueur de journée, et qui ont défilé tout l'après-midi pour inonder la table de biscuits, cakes sucrés et salés, tartes et tourtes faits maison. Mon père les recevait avec une courtoisie que je ne lui connaissais pas. Certes il restait aussi froid et bourru qu'à l'ordinaire, mais il lui arrivait parfois de sourire, de répondre aux questions qu'on lui posait, d'en poser en retour, et de remercier ces dames pour leur sollicitude, leur compassion quant à l'état de notre mère, et leurs présents. Mon frère et moi avons observé tout ça d'un œil amusé, avant de filer à l'hôpital pour nous tenir au pied du lit de notre mère, qui était toujours placée dans la section réanimation et ne réagissait à aucun des mots que nous lui adressions, à aucune pression de nos mains, à aucun des baisers que François lui déposait sur le front.

Au moment de partir, de laisser notre mère endormie dans son lit, et mon père seul dans son nouvel appartement, j'ai senti que François fléchissait. Il devait rentrer chez lui le lendemain. Son carnet était rempli de rendez-vous, de chiens et de chats à soigner, et Delphine repartait à l'étranger pour quatre jours. Je le sentais tellement désemparé, tellement bouleversé par la situation de notre mère. Nous sommes allés boire un verre et tandis que je descendais mon premier whisky, m'autorisant un énième écart de conduite que tout me semblait justifier, je n'ai pas pu m'empêcher de m'interroger sur la manière dont je recevais une fois de plus ces événements, comme s'ils étaient vaguement irréels, comme s'ils ne me concernaient que de loin. J'étais tenté de mettre ça une fois de plus sur le compte de ce que j'appelais ma nature « périphérique », mon incapacité à être vraiment là à l'instant même où les choses se passaient, mais la réalité était beaucoup plus cruelle me semblait-il : ma mère était entre la vie et la mort et si je mesurais la gravité de la situation, ses conséquences, mes boyaux ne se tordaient pas comme ils auraient dû. Je n'ai pu éviter de me dire qu'assistant à ce genre de scène dans un livre ou au cinéma, les larmes me seraient montées aux yeux. Mais ici, dans le monde réel, il n'en était rien. J'étais affecté bien sûr, mais pas d'une manière aussi organique, physique, qu'il m'aurait paru normal de l'être. Sarah avait raison : non, je n'étais jamais là, j'étais plus poreux à la vie des autres qu'à la mienne, j'étais plus ému par la fiction que par la réalité, j'étais un handicapé, ou un malade, et si tout ça me servait pour écrire des livres, si je m'en vantais même, en tant qu'être humain ça me rabaissait à une simple merde.

— Tu sais, je suis sûr que ça va aller. Que maman va se remettre. Qu'ils vont avoir une bonne petite vie, dans leur petit appartement. Papa pourra lire son journal, mater le sport à la télé, regarder pousser les arbres, sortir faire sa partie de boules, s'entraîner au vélo, et puis maman sera moins seule, je suis sûr qu'elle va se faire des amis ici. Et puis je te connais, tu vas venir les voir. Et je te promets de faire un effort. Je vais essayer d'être le bon fils que j'ai jamais su être.

— Pourquoi ils me l'ont jamais dit ? À moi ? Putain. Pourquoi ?

J'ai regardé mon frère et ses yeux rougis traversaient les bouteilles et le grand miroir du bar, allaient se perdre très loin dans un néant rageur.

— De quoi tu parles ?

— De Guillaume.

— Quoi ? Tu veux dire que tu savais pas ?

Il a secoué la tête, l'air tout à fait désemparé, le visage dévasté où tout s'affaissait et se confondait, jusqu'à diluer ses traits et les rendre méconnaissables et flous, puis il a descendu son demi d'un trait, en grimaçant, comme s'il voulait s'en débarrasser au plus vite.

— Tu sais, j'ai toujours pensé qu'il s'était passé quelque chose un jour. Je veux dire : maman a toujours été si triste. Enfin pas toujours. T'as déjà regardé leurs photos quand ils étaient jeunes ? Mais merde, moi, je me suis toujours dit que c'était parce que j'étais né, parce qu'ils avaient eu des enfants, ça les avait plombés ou j'en sais rien. Je ne comprenais pas. Je crois qu'inconsciemment je me disais c'est de ma faute. C'est de ma faute si papa est si dur et si froid, si maman est si triste et usée. Alors j'ai tout fait pour être un bon fils. Le fils parfait tu vois. J'ai pris conscience de tout ça très tôt. Vers six ans peut-être. J'étais déjà tellement sérieux. Je me disais tu dois tout faire pour pas les contrarier. J'étais appliqué à l'école, serviable à la maison, je me tapais toutes les réunions de famille que tu séchais avec application. Maman rêvait que je devienne vétérinaire. Tu te rappelles, elle disait toujours ça : médecin ou vétérinaire. Y a des parents c'est ingénieur, avocat, financier, ambassadeur, mais elle c'était médecin ou vétérinaire, elle disait ça sans y croire bien sûr, parce que tu te souviens elle disait « tout ça c'est pas des métiers pour nous autres, ce qui serait bien c'est que tu aies un bon travail, stable, dans un bureau, que tu aies pas à te salir les mains et à te détruire la santé comme ton père ». Médecin, je le sentais pas. Les gens malades, je sais pas. Alors j'ai fait véto. Pour lui faire plaisir. Pendant que toi tu faisais ce que tu voulais, que tu te barrais de la maison, que tu écrivais tous ces trucs qui leur faisaient du mal, que tu te barrais à la mer alors que je suis resté vivre en région parisienne, je veux dire, tu crois que j'aime ça la région parisienne ? Tu crois pas que moi aussi j'aurais aimé emmener les gosses vivre au bord de la mer ? Les chiens et les chats, y en a partout, bordel. À la mer comme ailleurs.

Il s'est interrompu un moment, laissant planer un long silence, que je n'ai pas osé interrompre, pas même pour lui dire qu'il réarrangeait les choses à sa sauce, lui rappeler qu'avant de rencontrer Delphine il avait projeté de devenir commissaire et s'était même inscrit en droit. J'étais moi-même un expert en la matière, je passais ma vie à faire coïncider des événements qui n'avaient aucun rapport entre eux, dans l'espoir d'y découvrir une signification cachée, une logique, même obscure, même inventée. Il a fini par reprendre la parole et s'est excusé pour ce qu'il venait de dire. Simplement il ne comprenait pas pourquoi on ne lui avait jamais rien dit pour Guillaume. Ma naissance, il s'en souvenait à peine. Mais il se rappelait quand même que maman était très fatiguée et que parfois elle pleurait. Ses premiers vrais souvenirs c'était ça. Notre mère en larmes tandis qu'elle m'allaitait.

— Je voyais bien qu'il y avait un truc qui clochait. Et puis aussi, je sais pas, ils avaient bien dû me dire que maman attendait des jumeaux. Ça fait deux jours que je ne pense qu'à ça, que j'essaie de me souvenir de ce qu'ils m'avaient dit. S'ils m'avaient dit qu'ils attendaient des jumeaux. Et après s'ils m'avaient dit que finalement il n'y avait qu'un enfant. S'ils m'avaient emmené voir Guillaume dans sa couveuse. J'essaie de me souvenir mais rien, rien ne me revient...

— Moi aussi j'ai réfléchi à tout ça, tu sais. Depuis plusieurs semaines je tourne ça dans ma tête. Mais la froideur de papa, la tristesse de maman, je crois pas que ça a à voir avec Guillaume. Enfin, je ne dis pas que c'était pas une vraie blessure pour eux. Je ne dis pas ça une seule seconde. Je pense que c'était une vraie blessure inguérissable, comme toutes ces choses-là, parce que tout ça est irréparable et atrocement injuste et dégueulasse et scandaleux. Mais je crois aussi qu'ils étaient comme ça. Que la vie les a rendus comme ça, c'est tout. Leur éducation. Le boulot. Les emmerdes. La fatigue. Le manque d'argent. Tout ça, ça use tellement les gens. Il suffit de regarder autour de nous. Ça use tellement les gens. Ils s'en sortent, mais dans quel état...

Il a fait une moue peu convaincue.

— Peut-être. Tu as peut-être raison. Je sais pas. Et puis je crois que je vais y aller. Je suis fatigué.

— Tu ferais mieux de rentrer chez toi. Moi je vais rester ici. Le temps qu'il faudra. S'il y a quoi que ce soit de neuf je t'appelle... Rentre. Tes enfants ont besoin de toi. Et les petits chats aussi...

— Les petits chats... Si tu savais comme j'en ai rien à battre de tous ces clébards et de ces putains de chats... L'odeur. Je supporte plus l'odeur dans le cabinet. J'ai essayé tous les parfums possibles, rien n'y fait, ça sent le chien et le chat, putain.

François a laissé un billet sur le comptoir et je l'ai regardé sortir du bar. Il allait passer récupérer ses affaires, dire au revoir à notre père et rentrer chez lui en attendant que maman se réveille. Ou qu'elle s'endorme pour de bon.

J'allais sortir à mon tour, quand je suis tombé nez à nez avec Fabrice. Il n'avait pas changé. Bien sûr son corps avait gagné en épaisseur, ses traits avaient vieilli mais fondamentalement il n'avait pas changé. Tout tenait à son regard. Un regard plein de lumière et un sourire charmeur qui embobinaient tout le monde à l'époque. Même quand avec ses potes il vous avait chouré votre vélo et qu'il niait éhontément, on ne pouvait s'empêcher de le trouver sympa et de vouloir être son ami. Lui ne m'a pas reconnu immédiatement.

— Qu'est-ce que t'as grossi mon porc.

Ce furent avec ces mots amicaux que s'est engagée la conversation. Même si j'étais ailleurs. Même si j'étais avec mon frère, avec ma mère, avec Guillaume. Je l'écoutais me parler de sa vie, mais je n'étais pas complètement là. Son boulot d'éducateur à la maison de quartier des Bosquets, la cité qu'il n'avait jamais quittée et ne quitterait jamais, parce que ce serait comme abandonner le navire, se comporter comme un rat, un lâche, ses deux enfants aussi intenables qu'il l'était à leur âge, leur mère dont il était séparé parce qu'elle ne supportait plus qu'il aille voir ailleurs, tout ça me parvenait dans un épais brouillard et ne faisait qu'effleurer mon cerveau...

— Et la cité, comment ça se passe ? ai-je demandé sans vraiment attendre de réponse, comme on relance une conversation par pur souci des convenances, par politesse.

— Comment tu veux que ça se passe ? Ça se passe mal. C'est la merde grandeur nature ici. C'est la périphérie de la périphérie. La marge de la marge. On est des millions à vivre dans ce genre d'endroit mais c'est toujours pareil : soit c'est comme si on n'existait pas, soit c'est comme si on existait trop, qu'on dérangeait, comme un corps étranger dont il faudra bien se décider à se débarrasser un jour. Tu sais, dans cette ville aux cantonales le Front national a fait 30 %. À ton avis qu'est-ce que ça leur envoie comme message, aux gamins ? On veut pas de vous. Cassez-vous. Voilà ce que ça leur envoie. Et tous les jours c'est les autres au gouvernement qui parlent que de ça, des immigrés, de l'insécurité, des musulmans qui menacent l'identité. Ce qu'ils entendent, c'est ça : qu'ils menacent l'identité. Qu'ils n'en sont pas constitutifs donc. Alors bien sûr qu'ils sont en colère, bien sûr qu'ils se sentent déjà foutus et mis à la porte. Et puis ils sont pas aveugles. Ils voient bien que c'est eux dans les cités et les Blancs dans les pavillons. Que c'est eux qui sont dans la merde alors que les Blancs ont les bons boulots. Ils le voient bien ça aussi. Tu sais, y a des années, on nous a fait croire que ça y était, que c'était bon, que ça marchait, que tout le monde allait vivre heureux ensemble. Et tu sais pourquoi on devait croire à ça ? À cause d'un putain de match de foot. Blacks Blancs Beurs. Un putain de match de foot. Onze connards en short, onze putains de millionnaires qui tapent dans un ballon. Je veux dire : c'était quoi le rapport ? De quoi on parle ? C'est ces connards qui vont nous apporter du boulot ici ? C'est ces connards qui vont sortir les gens de la misère ?

J'ai laissé Fabrice, à moins que ce ne soit le contraire. Il devait se rendre à la mairie et il allait être en retard. On s'est donné rendez-vous dans quelques jours, il voulait me parler d'un truc, un projet d'atelier d'écriture ou ce genre de chose, même si je n'avais pas vécu à la cité, pour les gamins ce serait déjà quelque chose de bosser avec quelqu'un qui avait grandi ici, qui venait d'un milieu ouvrier et qui avait réussi. Je l'ai regardé s'éloigner de sa démarche toujours aussi souple et dansante, et je nous ai revus gamins. Je nous ai revus tels que nous étions : deux enfants des lisières.

La maison était tout à fait vide. Dans ma chambre d'enfant, sans plus aucun meuble, ne restait que mon sac. Dans la salle de bains, posée sur le rebord de l'évier, ma trousse de toilette. Dans toutes les pièces les murs gardaient les traces de commodes, d'étagères, d'armoires et de cadres disparus. Par endroits le papier peint était grêlé de taches noires, marqué par l'humidité, les moisissures. À d'autres il se décollait un peu. Aux plafonds s'écaillait la peinture, traçant un réseau compliqué de fissures qui traversaient la surface et la rayaient d'un bout à l'autre. Seule la cuisine n'avait pas beaucoup changé. Y manquaient tables et chaises, mais les meubles encastrés, le vieux four, les plaques et le frigo étaient toujours là, recouverts du même formica jaune orangé que ma mère ne pouvait plus voir en peinture, rêvant à voix haute d'une belle cuisine équipée flambant neuve face à mon père qui haussait les épaules. « Elle est très bien ta cuisine. » Chaque fois, j'appréciais le « ta », dont j'aimais à penser qu'il était le symbole d'une génération en passe de s'éteindre, même si rien n'était sûr, même si les suivantes s'entêtaient à s'abaisser aux conduites les plus archaïques, machistes, xénophobes, sécuritaires et homophobes, on en était toujours là, et il suffisait d'ouvrir les oreilles autour de soi pour constater que les représentants les plus zélés du vaste camp des réactionnaires n'exprimaient pas seulement le point de vue de quelques vieux fripés prenant le soleil sur les places du Var ou des Alpes-Maritimes, mais qu'il y avait là un terreau toujours frais, entretenu, qui ne tarirait jamais vraiment, et dont mon frère était un représentant parmi d'autres. Je n'y pouvais rien, même dans la maison nue, et seul, je poursuivais le débat avec lui, tout était prétexte et maman n'avait pas tort quand des années en arrière elle se tassait sur son siège en nous voyant nous déchirer sur des questions politiques : la politique nous avait séparés, elle avait creusé entre nous un fossé impossible à reboucher.

— Je déteste la politique, m'avait dit un jour ma mère. Ça sépare les gens et franchement, quand on voit ce qui se passe, ils n'en valent pas la peine.

Elle avait dit ça comme si finalement tout ça ne la concernait en aucune manière, comme s'il s'était agi de supporter telle ou telle équipe, le PSG contre l'OM, Lyon contre Saint-Étienne, les Celtics contre les Rangers, l'Inter contre l'AC. Comme si elle-même, petite employée, femme d'ouvrier, fille, petite-fille, arrière-petite-fille de prolétaires, dans le camp des dominés depuis des générations, ne voyait pas du tout en quoi les décisions prises en hautes sphères, les débats qui agitaient la rue et l'Assemblée nationale pouvaient s'appliquer à sa propre vie et à celle de ses enfants. Comme si la dureté de leur travail, leurs conditions de vie, l'impossibilité dans laquelle ils avaient été de faire des études, comme si le parcours de ses propres enfants, des copains de ses enfants, de ses neveux, de ses nièces, tout ça n'était pas politique. Comme si le soin qu'elle prenait de la maison, assumant l'ensemble des tâches ménagères une fois rentrée du travail, comme si la crainte de mon père qui n'était que la crainte des hommes dans laquelle vivaient la plupart des femmes, et même celles qui se croyaient les plus libérées, jusque dans mon entourage, où il fallait toujours faire attention à l'humeur du mari, aux colères du mari, à la fatigue du mari (ton père est fatigué, ça va déplaire à ton père, il faut demander à ton père, tu vas énerver ton père...), tout ça n'était pas politique. Au fond elle ne comprenait pas que ses enfants puissent prendre tout ça à ce point au sérieux, tout comme elle s'étonnait qu'on s'enflamme à ce point pour un match de football : « ah... qu'on leur donne une baballe à chacun et qu'on en finisse », lâchait-elle à chaque fois que sur l'écran s'agitaient ces grands gamins couverts de pognon.

La nuit venait de tomber. Seule la chaudière ronflait et troublait le silence. Les fenêtres sans rideaux laissaient voir le maigre jardin. On aurait dit que lui aussi avait été emporté dans le déménagement. Soudain il me semblait comme abandonné, blafard, nu et triste. J'ai étendu un vieux drap troué sur le carrelage du salon, je l'avais trouvé à la cave, couvrant les quelques objets que j'avais prévu de rapporter chez moi, des jouets qui pourraient amuser les gamins, la vieille planche en bois qui m'avait fait office de piano, un guéridon dont je me disais qu'il pourrait plaire à Sarah, une pile de livres et quelques CD de musique classique, devenus introuvables, où jouaient Rudolf Serkin, Leonard Rose ou Sviatoslav Richter. C'était ma dernière nuit ici, dans cette maison où j'avais passé la totalité de mon enfance, où mes parents avaient vécu durant quarante années. Au matin l'agent immobilier viendrait récupérer les clés pour les confier aux nouveaux propriétaires, et j'irais poser mes bagages dans un hôtel en bord de Seine, où je n'aurais jamais imaginé avoir un jour à passer la moindre nuit. Longtemps je m'étais demandé à quoi pouvait servir un tel établissement dans une ville pareille, qui pouvait bien y loger. Et c'est là que j'allais passer les prochaines journées.

J'ai longtemps attendu que des souvenirs m'assaillent, que l'émotion m'étreigne, j'ai longtemps attendu le signe d'un déchirement. Mais rien n'est venu. Je me suis endormi, aussi vide, nu, dénué d'histoire et de mémoire que le serait bientôt la maison, sitôt les peintures refaites et la moquette remplacée. J'étais comme elle. J'effaçais les souvenirs. J'effaçais les traces. Année après année. Époque après époque. Coups de peinture après coups de peinture. Ne subsistait vraiment que la dernière couche. Le reste était désormais illisible.

III

La maison est située en retrait d'un canal bordé d'érables, de cerisiers et de bambous. Le chemin qui le borde, de terre battue et de longues dalles de pierre grise, file de temple en temple. Des torii signalent ici et là l'entrée d'un sanctuaire, où l'on vient prier au milieu des cyprès et des cèdres, des statues mangées de lierre, des graminées et des chrysanthèmes. Des plaques votives de bois clair, parées d'animaux, de plantes, de paysages multicolores, cliquettent sur les présentoirs. Aux arbres se nouent des papiers pliés et délavés. Purifiés d'avoir laissé sur leurs poignets couler le jet d'une fontaine, de s'être parfumés d'encens, les prieurs ferment les yeux, tirent une cloche, tapent dans leurs mains et quémandent un peu de chance, de réussite, une part de bonheur, le repos de l'âme pour les disparus. Au-delà des temples et des sanctuaires, il n'y a plus rien. La forêt, des nuées d'arbres où vivent insectes et singes, survolées par les rapaces. Parfois dans l'eau du canal, une grue immobile prend la pose. Les touristes la contemplent, puis s'en vont mitrailler un jeune couple vêtu de kimonos et chaussé de socques, cheminant à petits pas dans l'air vif de l'automne. Aux branches des érables, les premières feuilles rougissent. Plus haut dans la montagne, sur les pentes des monts Hiei et Kurama, à Ohara ou plus à l'ouest dans les collines de Sagano ou d'Arashiyama, c'est déjà un flamboiement extra-ordinaire, une pyrotechnie insensée, et les foules se pressent au milieu des jardins imperturbables et suaves, dont la beauté parfaite est un baume pour le cœur. Marchant dans ces compositions aux dessins millénaires, où s'ordonnent pins à l'écorce rouge, bambous, érables, cerisiers, lan-ternes, Jizo de pierre, Bouddha de granit, éten-dues d'eau, de cailloux ratissés ou de mousse, prenant le soleil sous la galerie longeant les salles de prière où bourdonnent les sutras psalmodiés par les moines bouddhistes, je sens le sang dans mes veines ralentir, le rythme de mon cœur s'éga-liser. Je passe là le plus clair de mon temps, ou bien je parcours les rues bordées de maisons basses aux architectures complexes, façades de bois, toitures en quinconce, fenêtres allumées sur des intérieurs pareils à celui de la maison où je loge : tatamis où l'on tire les futons, coussins et table basse, autel bouddhique dédié aux ancêtres, parois coulissantes, quadrillées de bois clair et tendues de papier blanc. Petite galerie extérieure où fumer un cigare sous la lune tandis que sèche le linge suspendu à de minuscules étendoirs en plastique rose, vert ou bleu. Ou encore je marche vers le sommet des monts couverts d'arbres, parmi les torii rouges et les souris de pierre, les renards, les fougères et les bougies allumées aux flammes tremblantes se croisant parfois. Puis je plonge vers la ville fluide et fendue par le fleuve, dont les eaux basses sont piquées d'herbes et de hérons graciles, de canards et d'oies bernaches. Sur les berges flânent des jeunes gens, certains s'exercent à leur instrument, répètent, dansent, ou sirotent un café *latte* les yeux rivés sur les eaux filant vers les montagnes et l'horizon saturé de ciel. La nuit tombée, dans les ruelles, les néons s'allument, milliers d'enseignes multicolores, d'idéogrammes, reliés par des fils électriques affluant en grappes vers des pylônes où ils semblent faire une halte, avant de poursuivre leur route aux quatre coins de la ville. Les journées passent sans accrocs, désarmées, sereines et lisses. Je bois un café, une bière ou autre chose, je m'arrête au hasard dans un parc où jouent les enfants, piaillant parmi les agrès de ferraille bleue rouge ou jaune, couvés par de jeunes mères perdues dans leurs pensées, qui sourient, gênées, quand mon regard croise le leur. Il y a déjà deux mois que je suis là. Je n'ai pas prévu de repartir. Seuls les enfants me manquent. Leur présence, leurs voix, leur odeur, leurs gestes, leur sommeil me manquent. Nous nous parlons presque chaque soir, leurs visages apparaissent sur l'écran de l'ordinateur. Je vois bien que Clément m'en veut. Manon, elle, ne dit rien mais je crois qu'elle me comprend, je crois qu'elle pressent ce qui m'unit à cette ville. Elle sait que j'y ai trouvé un refuge, un abri. Sans doute temporaire. Sans doute autant que le précédent. Mais j'aime à croire qu'en mettant des milliers de kilomètres entre elle et moi, en partant à l'autre bout de monde, j'ai semé la Maladie pour un bout de temps. J'aime aussi à croire qu'ici quelque chose m'en protège. Qu'elle ne viendra pas jusque-là, qu'elle n'osera pas. Je ne sais pas. Un écran. Les océans. Les esprits.

Les enfants me manquent mais ils ne vont pas tarder. Dans quelques jours ils seront là. Et Sarah aussi sera là. J'ai réussi à la convaincre de les accompagner. Pour quinze jours. Le temps des vacances. Je lui ai loué un appartement à deux pas d'ici. Elle y sera bien. La terrasse donne directement sur le canal et la promenade. Je sais combien elle aime ce lieu, les jardins qui le bordent, les boutiques d'objets délicats, le café de Sagan et les salons de thé où l'on déguste de petits gâteaux de haricot rouge. Ils ne vont pas tarder et c'est comme si les choses rentraient dans l'ordre. Comme si tout reprenait à l'endroit. Pourtant ils ne viennent que quinze jours. Mais je n'ai pas renoncé à les faire rester plus longtemps. À Sarah, j'ai reparlé de cette année que nous devions passer ici. J'ai dit que nous la devions aux enfants. Que nous avions une dette envers eux. Envers Manon, surtout. Que ce serait simple. Qu'il suffisait qu'elle prenne une année sabbatique, nous pourrions laisser la maison ouverte aux amis, à ceux qui voudraient, qui auraient le temps et le goût de venir passer quelques jours, quelques semaines, quelques mois au bord de la mer.

— Et comment je gagne ma vie pendant ce temps-là ?

— Ne t'inquiète pas pour ça.

Non je ne voulais pas qu'elle s'inquiète. Mon agent avait de nouveau fait des miracles. J'avais signé deux nouveaux contrats, un scénario et un livre. J'avais de quoi vivre pour deux ou trois ans, pour nous quatre.

— Tu n'auras qu'à louer un appartement. Je le paierai. Tu auras ton indépendance. Et nous ferons comme avant.

— Comme avant ?

— Non... Pas comme avant avant. Juste : nous prendrons les enfants chacun notre tour. Tu seras libre.

— Je serai libre, toute seule à Kyoto, avec toi à trois maisons de là ?

— Oui, je crois.

— Pas moi.

À sa voix j'avais compris qu'elle ne pensait pas ce qu'elle disait. J'avais senti une faille. Plus j'y pensais, plus les choses m'apparaissaient possibles. Il fallait simplement que j'assure pendant ces quinze jours, que je lui montre que tout pouvait bien se passer. Je m'étais déjà renseigné sur l'école pour les enfants, j'avais déjà tout prévu, en mon for intérieur j'avais même prévu la suite, nous finirions par nous remettre ensemble et nous resterions là aussi longtemps qu'il le faudrait, qu'il nous plairait, cachés lovés au bout du monde, au milieu des érables et des bambous, protégés par les renards, les kamis, les dieux et les esprits. Sarah allait céder j'en étais sûr. Rien ne la retenait. Son histoire avec Clooney avait capoté, n'avait pas survécu à la fessée et au reste : c'était un sale con inculte, prétentieux et plein aux as, m'avait-elle lancé à l'enterrement de ma mère.

— Mais il baisait drôlement bien. Bien mieux que toi, avait-elle ajouté comme on plante un poignard en plein cœur de son pire ennemi, de sang-froid, sans ciller, sans même un remords.

J'avais encaissé sans broncher, après tout il se pouvait très bien que ce type la fasse jouir plus fort et plus souvent que je ne l'avais jamais fait. Après tout je ne m'étais jamais rangé au rayon des bons baiseurs. Je me faisais l'effet d'un amant passable, attentif, appliqué, concerné, enthousiaste mais sans dispositions particulières. J'étais à ce jeu-là un garçon laborieux, un peu comme ces gamins à l'école qui font tous les efforts qu'il faut et passent plus de temps que les autres sur leurs devoirs à la maison et qui n'arrivent jamais à dépasser la moyenne, ne s'y maintiennent qu'au prix d'efforts sans commune mesure avec ceux que produisent les petits branleurs dans mon genre, qui sans en foutre une récoltaient toujours les meilleures notes... Mais plus que tout, ce qui me laissait espérer, c'était la conversation qu'elle avait eue avec Manon, et que cette dernière m'avait rapportée.

— Ça te plairait d'aller passer un an à Kyoto avec ton père, comme on avait dit ?

— Toute seule ?

— Non, avec ton frère ?

— Juste tous les deux ?

— Non. Comme on avait dit. Tous les quatre. Mais bien sûr ce serait comme ici. Vous auriez deux maisons. Une chez moi, et une chez votre père.

Manon ne l'avait pas laissé finir, elle s'était jetée dans ses bras et Clément avait suivi, au bout d'un moment on n'avait plus su qui riait et qui pleurait. Sarah avait tenté en vain de les calmer en leur disant que rien n'était sûr, que c'était juste une idée comme ça, que c'était quand même très compliqué à réaliser, et puis il y avait les radiations, les tremblements de terre, tout ce qu'on savait, tout ce qu'on ignorait sur la catastrophe et ses répercussions, sur celles à venir, le Big One, et l'île entière qui menaçait un jour de disparaître, engloutie par les eaux du Pacifique, rayée de la carte... Elle avait eu beau dire rien n'y avait fait, rien ne les avait calmés, dans leur tête ils étaient déjà partis, pour un an ou pour la vie, et nous serions réunis tous les quatre, comme avant, comme avant, comme avant.

Ma mère est morte au bout de six jours de coma. Rien ne laissait présager que les choses s'interrompraient ainsi, rien ne semblait non plus laisser espérer qu'elle se réveillerait, en la matière les médecins avaient l'air de s'en remettre à la grande loterie, une version définitive du pile ou face. L'enterrement a eu lieu à Villeneuve-Saint-Georges, dans le cimetière où était enterré Guillaume. François y a tenu, et mon père a cédé sans commentaire. Je l'ai remercié pour ça, et nous sommes tombés dans les bras l'un de l'autre, comme deux frères qui venaient de perdre leur mère. Dans le cimetière se pressait toute la famille, des tas de gens que je n'avais pas croisés depuis vingt-cinq ans au minimum, certains inchangés, d'autres méconnaissables, tous me serrant contre leur poitrine avec effusion, comme si nous nous étions croisés la veille, tous au courant d'une bonne partie de mes faits et gestes, personnels ou professionnels, « on a appris pour ta femme, ça va les enfants ne sont pas trop perturbés ? On t'a vu une fois à la télé chez l'autre marrant, là, mais si, celui qui est pédé, sur la deux, oui, Ruquier, c'est ça »... Après la mise en terre nous nous sommes réunis dans un café. Passé les premières minutes d'affliction, de silence, d'abattement, les conversations se sont mises à bruisser, des nouvelles qu'on s'échangeait aux commentaires des programmes télévisés, tout y passait. Quant à la politique, si les avis divergeaient sur le Président, sur les mérites respectifs des différents responsables socialistes qu'on disait en mesure de lui succéder, il y avait bien une chose sur laquelle tout le monde se mettait d'accord : la Blonde, on avait beau dire, elle ne disait pas que des conneries, et ça me ferait bien marrer qu'elle soit au deuxième tour, ça leur rabattrait le caquet à tous ces cons, ça leur foutrait au cul et bien profond...

Au milieu de tous ces gens j'étais un peu perdu, mes enfants n'étaient pas là, ceux de François si, quand il m'avait demandé pourquoi je lui avais répondu qu'un enterrement n'était pas une place pour des enfants, il m'avait rétorqué qu'il fallait bien qu'ils se confrontent aux réalités de la vie, qu'ils s'y préparent, et la mort de leurs proches en était une.

— Enfin, ils l'ont si peu connue au fond.

Je n'avais pas relevé les reproches à peine voilés, l'attaque latérale, je m'étais contenté de chercher des yeux Sarah et elle était là, elle tenait le bras de mon père et lui parlait doucement. Comme toujours elle prononçait les mots qu'il fallait, exécutait les bons gestes, sans le moindre calcul, tout simplement parce qu'elle était ainsi, d'une justesse infaillible, d'une bonté sans feinte. Elle était ainsi et je l'avais perdue. Je sais combien cette pensée peut heurter mais le jour de l'enterrement de ma mère, c'est à cette perte-là que j'ai pensé le plus violemment. Et quand dans la voiture qui nous menait à l'église Sarah m'avait annoncé avoir rompu avec Clooney, j'avais senti, en dépit des circonstances, en dépit de mon chagrin, quelque chose en moi s'éclaircir, reprendre espoir.

En sortant du café nous nous sommes retrouvés chez mon père. La directrice avait mis à notre disposition la salle commune. Tout le gang des petites vieilles est passé tour à tour présenter ses condoléances au nouveau venu. Toutes parlaient avec émotion de leur voisine décédée, qu'elles n'avaient jamais eu le loisir de croiser, qui n'avait même jamais mis les pieds dans la résidence. Mon père acceptait leur sollicitude de bonne grâce, avec cette même courtoisie surprenante.

— Au moins, une chose est sûre. Ton père ne sera pas seul ici. Je sens que toutes ces dames vont être aux petits soins pour lui, m'a glissé à l'oreille une cousine que je n'avais pas vue depuis vingt ans, qui en avait pris quarante et autant de kilos, et dont je ne parvenais pas à me rappeler le prénom ; en dépit de tous mes efforts il est resté coincé sur le bout de ma langue jusqu'à ce qu'elle reparte.

De la mort de maman à son enterrement, et jusqu'à mon départ, mon père est resté stoïque, fidèle à lui-même. On aurait dit que tout cela ne l'écorchait qu'en surface. Nul effondrement ne se faisait sentir. Dans la famille, chacun louait son courage, sa dignité. De mon côté je ne pouvais m'empêcher de soupçonner là une absence totale de sensibilité. Il venait de perdre la femme qui avait partagé sa vie entière. Bien sûr il était triste, affecté, mais tout son être respirait la solidité. Comme s'il ne réalisait pas vraiment. Comme s'il n'était pas tout à fait là. Comme s'il ne l'avait jamais été. Comme si, lui et moi, nous étions finalement du même bois, incapables d'être vraiment présents aux autres, à soi et à la vie. Il m'était difficile de lui en vouloir, de lui reprocher de n'avoir pas fondu en larmes, de ne s'être pas écroulé, d'avoir traversé ces jours sans flancher, et de maintenant mener sa vie sans avoir besoin de qui que ce soit, comme s'il se contentait de prendre acte d'une situation nouvelle et de s'y adapter. Je ne valais pas mieux que lui. Ma mère était morte et aucune déflagration ne s'était produite en moi. Je n'avais pas versé de larmes. Comme si tout ce que signifiait cet événement n'avait pas encore fait son chemin en moi. Comme si mon cerveau n'avait toujours pas réalisé. J'essayais parfois de me convaincre qu'il s'agissait là d'une sorte d'anesthésie générale due au choc, mais en fait je savais qu'il n'en était rien. Que la distance qui s'était creusée, au fil des années, entre mes parents et moi était impossible à combler. Je n'avais d'ailleurs jamais souhaité le faire. Je m'y étais résolu, habitué. La seule chose qui m'intriguait, c'était de comprendre les raisons mêmes de cette distance. Non pas pour la réduire, mais pour l'expliciter.

Avant mon départ pour le Japon je suis passé voir mon père. Ma cousine avait vu juste. Il était méconnaissable. Comme un coq en pâte. Au milieu de toutes ses voisines qui venaient lui faire la conversation, lui porter des gâteaux, une part de quiche, une portion du bœuf carottes qu'elles venaient de concocter et qu'il n'aurait plus qu'à réchauffer. Une bonne part de ses journées semblaient passer ainsi, en bavardages divers, en sociabilité de surface, lui que j'avais toujours connu si froid, si peu amical, si insensible au babil féminin qu'il ne manquait jamais de railler. Y compris quand il s'agissait de ma mère. Surtout quand il s'agissait de ma mère. Dont les avis sur tel ou tel sujet étaient le plus souvent sanctionnés d'un glacial « allez, arrête de raconter des bêtises ». Le jour de mon départ je me suis garé sur le parking de la résidence en milieu d'après-midi. J'ai traversé le hall sans jeter un œil à la salle commune, où quelques semaines plus tôt nous nous étions réunis pour nous recueillir après la mise en terre de maman. En provenaient des conversations, un peu de musique, des rires et des bruits de couverts. J'ai marché jusqu'à l'appartement. Les couloirs sentaient la soupe et l'eau de Cologne. Ça sentait le vieux et ce serait dorénavant, pour toujours, l'odeur de mon père. J'ai frappé à la porte mais personne n'a répondu. J'ai attendu un moment, frappé de nouveau. Une femme est sortie de l'appartement d'à côté.

— Vous cherchez M. Steiner ?

— Oui.

— Qu'est-ce que vous lui voulez ?

— Rien. Le voir, c'est tout.

— Vous êtes de la famille ?

— Je suis son fils.

— Ah, excusez-moi. Il doit être en bas.

J'ai remercié cette femme pour son aide et son amabilité toute policière. Juste avant que je ne disparaisse de sa vue elle m'a adressé un dernier mot :

— Ah vous avez de la chance d'avoir un père comme ça.

— Ah bon ?

— C'est un homme délicieux. Toujours souriant. Toujours aimable. Toujours serviable. Tenez hier, il m'a changé l'ampoule de la salle de bains. Et il m'a réparé mon grille-pain.

J'ai fait demi-tour pour aller à la rencontre du saint homme. J'avais vraiment du mal à croire qu'elle parlait bien de lui. Un homme délicieux. On pouvait dire bien des choses à son propos, mais délicieux, aimable n'étaient pas les premiers adjectifs qui venaient en général à l'esprit.

Dans la salle commune, une dizaine de femmes et deux hommes, dont mon père, étaient occupés à jouer aux cartes en buvant du thé. Sur une table était présenté un alignement de gâteaux. Et la chaîne jouait des vieux standards de jazz. Mon père rayonnait au milieu de tout cela, on aurait dit que tous les autres convergeaient vers lui. Quand il m'a vu, son visage s'est assombri. Aujourd'hui encore je me demande ce que ce changement d'expression pouvait bien signifier. S'il s'était soudain senti gêné d'être ainsi surpris sous son nouveau visage d'homme aimable et délicieux, bavardant et jouant aux cartes avec les femmes de la résidence. Ou si tout simplement il était agacé de me voir, si ma simple présence le dérangeait, le rappelait à un passé, une vie, des liens, dont il aurait préféré ne plus entendre parler. Son visage se crispait-il ainsi quand François, sa femme et ses enfants passaient le voir ? Mon frère m'avait raconté qu'il refusait désormais de venir chez eux, pour le déjeuner ou un bout d'après-midi, au motif que ça la fatiguait. Même si mon frère lui avait proposé de venir le chercher et de le ramener, rien n'y avait fait, il ne voulait plus sortir de la résidence à part pour aller chercher le journal et le pain, jouer aux boules derrière la mairie avec ses anciens camarades de l'imprimerie, et rouler à vélo en forêt, ce qu'il continuait à faire deux fois par semaine pour s'entretenir.

Mon père a dû s'arracher à sa partie de tarot et à la compagnie de ses veuves joyeuses pour m'escorter jusqu'à son appartement, où j'ai pris de ses nouvelles et où il a fait mine de prendre des miennes. Sitôt quitté la salle commune il était redevenu tel qu'en lui-même, froid et distant. L'appartement n'avait pas beaucoup changé depuis l'enterrement. Tout juste avait-il installé des rideaux qu'il gardait désormais fermés, cachant ainsi les arbres et les écureuils qui constituaient pourtant le seul attrait véritable des lieux, barrant l'accès au balcon où je brûlais de griller un mini Cohiba, de respirer le parfum des conifères. Tandis que mon père faisait réchauffer du café j'ai inspecté un moment les lieux. Le journal de télé traînant sur la toile cirée recouvrant la table du salon. Une carte postale envoyée par l'aîné de François, en vacances en Ardèche. Et c'était à peu près tout. Dans la chambre, près de son lit, un petit coffrage faisait office de bibliothèque. On y trouvait tous mes livres et pas un de plus. Ils remplissaient une étagère et demie. À part eux il n'y avait qu'une grande photo de ma mère, sous verre et encadrée d'argent mat. J'ai repensé à la chambre où était mort mon grand-père, sa dernière demeure ainsi qu'il la nommait. Tout était exactement identique. Le coffrage. Mes livres. La photo de l'épouse défunte. Il y avait aussi un cube où François et moi figurions enfants et côte à côte, posant devant la caravane, en short et tee-shirt, raquettes de badminton en guise de guitares. Sur une autre face était glissée une photo de ma mère jeune, au volant d'une Dyane, lunettes de soleil retenant ses cheveux en arrière, souriant une clope au bec, dans la lumière dorée que jaunissait encore le sépia. Le reste était consacré aux enfants de François. Les miens n'y étaient pas et la phrase de mon frère m'est revenue en mémoire : ils l'ont si peu connue au fond. Il me semble que mon histoire familiale tenait là, pour toujours cantonnée à l'enfance, puis se délitant jusqu'à rendre ce lien étrange et incompréhensible, comme s'il était construit de toutes pièces et ne reposait sur rien. Et pour cause. De ce temps-là ne subsistait pas le moindre souvenir. Et ma mémoire s'ouvrait sur le début d'un arrachement progressif, un éloignement mental, puis physique, qui ne cesserait de s'agrandir, jusqu'à l'accident de ma mère. Je pensais à cela quand, soulevant le cube par réflexe, j'ai découvert, occupant la face cachée, le cliché de Guillaume bébé, dans sa couveuse, minuscule et fripé, relié à toutes sortes de tubes fixés à sa peau par de larges morceaux de sparadrap beige. Mon père a toussé dans mon dos, manière de me prévenir que le café était prêt et qu'il m'attendait, par gêne aussi sans doute. Je me suis retourné et l'expression de son visage, celle que je lui avais toujours connue, contredisait ce que je venais de découvrir. Nous avons bu le breuvage dégueulasse sans nous dire grand-chose. Les exploits de Thomas Voeckler lors du dernier Tour de France ont suffi à combler le silence, à quoi se sont ajoutés quelques commentaires narquois sur le nouveau PSG, son prince qatari et ses millions d'euros... J'évitais sciemment toute référence à la campagne qui s'ouvrait, l'actuel Président se composant un masque d'homme d'État auquel personne ne croyait plus, les primaires socialistes où l'un des candidats tentait à toute force de faire oublier qu'elle venait du banc de touche tandis que l'autre s'efforçait de résoudre la contradiction qu'il y avait à vouloir être à la fois normal et providentiel... Quant à l'ancien directeur du FMI, ni moi ni mon père ne l'avions jamais beaucoup aimé, et pour dire la vérité, nous nous étions, lui comme moi, presque réjouis de sa mésaventure. C'était bien le seul sujet dont nous pouvions parler sans que je sente ses dents se mettre à grincer. Moi aussi ce type me dégoûtait, et avec lui tout ce qu'il représentait, la domination et les connivences, le pouvoir de l'argent et l'impunité des puissants.

Mon père m'a demandé ce que j'allais faire au Japon. Il ne comprenait pas ce qui pouvait me pousser à me rendre ainsi dans le nord du pays, à Sendai puis dans les parages de Fukushima encore accessibles, dans ces zones sinistrées où des gens s'entassaient encore et toujours dans les gymnases, où l'on pleurait des morts par centaines de milliers, où l'on n'en finissait pas de fouiller les décombres, où l'on n'en finissait pas d'incinérer les corps, où des âmes flottaient dans les limbes, terrorisées, privées de repos.

— Tu crois pas qu'il y a déjà assez de malheureux ici en France ? Qu'est-ce que t'as besoin d'aller écrire sur ces gens ?...

Qu'aurais-je pu répondre ? Que j'allais là-bas parce que, malgré la catastrophe, il me semblait que c'était désormais mon seul refuge, la seule destination possible ? Qu'il me fallait vérifier que tout n'avait pas été dévasté, effacé, qu'en dépit de tout quelque chose vivait encore ? Et que ce faisant je croyais pouvoir vérifier qu'en moi aussi tout n'était pas encore dévasté, que la vie battait encore et que la reconstruction était possible ? Que j'avais besoin de mettre le plus de distance entre la France et moi, que je fuyais la Maladie, que je fuyais mes racines, mon enfance, Guillaume, la banlieue, que je tentais ainsi de me retrouver, de me réconcilier, de trouver ma juste place, au bord extrême du monde, à sa périphérie, dans un pays auquel je n'appartenais qu'à la marge, aux lisières... ? Que les îles avaient toujours été pour moi des abris où me cacher et reprendre des forces ? Que j'avais joué mes dernières cartes aux finistères et que j'avais perdu ? Qu'il me fallait repartir ailleurs, dans un endroit presque neuf où tout serait à inventer ? Que confusément j'avais l'impression que c'était le seul endroit où Sarah accepterait peut-être un jour de me rejoindre et de reprendre les choses là où on les avait laissées ? Qu'aurait-il compris à tout ça ?

— Écoute, on m'a proposé ce reportage. C'est pour un grand journal. Et c'est très bien payé. Alors...

— Tu vas rester combien de temps ?

— J'en ai pour trois semaines autour de Sendai. Et puis après je vais rester à Kyoto quelques mois, le temps d'écrire mon prochain livre... Et après, comme dirait l'autre, on verra...

À ses yeux, j'ai bien vu que mon père n'était pas dupe, qu'il avait compris qu'il n'était pas près de me revoir. Son regard s'est légèrement troublé. J'ai vu ses mâchoires se contracter, puis trembler un peu.

— Tu sais, pour Guillaume... Enfin. Je regrette... On n'a pas pris les choses dans le bon sens. Et puis, pour le reste aussi. J'ai pas tout fait comme il fallait. Je le sais.

Il avait dit ça à voix basse, dans une sorte de sanglot sec, les yeux rivés sur les rideaux où le jour n'était qu'un mince ruban vert et bleu.

— C'est rien, papa. Ça va. Tout va bien.

J'ai enfilé ma veste et vérifié une dernière fois l'heure sur mon billet. Il était plus que temps de partir.

Rochebonne, février 2011- décembre 2011

Merci à Alix Penent. Les discussions que nous avons menées et les conseils qu'elle m'a prodigués tout au long de l'écriture de ce livre ont été décisifs.

10354

Composition
NORD COMPO

Achevé d'imprimer en Espagne
par CPI
le 16 décembre 2014.

1er dépôt légal dans la collection : avril 2013.
EAN 9782290068489
OTP L21EPLN001083B003

ÉDITIONS J'AI LU
87, quai Panhard-et-Levassor, 75013 Paris

Diffusion France et étranger : Flammarion